사장의
별의 순간

사장의 별의 순간

"사업의 시작과 끝은 인재다."

신현만 지음

SAY KOREA

Chapter 2 | 팬데믹 이후, 사장을 괴롭히는 것들

★

Part 2

인재경영의 새로운 패러다임

Chapter 3 | 인재를 발굴하고 채용하고 유지하는 법

Chapter 4 │ 인재 선발 방법이 진화하고 있다

Chapter 5 | 우리 회사에 인재가 남지 않는 이유

★

─────── **Part 3** ───────

인재가 모이는 조직을 만드는 법

Chapter 6 │ 평가와 보상의 원칙

Chapter 7 | 탄탄한 조직을 만드는 법

Chapter 8 | 성과 중심 조직 운영을 위한 실행전략

"경영자의 별의 순간은
인재를 만날 때다."

'별의 순간'은 독일어 'Sternstunde'를 우리말로 옮긴 것이다. 독일어로 'Stern'은 '별'이고, 'stunde'는 '시간'이다. 영어로는 'defining moment' 라고 쓰는데, 운명에 결정적 영향을 미치는 순간을 일컫는다. 별의 위 치가 운명을 결정한다고 보는 점성술에서 연유된 단어다.

이 말은 1927년 오스트리아 작가인 슈테판 츠바이크[Stefan Zweig]의 대 표작『광기와 우연의 역사(원제: 인류의 별의 순간[Sternstunden der Menschheit])』가 베스트셀러가 되면서 전 세계에 널리 알려졌다. 츠바이크는 이 책에 서 괴테, 톨스토이, 키케로, 레닌, 윌슨 등 열네 명의 역사적 인물들이 결정적 상황에서 어떤 선택을 했고, 그것이 어떤 결과를 가져왔는지 를 흥미진진하게 기술했다. 그는 사람에게 운명적인 순간이 도래하면 미래를 좌우하는 중요한 결정을 해야 하는데, 이 같은 운명적 순간은 한 사람의 인생이나 역사에서 매우 드물다고 주장했다.

스위스 TV 방송국인 3SAT에서는 '별의 순간'을 다루는 토론 프로그램이 30년 넘게 방영되고 있다고 한다. 〈철학의 별의 순간〉, 〈종교의 별의 순간〉, 〈예술의 별의 순간〉 등의 프로그램 이름을 보면서 나는 나중에 〈경제의 별의 순간〉이라는 프로그램을 만들 수도 있겠다는 생각이 들었다. 만약 그런 프로그램을 만든다면 어떤 사람이, 어떤 내용의 토론을 하면 좋을까 하는 생각도 해봤다.

◆ ◆

사람이 전부다

신문사 경제부 기자와 경제신문사 사장을 거쳐 인재 컨설팅 회사 대표로 일하면서 내 화두는 언제나 사람, 특히 '인재'였다. 인재는 언제나 내 주요한 관심 대상이었고, 비즈니스의 기반이기도 했다. 나는 "인사가 만사"라는 말을 자주 한다. 내 관심사나 사업 때문만은 아니다. 지금도 기업인을 만나 이야기를 나눌 때면 "사람이 전부"라고 말하곤 한다.

나는 기업이 '적임자right person'를 만나 대도약하고 사업이 급성장하는 과정을 적지 않게 목격했다. 오너가 어떤 전문 경영인을 영입하느냐에 따라 기업의 상황이 뒤바뀌었고, 사장이 어떤 사람에게 책임을 맡기느냐에 따라 사업의 성패가 완전히 달라졌다.

남의 경험만 이야기하는 게 아니다. 나 역시 20년 넘게 회사를 경영하고 사업을 추진하면서 조직과 사업에 어떤 책임자가 배치되고

"경영자의 별의 순간은 인재를 만날 때다."

어떤 구성원이 합류하느냐에 따라 예상을 아득히 뛰어넘는 결과가 나왔던 경험이 있다.

그래서 누군가 "기업과 경영자의 별의 순간은 어떤 때인가?"라고 묻는다면 나는 주저하지 않고 "인재를 만날 때"라고 답할 것이다. 기업의 사업 성패는 결국 그것을 이끌 책임자에게 달려 있다. 기업과 경영자에게 별의 순간은 적임자를 만날 때인 이유다.

이것은 나만의 이야기가 아니다. 동서고금을 막론하고 내로라하는 사람들이 한결같이 인재의 중요성을 강조해왔다. 이들은 인재를 찾는 것이 모든 일의 시작이자 끝이라고 주장했다.

우리가 잘 아는 고사성어 '천재일우千載一遇'도 인재와 관련된 말이다. 천재일우는 중국 동진의 문장가였던 원굉袁宏의 저서 『삼국명신서찬三國名臣序贊』에 나오는 말로, 천 년에 한 번 만날 수 있을 정도의 매우 드물고 좋은 기회를 말한다.

원굉은 능력이 출중했지만 집안 환경이 좋지 않아 부두에서 짐꾼으로 일했다. 그는 어느 가을밤 강가에서 자신의 신세를 한탄하는 시를 읊고 있었다. 마침 배를 타고 달구경을 하던 사상謝尚이라는 귀족이 원굉의 한탄을 듣고 그를 불러들였다. 원굉은 결국 사상의 도움으로 공직에 입문해 동양군의 태수 자리에 올랐다.

원굉이 "군주는 신하를 잘 둬야 국가를 잘 통치할 수 있고, 신하는 군주를 잘 만나야 자신의 재능을 펼칠 수 있다"며 군주와 신하의 만남이 얼마나 중요한지를 역설한 것도 이런 자신의 경험 때문이었을 것이다. 그는 삼국지에 등장하는 위, 촉, 오 3국의 개국공신 20여 명을 예찬하면서 "지혜로운 군주와 역량이 뛰어난 신하의 소중한 만남은 천 년에 한 번 있는 만남千載一遇"이라고 강조했다.

◆◆

백락이 되어라, 아니면 백락을 두어라

어떤 사람이 어떤 자리에 적임자임을 감지한 순간, 그를 회사나 사업 혹은 프로젝트에 합류하게 하는 것은 '별의 순간을 만나 별을 잡는 일'이다. 별의 순간이 여러 번 오는 게 아니듯, 적임자도 여러 번 만날 수 없다. 어쩌면 단 한 번의 기회일 수도 있다.

그렇다면 누가 적임자일까? 어떻게 적임자를 알아볼 수 있을까? 이와 관련해 백락伯樂과 천리마의 이야기를 돌아볼 만하다.

백락은 주나라 때 말을 감별하던 사람인데, 왕의 명을 받아 명마를 찾기 위해 방방곡곡을 다녔다. 백락은 본래 전설에 나오는 '천마天馬'를 주관하는 별자리를 일컫는 말이다. 그만큼 말을 보는 안목이 뛰어났다. 아무리 명마라도 백락을 만나야 세상에 그 진가가 알려진다는 뜻의 '백락일고伯樂一顧'라는 말이 유명하다. 중국 당나라의 정치가이자 시인 한유는 『잡설雜說』에서 이렇게 말했다.

"세상에 백락이 있은 다음에 천리마가 있는 것이니, 천리마는 항상 있으나 백락은 항상 있지 않다[世有伯樂然後有千里馬 千里馬常有而 伯樂不常有.]"

"경영자의 별의 순간은 인재를 만날 때다."

그는 "만약 백락이 없다면 비록 준마라 하더라도 노예의 손에 모욕을 당하다 평범한 말들과 함께 마굿간에서 죽어 천리마로 역할을 못하게 된다"면서 "세상에 좋은 말이 없다고들 하는데, 말이 없는 게 아니라 말을 알아보는 사람이 없을 뿐"이라고 한탄했다. 뛰어난 능력자라도 그를 알아보는 현명한 군주를 만나지 못하면 초야에 묻혀 평생을 보낼 수밖에 없다는 것이다.

백락과 천리마에 관한 이야기는 그냥 과거의 고사로 넘길 일이 아니다. 기업 경영과 사업 진행에도 똑같이 적용된다. 아무리 뛰어난 기업인이라고 해도 모든 면에서 탁월할 수는 없다. 더구나 조직이 커지고 사업이 확대되면 혼자서 모든 업무를 감당할 수 없기에 짐을 나누어 질 사람이 필요하다. 특히 기업이 성장 정체 상태에 있거나 사업이 어려운 국면에 처해 있다면 기업을 키우고 사업을 확대할 수 있는 유능한 인재를 확보하는 일은 더욱 절실하다.

그런 점에서 큰 꿈을 꾸고 있는 기업인이라면, 반드시 백락처럼 명마를 감별할 수 있는 능력을 지녀야 한다. 적어도 백락 같은 참모를 옆에 둬야 한다. 다시 말해, 사장은 적임자를 알아볼 능력이 있거나, 그렇지 않으면 적임자를 발굴할 수 있는 인사를 최측근에 배치해야 한다는 것이다. 그래야 적임자를 찾아 자신의 기업과 사업에 합류시킬 수 있다. 별의 순간임을 알아채야 별을 잡을 수 있다는 얘기다.

◆ ◆

대퇴사 시대를 맞는 경영자의 자세

코로나 팬데믹을 거치며 많은 경영자들이 직원들의 이탈 때문에 힘들어하고 있다. 어렵게 뽑은 직원들이 대거 떠나면서 조직과 사업에 타격을 입은 회사도 적지 않다. 내가 만난 경영자 중 상당수가 직원들의 퇴사로 심한 속앓이를 하면서 조직관리에 어려움을 겪고 있었다. 최근에 만난 어떤 사장은 "몇십 년째 기업을 경영하고 있는데 이렇게 직원 관리가 어려웠던 적이 없다"며 답답한 심정을 토로했다.

충분히 공감이 가는 부분이다. 직원들의 이탈에서 자유로운 경영자가 어디 있을까? 더구나 직원들의 퇴사가 계속되고 있다면 경영자의 속은 이미 새까만 숯검정이 돼 있을 게 분명하다. 믿었던 간부가 떠나고, 입사한 지 얼마 안 된 직원이 퇴사한다는 소식을 접하면 밤잠을 설칠 수밖에 없다. '이래서야 조직이 유지될 수 있을까'라는 의문도 들 것이고, '사업을 계속해야 하나'라고 회의에 빠질 수도 있다. 나 또한 예외가 아니다.

그런데 직원들의 퇴사는 경영자들에게 분명 위기지만, 다른 한편에서 보면 기회다. 직원이 퇴사하면 유능한 인재를 새로 확보할 공간이 만들어지는 셈이다. 회사가 한 차원 도약하고 사업이 한 단계 성장하는 데 결정적 역할을 할 핵심인재를 구할 수도 있다. 적임자를 만날 수 있는 별의 순간이 찾아올지도 모른다는 얘기다.

그러니 걱정만 하지 말고 당장이라도 인재를 찾아나서야 한다. 회

"경영자의 별의 순간은 인재를 만날 때다."

사를 이끄는 사장은 그렇게 일해야 한다. 본인이 직접 백락이 되어 천리마를 발굴하거나, 백락처럼 발굴 능력이 탁월한 전문가를 곁에 두어 인재를 확보해야 한다. 바뀐 기업환경에 맞춰 인재를 확보하고 조직을 재편해야 한다. 직원 퇴사로 생긴 위기를 새로운 인재로 조직을 꾸리는 기회로 바꾸어야 한다.

관건은 '변화'다. 위기를 기회로 바꾸려면 기업 문화는 물론, 조직을 관리하고 운영하는 방식을 완전히 다르게 가져가야 한다. 물론 기존의 방식을 바꾸는 과정에는 상당한 두려움과 고통이 뒤따른다. 무엇보다 태산 같은 인내심이 요구된다.

직원들의 잦은 퇴사는 이제 일상적인 현상이 돼버렸다. 소위 MZ세대의 직업관 및 직장관은 깜짝깜짝 놀랄 정도로 기성세대와 많이 다르다. 그런 MZ세대가 회사에서 차지하는 비중은 계속 커지고 있다. 퇴사가 줄어들 가능성은 크지 않고, MZ세대 없이 기업을 경영할 방법도 없다. 그러니 더 늦기 전에 경영자가 기업환경 변화에 맞추어 경영관과 경영 방식을 바꿔야 한다.

이 책은 무엇을, 그리고 어떻게 바꿀 것인지에 대해 이야기하고 있다. 대퇴사 시대 기업에서 발생하는 문제, 경영자들이 직면한 현안에 대해 해법을 모색했다. '어떤 직원을 어떻게 뽑을 것인가', '직원들을 어떻게 배치해 성과를 창출할 것인가', '성과를 어떻게 평가하고 보상해서 직원의 업무의욕을 고취시킬 것인가' 같은 질문을 놓고 고민했다.

이 책을 읽는 사장과 임원들은 '내 이야기 아닌가', '아, 다른 사장들도 나와 비슷한 어려움에 처해 있구나', '다른 회사도 사정이 비슷하구나' 하는 생각이 들 것이다. 그만큼 팬데믹이 가져온 경영환경의 변화는 경영자들에게 비슷한 문제를 제기하고 있다.

이 책은 그런 기업 경영자들의 이야기다. 조직과 사업의 책임을 맡고 있는 경영자들이 겪고 있는 직원들의 퇴사 문제, 이로 인해 발생하는 조직 관리 문제, 그리고 사업과 프로젝트의 진행 방식을 다루었다. 경영자와 간부들의 고민과 그들에게 건네는 조언을 담았다. 가능하면 모든 질문에 답해보고자 했으나 명쾌한 답을 하지 못한 채 공감에 그친 것도 더러 있다. 소개된 사례와 제시된 해법이 모두를 만족시킬 수는 없을 것이다. 그러나 다른 기업의 대처 방안이 문제해결의 실마리가 될 수도 있다.

이 책을 읽으며 각자가 직면한 문제의 해법을 찾아내길 희망한다. 그리고 그 고민의 배경을 이해하고 해답을 얻는 과정을 다른 회사의 경영자나 회사 내 다른 임원들과 공유하길 기대한다. 그래서 창업을 계획하는 예비 기업인과, 스타트업에서 중견기업으로, 중견기업에서 대기업과 글로벌 기업으로 도약하려는 수많은 경영자들이 별의 순간을 포착할 수 있으면 좋겠다.

삼성동에서 초록의 봉은사를 바라보며

"경영자의 별의 순간은 인재를 만날 때다."

Part

1

—

세상은 변하지만 사장은
늘 인재를 찾아 헤맨다

Chapter 1

인재 시장의 대격변,
누구를 어떻게 쓸 것인가?

Q

인재를 채용할 때
가장 중요하게 봐야 할 것은 무엇입니까?

#파레토법칙 #20대80 #평가기준 #단기성과

건자재 회사의 경영기획 임원입니다. 올해 초 외국계 기업에서 오래 근무했던 분이 회사의 새 대표이사로 부임했습니다. 새 대표는 취임 직후부터 기업 문화를 완전히 바꾸고 있습니다. 그동안 신규 인력을 채용할 때 우리 회사는 성실함과 가능성을 높이 사서 길게 보았을 때 회사의 주축이 될 만한 사람을 주로 뽑았습니다. 그런데 새 대표는 "길게 볼 필요 없다"면서 "당장 성과를 내기 어려울 것 같다는 판단이 서면 채용 대상에서 제외하라"는 지침을 내렸습니다. 이 같은 내용이 직원 평가에도 반영될 수 있도록 평가 제도 역시 개선하라고 합니다.

이렇게 채용을 포함해 전반적인 평가 기준이 급변하다 보니 기존 직원들이 혼란스러워합니다. 일부는 새 사장이 너무 근시안적으로 접근하고 있다며 불만을 표출하고 있습니다. 조직에 충성하고 열심히 일하는 직원보다 얌체처럼 일해도 성과를 잘 내는 직원이 더 평가받는 현실을 받아들이기 어렵다는 것이지요. 대표의 지시이니 따라야겠지만, 이렇게 급격한 방향 선회가 과연 맞는 것인지 모르겠습니다

"10년 뒤보다
1년 뒤를 봐야 합니다."

여기 같은 회사에 다니는 직원 A와 B가 있습니다. A는 정해진 출근 시간보다 일찍 회사에 나옵니다. 성격이 밝고 사교성이 좋아서 주변 사람들과 곧잘 어울리고 상사와 동료들도 그를 좋아합니다. 맡은 일도 성실하게 수행합니다. 종종 퇴근 시간이 지나서까지 사무실에 남아 일하기도 합니다. 그런데 그가 내는 성과와 실적은 같은 부서 직원들의 평균치입니다.

B는 정시출근, 정시퇴근을 칼같이 지킵니다. 회사가 정한 근무 시간 이상으로 일을 하는 경우가 거의 없습니다. 회식이나 술자리 같은, 동료들과 어울리는 자리는 웬만하면 빠집니다. 주변 동료들은 그를 자기만 챙기는 개인주의자로 여깁니다. 그런데 그의 업무 실적은 매우 우수합니다. 소속 부서에서 최상위 실적을 내고 있고 회사 수익 기여도가 상당히 높습니다.

어느 조직이든 리더는 여러 유형과 성격의 사람들을 데리고 일합

인재 시장의 대격변, 누구를 어떻게 쓸 것인가?

니다. 다양한 직원들을 뭉뚱그려 구분하기는 어렵지만, 리더는 대체로 '일을 열심히 하는 직원'과 '일을 잘하는 직원'을 선호합니다. 일을 열심히 하지도 않고 잘하지도 못하는 사람은 당연히 리더의 마음속에서 멀어집니다.

그렇다면 '일을 열심히 하는 직원'과 '일을 잘하는 직원'을 두고 사람들은 어느 쪽을 더 선호할까요? 관점에 따라 차이가 있겠지만 직장인들 사이에서는 대체로 인간미가 있는 A의 인기가 더 높을 겁니다. 하지만 경영자의 생각은 다릅니다. 십중팔구는 회사 실적 기여도가 높은 B를 더 필요하고 소중한 직원이라고 판단할 겁니다.

이탈리아 경제학자 빌프레도 파레토^{Vilfredo Pareto}가 주장한 '파레토 법칙'이라는 것이 있습니다. 한 나라의 인구 20%가 전체 부^富의 80%를 소유한다는 사실이 밝혀진 뒤 여러 분야로 확대·적용된 법칙입니다. 파레토 법칙의 요지는 '전체 결과의 80%가 전체 원인의 20%에서 일어난다'라고 할 수 있습니다. 기업 조직으로 치면 20%의 구성원이 전체 성과의 80%를 창출하고 있다는 것이죠.

사장에게 전체 성과의 80%를 창출하는 20%의 구성원은 당연히 소중합니다. 반면 나머지 20%의 성과를 담당하는 80%의 구성원은 그리 높게 평가할 수 없을 겁니다. 기업은 무엇보다 성과를 목표로 하는 조직이니까요.

10년 뒤보다 중요해진 1년 뒤

과거 산업화 시대에 기업은 조직에 충성하고 묵묵하게 열심히 일하는 직원들을 높이 평가했습니다. 그 시절 기업에 가장 중요한 자산은 공장과 설비였습니다. 공장과 설비의 가동률이 생산성을 결정했기 때문에 회사는 직원들에게 성실과 인화(人和)를 요구했습니다. 하지만 지식정보 사회의 도래 이후 기업의 생산성은 창의적인 '지식근로자'에게 크게 의존하고 있습니다. 단순히 열심히 일하는 것만으로는 경쟁에서 우위를 차지하거나 부가가치를 많이 창출하기 어려워졌습니다.

이에 따라 직원을 평가하는 기준도 달라졌습니다. 성격이나 인품, 인간미, 충성도는 중요한 평가 척도가 아니게 됐습니다. 직원을 뽑고 평가하는 핵심 기준도 '얼마나 열심히 하느냐'가 아니라 '얼마나 잘하느냐'로 모아졌습니다. 지금 기업들은 일머리가 좋고 성과를 잘 내는 직원을 선호합니다.

경쟁이 격화하면서 기업들도 인재에 관한 한 참을성이 굉장히 약해졌습니다. 지금 모든 기업이 단기적인 성과에 매달리고 있습니다. 과거에는 능력이 다소 부족하더라도 조직에 충성하고 나아가 중추가 될 가능성이 있으면 길게 보고 기다려줬습니다. 하지만 기업이 인재를 바라보는 시각은 이제 완전히 변했습니다. 이른 시일 안에 성과를 못 내는 사람은 좋은 평가를 받기 어렵습니다. 단기 성과를 못 내는 직원은 장기 성과도 기대하기 어렵다고 봅니다. 1년 앞은 고사하고 몇 달 앞도 예측하기 어려울 만큼 변화무쌍한 세상인데 10년 뒤에나 만 개할 사람을 뽑을 경영자가 어디 있겠습니까?

한번은 국내 대기업으로부터 사외이사를 추천해달라는 요청을 받은 적이 있습니다. 내로라하는 대기업의 최고경영자 출신 세 명이 유력한 후보로 물망에 올랐습니다. 그런데 이들에 대한 평판조회 결과는 매우 흥미로웠습니다. 세 사람 모두 공통적으로 '성격이 괴팍하고 독단적이며 인간관계가 좋지 않다'는 평과 '강한 추진력을 갖고 있고 줄곧 탁월한 성과를 내왔다'는 평을 받고 있었습니다.

기업에서 임원으로 승진하고 최고경영자로 발탁되는 사람들은 인간미와 관계없이 성과와 실적을 잘 내는 사람들입니다. 과거 기업은 대인관계가 좋지 않고 잡음을 일으키는 사람은 꺼렸습니다. 하지만 지금은 인격적으로 다소 문제가 있는 사람이라 하더라도 실력 있고 성과가 우수하면 중용합니다.

◆ ◆

사장에게 영광의 순간은 언제인가

질문하신 분 회사의 신임 대표이사는 단기적 성과를 낼 수 있는 인재를 중시하는 방향으로 인재 전략을 변경했습니다. 기업의 경영환경과 시대 흐름에 비춰볼 때 당연한 결정이라고 생각합니다. 아마 대표이사가 과거에 근무했던 외국계 기업의 경우 철저하게 단기 성과 중심으로 조직을 가동하고 인력을 운용했을 겁니다.

새로운 대표이사의 조직과 인사 관리 방침이 뿌리내릴 때까지 직원들의 불만과 반발이 이어질지 모릅니다. 하지만 기업의 생존과 성장을 고려한다면 성과 중심의 인재 전략은 어쩔 수 없는 선택입니다.

새로 국가대표팀을 맡은 감독에게 가장 기쁜 날은 자신이 취임한 날이 아니라 우승컵을 들어 올리는 날이어야 합니다. 사장도 마찬가지입니다. 성과를 만들어내는 게 중요합니다. 이를 위해서 냉정해야 하고, 때로 냉혹하다는 지적까지 감수해야 합니다. 사장은 그렇게 일하는 사람입니다. 그래서 고독을 숙명처럼 받아들여야 하고 즐겨야 합니다.

그런 점을 고려해 질문하신 분도 대표이사의 생각을 헤아리면서 적극적으로 지지하고 지원해주었으면 좋겠습니다. 할 수 있다면 가장 앞장서서 대표이사의 경영 방침을 실행에 옮겨보십시오.

Q

최적의 인재를 뽑는 것이
최선 아닌가요?

#최적의인재 #rightpeople #적재적소 #최고

#코이의법칙 #삼성 #천재 #초일류기업

"최고의 인재^{best people}보다 최적의 인재^{right people}를 뽑아야 한다." 여러 전문가가 이렇게 말합니다. 회사가 처한 상황에 맞게 사람을 뽑아야 한다는 말로 이해하고 있습니다. 기업 문화, 회사가 지향하는 가치와 비전, 최고경영자의 경영철학에 대한 고려 없이 최고의 인재만 뽑는다고 최고의 성과를 기대할 수는 없기 때문일 겁니다. 실제로 공들여 영입한 인재가 조직 적응에 실패해 겉도는 일이 있습니다. 우리 회사에서도 지난해 말 S급 인재로 주목받던 사람이 입사하고서 몇 달 만에 회사를 떠나는 일을 겪었습니다.

그런데 최근에 경영기획을 새로 담당할 임원 후보자로 두 사람이 올라왔습니다. 한 사람은 사내에서 발탁된 인물로 기업 내부 사정을 훤히 잘 알고 있고 나름대로 적합하다는 평을 받는 인물입니다. 다른 한 사람은 헤드헌팅 회사에서 추천한 인물로 글로벌 기업 출신에 성과나 추진력이 탁월해 S급 인재라는 평을 받고 있습니다. 지난번 일을 겪은 데다 머리로는 최적의 인재를 써야 한다는 생각이 듭니다만, 마음은 최고의 인재 쪽으로 쏠리고 있습니다. 어떤 사람을 선택해야 할까요?

"최고를 목표로 삼지 않으면
최적도 확보할 수 없습니다."

우리 주변에서 종종 이렇게 이야기하는 사람들을 만납니다.

> "최고가 아니라 최적의 인재를 찾아야 합니다. 아무리 최고를 데려
> 다놓아도 조직에 맞지 않으면 오래 버틸 수 없으니까요. 회사가 원
> 하는 솔루션을 제공할 가능성도 크지 않고요. 그러니 회사에 잘 적
> 응할 수 있는 사람을 찾는 게 맞습니다."

현장을 잘 알고 있는 실무자 입장에서는 무척 와닿는 말입니다.
예를 들어 작은 중소기업이 글로벌 기업 출신의 최고 인재를 영입했
다고 가정해보죠. 그 인재가 과연 중소기업에서 자신의 역량을 마음
껏 발휘하면서 회사가 원하는 성과를 만들어낼 수 있을까요? 아마 중
소기업이 가지고 있는 여러 가지 한계에 직면해 좌절할 가능성이 클
겁니다. 이 때문에 중소기업이 세계적 수준의 인재를 데려오겠다는

인재 시장의 대격변, 누구를 어떻게 쓸 것인가?

것은 그리 적합한 인재 확보 전략이 아닐 수 있습니다.

인사에서 '적재적소' 또는 '최적의 인재'라는 원칙은 보편타당합니다. 이를 비판하거나 왈가왈부하는 사람은 찾아보기 어렵습니다. 그런데 사실 이 원칙은 잘못 적용돼 부작용을 낳는 일도 있습니다. '현실 안주'나 '자기 비하'로 변질되는 경우가 바로 그것입니다.

◆ ◆

'최적의 인재' 지침의 부작용

최근 어떤 회사의 인사 담당자로부터 이런 얘기를 들었습니다.

> "우리는 중소기업이라 현실적으로 월급을 많이 줄 수 없어요. 더구나 수도권이 아니고 지방에 있는데, 누가 우리 회사에 오려고 하겠어요."

제가 파악하고 있는 이 회사는 업력이 상당합니다. 재무구조도 탄탄합니다. 비록 요즘 잘나가는 첨단 업종은 아니지만 대표가 적극적으로 업종 전환을 추진하고 있습니다. 그런데 인사 담당자가 자기 회사의 격을 이처럼 낮게 보고 있으니 답답했습니다. 만약 이 인사 담당자가 직원을 뽑을 때 '최적의 인재' 원칙을 염두에 둔다면 시장에서 경쟁력이 있는 인재에 눈길을 줄까요? '뛰어난 인재는 애초에 오지도 않을 거고, 온다고 해도 적응하지 못해 금방 나갈 게 뻔해'라고 생각하면서 자기 회사에 적합하다고 생각하는 '그저 그런' 직원을 뽑을 것이 뻔합니다. 대표는 업종을 전환하고 사업을 고도화하기 위해 우수한 인재를 뽑으려고 하는데, 인사 담당자가 이를 뒷받침하지 못하고 있는 겁니다.

이렇게 '최적의 인재' 전략을 잘못 적용하면 인재를 보는 눈높이를 낮추는 잘못을 범하게 됩니다. 직원을 뽑을 때 자기 회사의 수준과 실정에 맞는 '최적의 인재' 지침을 적용한다면서 우수한 인재에는 눈길조차 두지 않는 겁니다.

인사 담당자의 이런 인식은 규모가 작은 중소기업들 사이에서 많이 나타나지만, 중견기업은 물론 대기업에서도 심심찮게 볼 수 있습니다. 자기 회사보다 규모와 영향력에서 더 앞서 있다고 평가되는 기업 출신은 애초부터 관심을 두려고 하지 않는 것이지요.

'최적'을 찾는 전략에는 맹점이 있습니다. 수많은 요소를 동시에 고려했을 때 무엇이 정말 최적인지 알기가 어렵다는 것입니다. 그렇다면 때로는 최고의 것이 최적인 것일 수 있습니다. 인재와 관련해 이야기하면, 최적의 인재를 뽑는다고 눈높이를 낮추는 바람에 인재를 확보하려는 노력조차 하지 않는 것보다는 다소 무리해 보이더라도 최고의 인재를 찾아 나서는 게 옳을 수 있다는 말입니다.

초일류 기업 삼성의 인재 전략

비즈니스 세계는 갈수록 경쟁이 치열해지고 있습니다. 그리고 경쟁에서 승리하느냐 패배하느냐는 오롯이 '인재'에 달려 있습니다. 이렇게 사람이 모든 것을 결정하는 시대에 마냥 '최적 타령'만 하고 있을 수는 없습니다. 시장 경쟁에서 이기고 일류 기업으로 성장하려면 다소 무리해서라도 최고의 능력을 가진 인재를 뽑아야 합니다.

오늘날 삼성전자가 글로벌 초일류 기업으로 성장한 것은 이병철 창업주를 거쳐 이건희 회장에 이르기까지 리더가 최고의 인재를 추구한 덕분입니다. 삼성의 경영진은 도약을 위해 끊임없이 외부에서 탁월한 인재를 영입했습니다. 최고의 인재에 관한 이건희 회장의 철학은 2002년 인재전략 사장단 워크숍에서 한 다음과 같은 말로 집약됩니다.

"21세기에는 탁월한 한 명의 천재가 10만에서 20만 명의 직원을 먹여 살립니다."

시장을 주도하는 선발 기업에는 이미 최고 수준의 인재가 일하고 있습니다. 그런데도 그들의 인재 영입 노력은 멈출 줄 모릅니다. 하물며 선발 기업을 추격하겠다는 후발 기업이라면 최고의 인재 없이 무슨 수로 그들을 따라잡을 수 있겠습니까? B급, C급 인재로는 결코 선발 기업을 넘어설 수 없습니다. 할 수 있는 한 최고의 인재를 확보해야만 기업이 도약할 수 있습니다.

물론 최고의 인재를 영입하려면 과감한 투자가 필요합니다. 그들은 당연하게도 걸맞은 보상을 요구할 것입니다. 그러나 그들을 영입하려면 마땅히 치러야 할 대가입니다.

치열한 경쟁 시대입니다. 기업이 최고의 인재를 확보하려는 노력을 하지 않으면 살아남기가 쉽지 않습니다. 중소기업이 중견기업, 대기업으로 성장해나가려면 최고의 인재가 필수적입니다. 현재의 조건에 지나치게 얽매여서는 안 됩니다. 미래를 위해 최고의 인재 영입에 나서보십시오.

Q

성과가 탁월해 보이는
후보를 뽑으면 될까요?

#S급인재 #성과 #기여도 #역할 #면접 #검증 #평판조회

회사의 핵심 중간간부를 뽑기 위해 인터뷰를 진행하고 있습니다. 그런데 최종 후보에 오른 두 사람을 두고 면접관들의 의견이 엇갈립니다. A 후보자는 경험이 많고, 현재 재직 중인 직장에서 최근에 탁월한 성과를 거뒀습니다. A는 이 성과를 이유로 저희가 예상한 것보다 높은 직급과 많은 연봉을 강하게 요구하고 있습니다. B 후보자는 A보다 젊고 상대적으로 성과가 빈약합니다. 그러나 면접관 상당수가 역량 면에서 볼 때 B가 결코 A에 뒤지지 않는다고 보고 있습니다. 외국에서 석사학위와 박사학위를 받다 보니 현업 경력이 짧았을 뿐이라는 겁니다.

당장의 성과만 놓고 볼 때는 A를 선택하는 게 옳아 보이지만, 면접관 다수가 B를 추천하니 기대를 걸어보고 싶은 마음이 듭니다. 조금 부담스럽더라도 직급과 보상을 수용하면서 A를 선택해야 할까요? 아니면 성과가 다소 빈약하지만 앞으로가 기대되는 B를 선택해야 할까요?

"성과도 그 내용을
들여다봐야 합니다."

후보자를 면접할 때 정확하게 평가하기란 참 어렵습니다. 면접관들은
자신의 안목과 경험을 바탕으로 후보자를 제대로 평가했다고 확신합
니다. 그러나 면접 당시의 평가가 후보자의 객관적 실체와 일치하는
경우는 의외로 많지 않습니다. 면접 경험이 많은 사람들도 정확한 판
단을 내리기가 쉽지 않다는 겁니다.

보통 S급 인재들이 제출한 이력서는 화려합니다. 학력과 경력, 그
리고 각종 성과로 줄줄이 채워진 경우가 많습니다. 그러다 보니 면접
관들은 이력서에 적혀 있는 내용을 보고 '이 사람은 S급 인재구나'라
고 생각하면서 흡족해합니다.

문제는 이력서에 쓴 성과가 실제로 사실과 진실에 부합하느냐 하
는 점입니다. 이를 확인하는 방법이 있습니다. 성과를 내는 과정에서
후보자가 어떤 역할을 맡았는지를 보는 것입니다. 주도적 역할을 담
당했는지, 아니면 여러 동료들과 함께 팀의 일원으로 참여한 것인지,

그것도 아니면 단순히 지원하고 보조하는 수준에 머물렀는지에 따라 평가는 완전히 달라질 수 있습니다. 꼼꼼히 조사해보면 이력서에 적힌 성과는 후보자 본인이 소속된 부서의 성과이고, 후보자는 성과와 거의 관련이 없는 사람인 경우도 종종 나타납니다.

◆◆

이력서만 보고 뽑은 S급 인재의 최후

한번은 어떤 후보자가 기업공개IPO를 세 차례 성공시켰다는 내용을 이력서에 성과로 적어놓았습니다. 면접관들은 '전문가인 것 같다'는 판단을 하고 면접장에 들어갔습니다. 자연히 면접은 우호적인 분위기에서 진행됐습니다. 기업공개를 준비하고 있던 이 기업은 좋은 조건을 제시하면서 그를 영입했습니다. 그런데 나중에 알고 보니 그는 기업공개 업무를 실질적으로 주도한 경험이 없었습니다. 단지 그 업무를 담당하던 팀에 속해 있었을 뿐이었습니다. 그를 영입한 회사는 이력서만 믿고 덥석 뽑았다가 결국 속은 셈이 됐습니다.

의외로 많은 기업들이 핵심인재를 채용하는 과정에서 이렇게 이력서만 믿고 후보자를 잘못 판단하는 잘못을 범하고 있습니다. 그러나 이처럼 중요한 보직에 엉뚱한 사람을 뽑고 나면 그 부작용은 너무도 큽니다. 어떻게 하면 이런 낭패를 피할 수 있을까요?

우선 면접 과정에서 후보자가 이력서에 기술한 성과를 꼼꼼하게 검증해야 합니다. 핵심은 해당 성과에 대한 본인의 기여도를 확인하는 겁니다. 이를 위해서는 면접관이 해당 직무 분야에 대해 깊은 배경 지식을 갖고 있어야 합니다. 이때 필요한 것이 전문가 면접입니다. 전문가 면접이란 후보자의 직무 분야를 잘 아는 전문가가 심층면접을 실시하는 것을 말합니다.

가령 어느 건설 회사가 초고층 빌딩 건설 프로젝트를 맡을 사람을 영입하려 한다고 합시다. 초고층 빌딩 공사는 높은 수준의 기술력이 뒷받침돼야 합니다. 마침 후보자는 100층짜리 빌딩 공사에 참여했던 것을 성과로 내세우고 있습니다. 하지만 인사 업무만 담당하던 면접관은 그 후보자가 공사에서 구체적으로 어떤 역할을 맡았고 그 역할의 중요성과 기여도가 어느 정도인지 제대로 파악하기 어렵습니다. 따라서 고층 빌딩 건설 메커니즘을 잘 아는 전문가를 면접관으로 세워야 합니다. 그래야만 후보자가 주장하는 경험과 성과의 허실을 짚어낼 수 있습니다.

물론 전문가 면접으로도 완벽하게 후보자를 검증하지 못하는 경우가 있습니다. 후보자의 능수능란한 언변이나 태도에 현혹될 가능성을 완전히 배제할 수 없기 때문입니다. 그래서 마지막으로 평판조회를 실시해 한 번 더 확인하는 게 좋습니다. 후보자의 주변인을 대상으로 성과에서의 역할이나 근무 태도 등을 알아보는 것입니다. 이처럼 이중삼중으로 검증 절차를 둬서 최대한 면밀하고 정확하게 평가해야 합니다.

재현 가능한 성과가 진정한 역량

기업이 S급 인재를 영입하는 것은 회사의 미래를 걸고 중책을 맡기기 위함입니다. S급 인재라 하면 그만큼 탁월한 역량을 가지고 최고의 성과를 내는 사람입니다. 그런데 과연 S급 성과를 낸 인재가 곧 S급 인재일까요?

기업에서 탁월한 성과를 낸 인재에게 보상으로 승진을 시키거나 중책을 부여하는 경우가 있습니다. 그러나 이는 패착 또는 무리수가 될 가능성이 큽니다. 성과는 일시적이거나 우연일 수 있기 때문입니다. 자리라는 것은 역량에 맞게 부여해야 합니다. 꾸준하게 성과를 낼 수 있는 역량과 조직을 관리하는 리더십을 갖춰야 중책을 맡길 수 있습니다. 성과를 낸 인재에게 합당한 보상은 해당 연도에 적절한 성과급을 지급하는 것입니다.

많은 이들이 S급 성과를 낸 사람을 S급 인재와 동일시하는 착각에 빠지곤 합니다. 그러나 성과가 곧 역량은 아닐 수 있습니다. 앞서 말한 것처럼 성과는 일시적이거나 우연인 경우가 존재합니다. 한두 차례의 성과만으로 S급 인재로 단정하면 안 됩니다. 성과와 역량을 분리해서 평가해야 하는 것은 이 때문입니다.

'S급 성과=S급 역량=S급 인재'라는 착각의 등식에 빠지지 않으려면 성과를 구체적으로 냉철하게 따져봐야 합니다. 어떤 사람이 하나의 프로젝트에서 성과를 냈는데, 그 성과를 그가 기획하고 주도한 것이라면 다른 회사에 가서도 성과를 낼 가능성이 큽니다. 이처럼 꾸준하게 성과를 창출할 수 있는 사람이야말로 S급 인재입니다.

질문하신 분의 회사가 최종 후보자로 올려놓은 두 사람 중 A는 뛰어난 성과를 내세우고 있습니다. 반면 B는 현업 경험이 상대적으로 적은 탓에 성과는 빈약하지만 역량이 앞선 것으로 평가받고 있습니다. 두 사람의 우열을 가리기가 어렵다면 우선 성과와 역량을 분리해서 살펴볼 것을 권하고 싶습니다.

A가 주장하는 성과를 꼼꼼하게 검증해보십시오. 만약 A가 주장한 성과가 사실이고 전에도 그런 성과를 낸 적이 있다면 A의 손을 들어줄 수 있을 겁니다. B는 학력 면에서 우수하기는 하지만 아직 현업에서 눈에 띄는 성과를 내지 못했습니다. 면접관들이 평가한 것처럼 B가 실제로 역량이 뛰어나다 하더라도, 그것을 발휘하기까지는 시간이 걸릴 수 있을뿐더러 아직 성과를 토대로 검증된 역량이 아니라는 점이 걸립니다. 만약 A의 성과를 검증한 결과가 좋지 않게 나온다면 B의 손을 들어주면 됩니다. 아무쪼록 좀 더 치밀한 검증 절차를 통해 적합한 후보자를 영입하기 바랍니다.

Q

특정 분야의 스페셜리스트라면
임원 자격이 충분하지 않나요?

#임원 #평가기준 #역량 #영업력 #전문성 #네트워크 #수주 #실적 #판매 #매출

중견 제약 회사를 운영하고 있습니다. 내년도 임원 승진 대상자를 선별하고 있는데, 눈여겨보고 있는 후보의 경력이 조금 마음에 걸립니다. 영업 경험은 전무하고 경영기획과 전략기획 업무만을 해오던 사람이기 때문입니다. 임원으로 임명했을 때 하나만 알고 둘은 모르는 경우가 발생하지 않을까 걱정이 됩니다. 물론 맡았던 업무에서의 성과는 더할 나위가 없었고 면접 때도 기획 분야의 스페셜리스트로 성장하고 싶다는 포부를 내보였습니다. 과연 '전문성'만을 기준으로 임원을 신빙해도 문제가 없을까요?

"임원은 '실적'으로
대답하는 사람입니다."

직장인들에게 영업을 좋아하느냐고 물어보면 대개는 그렇지 않다고 답변합니다. 아무래도 영업은 고되고 힘든 일이라는 생각을 갖고 있기 때문입니다. 실제로 영업은 결코 쉬운 일이 아닙니다. 하지만 어떤 기업이든 제품이나 서비스를 매출과 실적으로 만드는 영업활동 없이 존재할 수는 없습니다. 영업은 모든 기업 활동의 기초이자 기반이 되는 업무입니다. 일반적으로 기업에서 영업 직군 출신이 임원으로 승진하는 경우가 많은 것도 그 때문입니다. 쉽게 말하자면 돈을 잘 벌어오는 사람이 임원이 될 확률이 높은 것이지요.

영업의 사전적 정의는 '제품이나 서비스를 판매하기 위한 제반 활동'이지만, 기업 안에서 벌어지는 영업은 이 같은 설명 이상의 의미를 내포하고 있습니다. 회사가 제공하는 상품과 서비스, 기술에 대한 깊은 이해 없이는 제대로 하기가 어려운 일이 영업입니다. 또한 관련 산업과 시장의 흐름에 대해서 상당한 지식과 정보를 갖추지 못하면 성과를 낼 수 없는 영역이기도 합니다.

우리 사회에서는 영업직을 낮잡아 보는 경향이 있습니다. '밖에 나가서 거래처 사람 만나 굽신거리며 접대하는 일'이라고 치부하는 것이지요. 하지만 영업직은 아무나 잘할 수 있는 일이 결코 아닙니다. 고객의 마음을 얻으려면 친화력이 있어야 하고 설득력도 갖춰야 합니다. 새로운 고객을 발굴하기 위한 도전정신과 추진력, 그리고 목표를 달성할 때까지 버텨낼 수 있는 끈질긴 근성과 인내심도 필요합니다. 이런 점을 생각하면 영업이란 지식과 전문성 및 자질을 요구하는 매우 고차원적인 일입니다.

◆◆

만드는 건 기술, 파는 건 예술

요즘 들어 임원의 영업 능력을 더욱 따지는 기업들이 많아졌습니다. 시장 경쟁이 치열해지면서 나타나는 자연스러운 흐름입니다. 물론 임원에게 요구되는 영업력은 실무자들의 그것과는 결이 다릅니다. 임원 자신이 가진 지식과 경험, 기술과 네트워크를 총동원해서 회사의 부가가치를 창출하는 활동으로 그 개념이 확장됩니다.

어느 기업 조직에서건 임원의 평가 기준은 일반 직원들과 다릅니다. 임원은 더 일을 잘한다거나 더 실무 지식이 많다는 것만으로 올라갈 수 있는 자리가 아닙니다. 임원이 될 수 있는 자격의 핵심은 바로 영업 능력입니다.

얼마 전 우리 회사의 간부 워크숍에 한 대형 회계법인의 부대표를 강사로 초빙한 적이 있습니다. 그는 공인회계사이면서 해외M&A 전문가이기도 한데, 강연 도중 자신의 경험담을 털어놓았습니다. 그는 회계법인에서 파트너로 승진한 뒤 얼마 지나지 않아 본부장의 호출을 받았습니다. 본부장은 그에게 "이제부터 영업을 좀 해야죠"라고 말했습니다. 그는 황당하다는 표정을 지으며 이렇게 반문했습니다.

"아니, 제가 무슨 영업을 합니까? 본부장님도 알다시피 저는 해외 M&A 업무를 오래 해왔습니다. 실무 지식도 많고 사내에서 저만큼 경험이 많은 사람도 없을 겁니다. 더구나 저는 영업에 대해서 아는 게 거의 없고 경험도 없습니다. 지금까지 입사 이후 영업은 생각조차 해본 적이 없습니다. 그런 제가 영업을 해야 한다니, 본부장님의 말씀을 수긍하기가 어렵습니다."

그는 해외M&A라는 자신의 업무에 상당한 자부심을 갖고 있었습니다. 해외 시장 동향에도 밝았고 M&A 기획이나 실행계획 수립 같은 실무에도 능통했습니다. 재직기간 동안 상당히 굵직한 프로젝트에 참여해 성공적으로 마무리했습니다. 그 정도 실력이면 전문가라고 불려도 부족함이 없을 뿐 아니라 자신이 파트너로 승진한 것도 이런 전문성 때문이라고 생각했습니다. 그런데 난데없이 영업을 하라니 황당했던 겁니다. 그러나 본부장은 단호했습니다.

"M&A 거래 구조를 짜고 거래를 진행하는 것은 실무자들이 충분히 할 수 있어요. 어쩌면 젊은 회계사들이 더 잘할 수도 있습니다. 실무 능력은 앞으로 젊은 회계사들이 더 앞서갈 겁니다. 파트너는 젊은 회계사들이 할 수 없는 일을 해야 합니다. 바로 거래를 발굴하고 일 감을 수주하는 일입니다. 영업을 못 하면 임원 직위를 유지할 수 없 습니다."

아무리 내로라하는 대형 회계법인이고 특정 분야의 전문가라고 해도, 영업을 못 하면 파트너 자리를 지킬 수 없다는 것입니다. 일거 리가 없으면 전문성을 발휘할 무대 자체가 사라집니다. 임원들이 영 업에 나서는 것은 그토록 중요한 일인데다 젊은 회계사들의 역량으로 감당할 수 없는 일이기 때문이었습니다.

그는 어쩔 수 없이 그때부터 영업을 시작했습니다. 이런저런 모임 에 부지런하게 참석하면서 비즈니스 인맥을 쌓아나갔고, 조금씩 영업 에 눈을 떠서 점차 회사가 원하는 성과를 만들어낼 수 있었습니다. 그 가 자신의 입으로 밝히진 않았지만, 대형 회계법인의 부대표 직위에 오른 것도 아마도 파트너 시절 탁월한 영업 능력을 발휘했기 때문이 었을 겁니다.

기업의 비즈니스는 모두 수주에서 시작됩니다. 수주란 상대로부 터 내 상품과 서비스를 사겠다는 주문을 받아내는 일입니다. 예컨대 기술이 집약된 제품을 생산하는 것과 이를 파는 일은 별개의 차원입 니다. 그러나 아무리 최첨단 기술을 동원한 제품을 만들었다고 한들,

고객이 지갑을 열지 않는 제품은 상품으로서 가치를 확보할 수 없습니다. 영업자들 사이에서 '만드는 건 기술, 파는 건 예술'이란 얘기가 나오는 이유입니다.

경쟁이 치열해지면서 기업은 점점 더 영업 능력, 수주 능력을 중시하고 있습니다. 촉망받는 직원들을 자꾸 비즈니스 현장으로 내보내는 것도 영업 경험을 쌓게 하기 위한 것입니다. 간부나 임원으로 성장하려면 현장에서 영업을 경험하지 않으면 안 됩니다. 고객 접점인 현장을 모른다면 회사의 중책을 맡길 수 없습니다.

수주를 해야 기업이 돈을 벌고 성장할 수 있습니다. 이 수주를 일으키는 활동이 바로 영업이고, 그런 점에서 영업 능력은 기업이 필요로 하는 최상위 능력입니다. 따라서 회사의 핵심 인력인 임원을 뽑을 때는 반드시 영업 능력을 평가해야 합니다.

인재 시장의 대격변, 누구를 어떻게 쓸 것인가?

Q

아무리 그래도
40대 임원은 곤란하지 않나요?

#40대 #젊은임원 #패스트트랙 #성과 #역량 #전문성 #탈연공서열

중견 전기전자부품 회사의 인사 담당 임원입니다. 3년 전부터 창업자인 회장은 회사를 글로벌 기업으로 키운다는 목표를 세우고 회사의 시스템과 기업 문화를 바꿔나가고 있습니다. 이를 위해 지난해 다국적기업 출신의 젊은 경영총괄 사장을 영입해서 개혁 추진 속도를 높이고 있습니다. 사장은 취임 이후 회사 시스템 전반을 과감하게 손보고 있습니다. 너무 파격적이어서 일부 저항도 있지만, 저는 글로벌 기업 경험을 이식하는 과정에서 발생하는 불가피한 혼란이라고 생각하고 있습니다.

그런데 제가 받아들이기 어려운 것은 임원 영입 문제입니다. 사장은 특히 임원들의 세대교체를 원합니다. 최대한 젊은 임원을 찾으라면서 40대 초반까지도 살펴보라고 합니다. 그렇지만 젊은 나이에 원하는 역량을 갖춘 후보를 찾기가 무척 어렵습니다. 또 우리 회사에서 40대 초반이면 차장급에 해당하기 때문에 직원들 사이에서 더욱 반발이 예상됩니다. 당장 저부터가 곤란하다고 느낍니다. 사장에게 이런 사정을 이야기하고 설득해야 할까요, 아니면 그냥 지시를 따라야 할까요?

"연공서열식 인사 방침에는
미래가 없습니다."

배우 이선균과 아이유가 주연으로 나온 〈나의 아저씨〉란 드라마를 보셨는지요? 이 작품에서 이선균이 맡은 박동훈은 부장이고, 그의 대학 시절 같은 학과 후배인 도준영은 사장입니다. 작중에서 박동훈과 도준영은 앙숙입니다. 작가는 갈등을 더 극대화하기 위해 나이와 직위가 역전된 관계를 설정해두었습니다. 아직도 우리 사회는 나이에 상당히 민감하니까요.

능력을 가장 중요하게 여기는 기업에서도 예외가 아닙니다. 일반적으로 일정 규모를 가진 국내 기업에서 젊은 임원은 그리 흔하지 않습니다. 40대 직원들은 대개 차장이나 부장 직급을 맡고 있습니다. 실무 임원인 상무는 보통 40대 중후반이나 돼야 가능하고, 50세를 넘기는 경우도 흔하니까요. 이처럼 국내 기업에 젊은 임원이 많지 않은 것은 연공서열 시스템이 배태한 생래적 현상입니다.

질문하신 분이 40대 초반의 젊은 임원 영입을 요구하는 신임 사장의 방침에 어색함과 곤란함을 느끼는 것도 그런 이유 때문일 겁니다. 40대 초반 임원을 영입한다면 기존 직원 중 상당수는 거부감을 나타낼 가능성이 큽니다. 특히 40대 차장·부장급 간부 직원들의 불만과 반감이 클 겁니다. 그동안 40대 초반 임원을 발탁한 경우가 한 번도 없었던 회사라면 더더욱 그렇습니다. 자신들이 올라갈 자리를 빼앗긴다고 생각하기 쉽고, 젊은 임원에게 지휘를 받는 것도 싫기 때문이지요.

하지만 세상이 크게 달라졌습니다. 기업들은 치열한 경쟁에서 살아남기 위해 끊임없이 혁신, 쇄신하고 있습니다. 그런데 기업의 모든 변화는 사람에서 출발합니다. 특히 조직관리와 성과 창출을 책임지는 임원들의 역할이 매우 큽니다. 이와 관련해서 눈여겨보아야 할 지표가 있습니다.

◆ ◆

5대 그룹 임원 인사가 가리키는 지점

2022년 말 실시한 국내 5대 그룹의 임원 인사를 보면 확실히 젊은 임원의 시대가 열렸다는 것을 체감할 수 있습니다. 5대 그룹에서 신규 임원으로 발탁된 사람 중 30~40대 비중이 30%를 훌쩍 넘었습니다. 젊은 임원들의 전면 배치가 인사의 가장 큰 특징으로 평가될 정도였습니다. 핵심은 현 직급이나 연령과 상관없이 성과 창출 역량이 뛰어난 인재들을 임원으로 발탁했다는 겁니다.

심지어 국내 최대 인터넷기업인 네이버는 2022년 갓 마흔 살을 넘긴 최수연 글로벌 사업지원 책임리더를 대표이사 사장으로 선임했습니다. IT나 테크 기업에서 젊은 임원들이 두각을 나타내는 경우가 많긴 하지만 대기업 반열에 오른 네이버에서 젊은 여성을 대표로 선임한 것은 매우 놀라운 인사였습니다.

요즘 헤드헌팅 회사에 인재 추천을 의뢰하는 기업 중에도 간혹 통념을 뛰어넘는 요청을 하는 경우가 있습니다. 예를 들면 '나이는 40대 중반이고 5년 정도의 CEO 경력을 가진 대표이사 후보'를 찾아달라는 겁니다. 우리나라 기업 풍토나 문화를 고려하면 이런 요구는 터무니없다고 생각할 만합니다. 스타트업이나 벤처기업 창업자 출신이라면 모를까, 일반적인 기업 조직에서는 그런 사람을 찾기가 정말 어려우니까요.

그렇지만 우리나라와 달리 외국에서 40대 CEO는 드물지 않습니다. 글로벌 기업 중에는 40대 중반에 사장으로 활약하는 사람들이 많습니다. 이런 사람들은 출중한 두뇌와 탁월한 능력으로 단기간에 최고직위에 올라간 경우가 대부분입니다. 신입사원에서 출발해 차근차근 직급을 밟아 올라간 것이 아니라는 뜻입니다. 일반적인 승진 트랙과 다른 경로로 임원이 되고 CEO가 된 겁니다.

우리나라에서도 이공계 인재의 경우 '패스트트랙'을 밟을 수 있는 길이 있습니다. 석사과정과 박사과정을 최단기간에 끝내고 병역특례 제도의 혜택을 받으면 30세 이전에 박사가 됩니다. 그런 다음에 연구원이나 교수로 몇 년간 활동하다가 뛰어난 연구 성과를 내면 기업에서 눈여겨보다가 임원으로 스카우트합니다. 이공계 우수 인재의 경우

30~40대에 얼마든지 임원이 될 수 있다는 말입니다.

지금 기업들이 원하는 젊은 임원들도 이처럼 특정 분야에서 확실한 능력과 실적을 입증한 경우에 해당합니다. 한마디로 '젊고 탁월한 인재'를 원하는 겁니다. 임원 승진 연령이 낮아지는 것도 그런 흐름이 영향을 미친 거겠죠.

어떤 기업은 특정 연령이 넘으면 더 이상 임원으로 승진할 수 없도록 연령 제한을 두기도 합니다. 나이 많은 임원을 강제적으로라도 줄이려는 겁니다. 임원 연령대가 높으면 아무래도 변화에 둔감하기 쉽고, 조직의 활력이 떨어진다고 판단하기 때문이겠지요.

과거에 기업들은 열심히 일하고 직원 관리도 잘하면서 오랫동안 조직에 충성한 간부 중에서 임원을 발탁했습니다. 하지만 요즘 임원에 대한 요구 조건이 철저하게 성과와 역량 중심으로 바뀌고 있는데, 여기에 전도유망한 젊은 리더라는 조건이 덧붙여지고 있는 겁니다.

◆ ◆

'원조' 일본보다 더 심한 경직성

근속연수와 연령에 따라 임금과 직급이 함께 높아지는 연공서열제는 산업화 시대에 널리 통용된 방식입니다. 기업은 필요한 노동력을 확보하며 조직의 안정을 꾀하고, 노동자는 예측 가능하고 안정된 미래를 보장받는다는 점에서 서로에게 이익이 됐습니다.

연공서열제는 세계적으로 일본에서 가장 강력하게 뿌리를 내렸습니다. 일본은 연공서열제와 종신고용제로 대표되는 고용 관행을 갖고 있습니다. 과거 일본 기업들은 사장, 전무 같은 고위 경영진을 장기 근속자 중에서 선임하는 게 일반적이었습니다.

1950년대 이후 일본의 고도성장 시대에 많은 기업이 연공서열제와 종신고용제를 채택했습니다. 수십 년간 꾸준히 경제성장의 과실을 누리는 과정에서 이 제도는 일본식 기업 문화의 대명사로 정착했지요. 우리나라는 산업화 시대에 이웃 일본의 영향을 많이 받았는데, 이때 자연스럽게 연공서열제와 종신고용제가 자리 잡게 됐습니다.

그러다가 상황이 크게 달라졌습니다. 장기불황에 시달리던 2000년 전후를 즈음해 일본 기업들은 종신고용과 연공서열 문화를 폐기했습니다. 한국은 어땠을까요? 한국경제연구원의 조사에 따르면 2017년 기준 우리나라의 30년 이상 근속자의 임금은 1년 미만 근속자 임금의 3.11배입니다. 반면 일본은 2.37배로 조사됐습니다. 즉 한국의 임금체계에서 연공 비중이 일본보다 높다는 뜻입니다. 직원이 입사 초기 임금의 2배를 받으려면 일본의 경우 20년 이상 근속해야 하지만 한국에서는 10년 이상만 근속하면 됩니다. 한국 기업은 일본 기업에 비해 입사 초기 임금이 낮은 반면 근속에 따른 임금 상승 폭이 크다는 뜻입니다. 한국의 연공서열식 임금체계가 '연공서열의 원조'라고 할 수 있는 일본보다 더 경직돼 있음을 입증하는 근거입니다.

◆ ◆

시대에 맞지 않는 제도, 연공서열제

이와 관련해 글로벌 자동차 기업인 도요타의 변신은 많은 것을 시사합니다. 도요타는 2019년부터 연공서열 중심의 임금체계를 성과 중심으로 개편하고, 연령이나 근속기간에 관계없이 젊고 유능한 인재를 조기에 발탁해 승진할 수 있게 만드는 체제를 구축했습니다. 일본의 대표 기업이 글로벌 경쟁 환경에서 생존하기 위해 스스로 오랜 관습을 벗어던지고 성과주의 문화를 전면적으로 받아들인 겁니다.

연공서열제는 기본적으로 장기고용을 전제로 합니다. 그런데 기업이 직원을 장기고용하면 고용 유연성에 문제가 생길 수 있습니다. 사업 환경이나 경영상황에 따라 고용 인원을 조정할 필요가 생겨도 적절하게 대응하기 어렵습니다. 게다가 연공서열제의 경우 근속기간이 긴 고연령 직원의 임금은 현재의 역량이나 기여도, 생산성에 관계없이 호봉에 따라 계속 높아집니다.

문제는 그뿐만이 아닙니다. 연공서열제 방식에서는 젊은 직원들에게 고임금을 줄 수도 없고 중요한 직책을 맡길 수도 없습니다. 그 결과 젊고 우수한 인재를 채용하거나 발탁하기가 어렵습니다. 요즘 젊은 사람들 가운데 일 잘하고 성과를 잘 내는 인재들이 적지 않습니다. 그들이 과연 연공서열제 시스템을 고수하는 회사에 가려고 할까요? 자기 위로 상사와 선배들이 층층이 있는 데다 임금도 딱 자기 직급이나 호봉만큼 받는 곳에서 일하려는 인재는 아마도 찾기 어려울 겁니다.

우리는 이제 이직이 매우 일상적이고 경력자 중심의 수시채용이 보편화된 시대에 살고 있습니다. 그런데 기존 연공서열제 방식 때문에 업무 경험이 풍부하고 많은 실적을 낸 경력사원을 영입하기가 쉽지 않습니다. 결국 신입사원을 뽑아서 육성할 수밖에 없다는 얘긴데, 이런 식의 인재관리로 외부 환경 변화에 제대로 대처할 수 있을까요? 기업이 경쟁력을 유지하거나 강화할 수 있을까요?

◆◆

이제는 연공서열제와 이별해야 할 때

도대체 연공서열제 시스템은 누구를 위한 제도일까요? 얼핏 보기에 나이 든 사람들을 위한 제도라고 생각할지 모르겠습니다. 하지만 장기적 관점에서 보면 꼭 그렇지만은 않습니다. 연공서열제는 오히려 나이 많은 사람들에게 불리할 수도 있습니다. 특히 나이가 많은 이직자들에게 결정적인 장애물이 될 수 있습니다.

현재 우리나라는 초고령사회에 진입하고 있습니다. 한편으로 세계 최저 수준의 출산을 기록하고 있습니다. 고령화와 저출산은 생산인구 감소로 이어져 경제에 큰 영향을 줍니다. 이 때문에 정부는 정년 연장과 재고용 같은 계속고용제도를 도입해 고령층을 노동시장으로 유입하려고 애를 쓰고 있습니다.

그런데 정년 연장을 어렵게 만드는 요인 중 하나가 연공서열제 문화입니다. 근속연수와 연령의 증가에 맞춰 고연령 직원들에게 임금을 계속 올려줘야 하니 기업에 큰 부담이 됐던 겁니다. 따라서 연공서열제를 폐지한다면 나이 많은 사람들을 고용하는 데도 물꼬를 틀 수 있습니다. 직무와 성과 같은 전반적인 기여도와 생산성을 감안해 적절하게 임금을 책정할 수만 있다면 정년을 65세, 나아가 70세까지 연장할 수도 있습니다.

연공서열제 폐지는 직무급과 성과급 방식으로 보상 체계를 전환하는 문제와 긴밀하게 맞물려 있습니다. 또 인사제도나 조직관리 문제와도 직결됩니다. 연공서열 중심으로 조직을 운영하는 곳에서는 대체로 나이 중심으로 주요 직책을 맡게 됩니다. 조직 구성 역시 나이가 제일 많은 사람이 위에 있고, 그 밑으로 조금 젊은 사람들을 배치하는 방식이죠. 이런 구조에서 젊고 유능한 사람에게 조직을 맡기고 지휘하게 할 방법은 많지 않습니다.

기업의 경쟁력은 사람에 달려 있습니다. 기업의 모든 것은 사람이 결정하는데, 연공서열제 때문에 우수한 사람을 확보하지 못하면 기업은 경쟁력을 잃게 됩니다.

◆ ◆

단지 젊어서 발탁한 것이 아니다

최근에는 수많은 기업들이 치열한 경쟁을 이겨내기 위해 연공서열제를 버리고 성과 중심으로 조직 문화를 바꾸고 있습니다. 탁월한 능력과 뛰어난 전문성을 갖추고 있다면 더 이상 연령을 따지지 않겠다는 기업들이 늘고 있습니다. 그 덕분에 젊은 임원들이 빠르게 두각을 나타내기 시작했습니다.

사실 '젊은 임원'이라고 표현하지만, 그들이 단지 젊기 때문에 발탁하는 것은 결코 아닙니다. 그들은 그들은 젊음 이전에 뛰어난 역량의 소유자, 탁월한 성과를 창출할 수 있는 능력자라는 조건을 충족하기 때문에 임원이 된 겁니다. 이렇게 기업들은 젊은 임원을 전면에 배치하면서 세대교체에 나서고 있지만, 그렇다고 해서 경험이 많은 50~60대 임원들의 역할이 필요하지 않은 것은 아닙니다. 여전히 많은 기업에서 중장년층 임원들이 중요한 업무를 수행하고 있습니다.

기업에서 가장 중요한 것은 성과입니다. 성과 중심의 조직을 만들기 위해 젊은 인재가 필요하다면 과감하게 중책과 요직을 맡길 수 있어야 합니다. 과거처럼 연공서열식 인사 방침을 고수한다면 회사의 미래를 짊어질 젊은 인재를 리더로 기용하기 어려울 수 있습니다. 젊은 임원 발탁이라는 이슈는 그런 관점에서 접근할 필요가 있습니다.

이제 시대에 맞지 않는 연공서열제는 무조건 혁파해야 합니다. 물론 오랫동안 유지된 연공서열제를 폐지하는 과정에서 내부 반발에 직면할 수도 있습니다. 하지만 당장 어려움이나 리스크가 있다 하더라도 과감하게 돌파해나가야 합니다.

Q

경력자보다 신입을 선호하는
임원들 때문에 답답합니다.

#이양법 #직파법 #신입사원 #공개채용 #경력사원 #수시채용 #인턴십

제약 회사의 인사 담당 임원입니다. 우리 회사는 특별한 경우를 제외하고 경력사원 채용을 거의 하지 않고 있습니다. 새로운 직무를 맡을 직원이 필요하면 기존 직원을 교육시켜 배치했습니다. 신규 사업의 경우에도 몇몇 특정 분야를 제외하고 대부분 기존 인력을 배치했습니다. 그런데 최근 직원들의 퇴사가 크게 늘면서 고민이 커졌습니다. 2~3년 전부터 퇴사자가 눈에 띄게 늘고 있지만, 경영진은 이전의 경험을 들어 여전히 경력자 채용을 부정적으로 보고 있습니다. 경력자의 역량 검증이 쉽지 않고 조직 적응에 시간이 많이 걸릴 뿐만 아니라 중도에 쉽게 이탈한다는 겁니다. 이 때문에 다소 시간이 걸리더라도 '우리가 뽑아서 교육시켜 쓰자'는 생각을 바꾸지 않고 있습니다. "퇴사자가 많다면 신입사원 채용을 더 늘리면 된다"는 얘기까지 합니다.
하지만 저는 퇴사자의 업무 공백을 신속히 메우고, 신규 사업은 물론이거니와 기존 사업들도 변화하는 환경에 빠르게 대처하려면 경력자를 적극적으로 뽑아야 한다고 생각합니다. 어떻게 경영진을 설득해야 할까요?

"키워서 쓰겠다는 한가한 생각으로는
회사 못 키웁니다."

요즘은 텃밭을 가꿀 때 대부분 모종을 사서 심습니다. 밭에 직접 씨를 뿌리면 싹이 터서 자랄 때까지 시간이 오래 걸리기 때문이지요. 게다가 싹이 터서 잘 큰다는 보장도 없습니다. 날이 추우면 씨가 얼거나 말라버려 아예 싹이 트지 않을 수도 있습니다. 또 어렵게 싹이 나도 병충해 등으로 제대로 자라지 못하는 경우가 생기기도 합니다. 이런 이유로 어느 정도 자란 모종을 가져다 심는 게 안전하고 효율적입니다.

우리나라에서는 벼농사를 거의 이앙법으로 짓습니다. 모내기라고도 하지요. 못자리를 만들어 볍씨를 뿌리고 싹을 틔웁니다. 싹이 난 뒤에도 일정 기간 튼튼하게 키운 다음 논에 옮겨 심습니다. 이와 달리 씨앗을 못자리에서 키우지 않고 직접 농지에 파종해 재배하는 농법을 직파법이라고 합니다. 옛날에는 직파법이 주류였지만, 20세기 들어 물을 이용하는 수리水利 조건이 개선되면서 이앙법이 널리 보급되었습니다. 이앙법은 토지의 이용도를 높이고 재배관리가 용이한 데다 작물의 생산량도 월등합니다.

◆ ◆

이앙법에서 배우는 채용 전략

기업이 인재를 채용하고 육성하는 방식은 작물 재배와 상당히 유사합니다. 말하자면 신입사원 채용은 직파법, 경력사원 채용은 이앙법이라고 할 수 있습니다. 신입사원은 검증도 훈련도 되지 않은 일종의 씨앗입니다. 신입사원을 채용한다는 것은 씨앗을 뿌리는 농법을 쓰는 겁니다. 일부는 잘 성장해 회사의 주축이 되기도 하지만 일부는 자라지 못하거나, 간혹 쭉정이가 섞여 있기도 합니다.

과거에는 신입사원 공개채용 제도가 일반적이었습니다. 하지만 요즘 기업들은 신입사원 채용을 줄이거나 아예 안 하는 쪽으로 방향을 바꾸고 있습니다. 대신 경험과 지식을 갖춰 즉각 실무 수행이 가능한 경력사원을 뽑습니다. 직파법이 사라지고 이앙법이 벼농사 방식의 대세가 된 것과 비슷합니다.

그런데 여전히 '우리는 좋은 사람, 잠재력 있는 사람을 뽑아서 교육과 훈련을 통해 우리 입맛에 맞게 만들어서 쓰겠다'고 생각하는 기업들이 있습니다. 급변하는 경영환경과 시장 흐름을 고려하면 '한가롭다'는 생각까지 하게 됩니다.

물론 신입사원 공채가 오랫동안 대표적인 인재 확보 방식으로 자리 잡아 왔던 것은 직원의 충성도와 안정성 확보 및 조직관리의 용이

성 등 나름의 장점이 있기 때문입니다. 그리고 경력자 채용은 생각보다 만만치 않습니다. 우선 회사에 필요한 직무에 맞는 적임자를 찾기가 쉽지 않습니다. 자격에 들어맞는 후보자를 찾았다고 해도 검증하는 과정이 복잡하고 세심한 주의를 요구합니다. 또 경력자들은 이직 경험이 있기 때문에 재차 이직할 수 있다는 우려를 안고 있습니다. 게다가 직무 능력은 갖췄지만 우리 회사의 조직 문화에 잘 맞는지를 확인하기가 어렵습니다. 뿐만 아니라 경력자들은 이미 경험과 능력을 갖췄기 때문에, 상사의 지시를 일방적으로 따르는 경우가 드뭅니다.

이런 이유들 때문에 일부 관리자들은 경력자 채용을 꺼립니다. 특히 다양한 경력사원들을 지휘하고 동기부여한 경험이 부족한 관리자들은 경력사원 채용을 몹시 부담스러워합니다. 즉 자신들의 입맛대로 부리기가 쉽기 때문에 한사코 신입사원 채용을 고수하는 것입니다.

그러나 세상은 이미 크게 달라졌습니다. 이앙법 대신 직파법을 계속 고집하는 것은 농사를 사실상 포기하는 거나 마찬가지입니다. 결국 생산성이 떨어져 경쟁력을 잃을 가능성이 큽니다. 경력사원 채용이 훨씬 효율적이라는 게 입증됐다면 이에 따른 불편함은 현실로 인정하고 받아들여야 합니다. '경력사원 채용은 불편하니까 우리는 신입사원 채용 방식을 유지할 것'이라는 태도는 시계를 거꾸로 돌리는 것과 같습니다.

◆ ◆

키워서 쓰자는 한가한 생각을 버릴 때

요즘 국내 기업에서 신입사원 이직률이 상당히 높습니다. 이것은 중소기업에만 나타나고 있는 현상이 아닙니다. 시스템이 잘 갖춰져 있고 인지도가 높을 뿐만 아니라 연봉 수준이 높은 대기업에서도 이런 현상이 일어나고 있습니다. 이른바 MZ세대로 불리는 젊은 신입사원들은 입사 뒤 3년도 안 돼 절반 이상이 퇴사한다는 이야기까지 있습니다. 신입사원의 안착률이 생각보다 낮다는 겁니다.

게다가 신입사원은 입사 뒤 독자적 업무 수행 능력을 갖추기까지 2~3년 정도 걸립니다. 이때까지 신입사원들은 사실상 업무를 보조하는 수준에 머물러 있습니다. 이렇게 신입사원을 뽑아서 제 몫을 할 만큼 육성하기까지 들어가는 시간과 비용을 생각해보면, 신입사원 채용이 경제적이고 효율적이라고 보기는 어렵습니다.

내로라하는 글로벌 기업들은 신입사원을 공채로 뽑는 경우가 거의 없습니다. 대부분 경력사원을 수시로 채용합니다. 그나마 신입사원 채용과 유사성이 있는 인턴십을 운영하고 있지만, 여러 명을 뽑아서 일을 시켜본 뒤 괜찮다는 평가를 받은 일부만 채용하는 것이 일반적입니다.

요즘 젊은 경력사원은 쉽게 뽑을 수 있습니다. 일정한 경험과 지식을 갖추고 있고 직장문화도 잘 이해하고 있는 젊은 경력사원들이 채용시장에 많이 나와 있습니다. 이런 상황에서 굳이 신입사원 중심의 채용을 고집할 이유가 있을까요? 질문하신 분의 회사도 오랫동안 유지한 신입사원 공채 시스템의 장단점을 냉철하게 분석해보는 게 좋을 것 같습니다. 아울러 이번 기회에 인재 확보 방법을 근본적으로 재검토해보시길 제안드리고 싶습니다.

Q

퇴사자의 빈자리를
경력단절자로 메워도 될까요?

#경력단절자 #경단녀 #출산 #육아 #학업 #골드만삭스 #실리콘밸리 #리턴십프로그램

인터넷 쇼핑몰 회사에서 의류와 화장품, 액세서리 사업을 총괄하고 있습니다. 팬데믹 이후 퇴사자가 늘어 인력 충원에 어려움을 겪고 있습니다. 온라인 시장이 활성화되면서 오히려 매출이 늘고 회사가 성장했는데, 디지털 인력을 비롯해 필요한 사람들은 더 좋은 직장을 찾아 이직을 해버렸습니다. 현재 내부적으로 채용 조직을 가동해 인력 충원을 적극적으로 추진하고, 직원의 추천으로 입사가 확정되면 인센티브를 지급하는 직원추천제도 시행하고 있습니다. 그렇지만 여전히 일손이 부족합니다.

그런데 최근에 몇몇 직원들이 경력단절자도 채용하자는 의견을 내왔습니다. 출산이나 육아, 학업 때문에 직장을 그만둔 사람들 가운데 직장 복귀를 원하는 사람을 뽑자는 것입니다. 아무래도 패션 업계는 트렌드에 민감하고 유행을 잘 아는 사람이 필요하여 젊은 사람을 주로 뽑아왔습니다. 그런데 비교적 나이가 많은 데다 현업을 얼마간 떠나 있었던 사람을 채용해도 문제가 없을까요?

"경력 '단절'자가 아니라
'경력'자입니다."

예전에는 기업이 경력단절자의 채용을 두고 고민하는 경우가 거의 없었습니다. 직원 대부분이 한 직장에서 정년까지 재직했고, 사람을 구하기 어려울 정도의 심각한 인력난도 없었기 때문입니다. 기업들이 굳이 경력단절자를 뽑을 필요가 없었습니다.

기존 직원이 경력단절자 채용에 대해 호의적이지 않다는 점도 그들을 뽑지 않는 주요 이유 중 하나였습니다. 어떤 직원들은 이렇게 생각하기도 했습니다.

'우리는 회사에 모든 것을 바치고 가족과의 시간까지 희생해가면서 일했는데, 저 사람은 개인 사정으로 그만뒀던 주제에 뻔뻔하게 복직하는군. 게다가 나이가 있어서 우리보다 더 높은 직급으로 들어왔네. 그럼 자리를 지킨 우리는 뭐가 되는 거지?'

복귀한 직원이 업무 공백으로 인해 조직과 실무 적응에 어려움을 겪으면서 성과를 잘 내지 못하는 경우도 있습니다. 그렇게 되면 기존 직원들의 불만은 더욱 커지고, 직원들이 그의 리더십을 승복하기가 어려워집니다.

이런 사정 때문에 기업들은 경력단절자 채용을 꺼렸고, 현장을 한 번 떠났던 사람들이 직장으로 복귀하기는 상당히 어려웠습니다. 그러다 보니 직장인들은 이런저런 일로 회사에 다닐 수 없는 형편이 되면 마음이 무거워졌습니다. 특히 출산과 육아로 퇴사하는 여성들은 '이러다가 사회로부터 완전히 단절되는 것 아닌가' 하는 생각에 두려움마저 느낍니다. 이 때문에 출산을 미루거나, 아예 자녀를 갖지 않는 경우까지 생기게 된 겁니다.

하지만 요즘은 직장에서 경력단절자를 바라보는 시선이 과거보다 훨씬 관대해졌습니다. 우수한 인적자원이 경력단절이라는 이유만으로 사장되는 게 바람직하지 않다는 사회적 통념도 생겨났습니다. 요컨대 '경력단절자도 경력자 중 하나'라는 인식이 생긴 겁니다. 이에 따라 경력단절자라고 하더라도 경력과 역량에 걸맞은 자리에 채용한다면 별 상관이 없다는 분위기가 확산되고 있습니다. 특혜를 베풀거나 우대를 하는 것도 아니고, 적절한 업무 능력만 갖추고 있으면 나쁠게 없다는 겁니다.

특히 경력단절 여성의 경우 대개 출산과 육아 문제로 직장을 떠났기 때문에 그들이 복귀해 능력을 발휘할 수 있도록 사회와 기업이 배려해야 한다는 시각도 존재합니다. 이런 변화에 따라 기업에서 경력단절자 채용이 점차 늘고 있습니다.

◆ ◆

저출산 고령화 시대의 인적자원 확보 전략

미국의 경우 이른바 '리턴십[returnship]'이라는 제도로 경력단절자들의 직장 복귀가 광범위하게 이뤄지고 있습니다. 리턴십은 직장을 떠났던 사람들이 다시 일터로 복귀하도록 돕는 채용 프로그램을 가리킵니다. 미국에서 리턴십 프로그램을 최초로 도입한 기업은 글로벌 투자은행인 골드만삭스입니다. 골드만삭스가 2008년 처음 리턴십 프로그램을 실행한 이후 많은 기업들이 이런 흐름에 동참했습니다. 현재 애플, 아마존, 구글, 메타, 넷플릭스, 오라클 같은 세계적 기업들이 리턴십 프로그램을 운영하고 있습니다. 미국 벤처산업의 본산인 실리콘밸리의 기업들도 과학, 공학, 수학 분야의 인력난을 해소하기 위해 리턴십을 많이 활용하고 있습니다.

  미국에서 경력단절자가 상당한 규모로 양산되면서 리턴십 제도는 이제 사회적으로 매우 중요한 역할을 담당하고 있습니다. 인력 솔루션 기업인 맨파워그룹의 조사에 따르면, 미국의 밀레니얼 세대 남성의 57%, 여성의 74%가 자녀나 부모 등 가족을 돌보기 위해 경력단절이 예상된다고 답변했습니다. 또 통계에 의하면 미국에서 2020년 2월 이후 179만 명의 여성과 175만 명의 남성이 노동시장을 이탈했습니다. 코로나19 유행 기간에 학교나 보육시설이 폐쇄되자 가정을 돌보기 위해 회사를 떠난 겁니다.

　미국 기업들의 리턴십 수요는 갈수록 커지고 있습니다. 특히 미국의 리턴십 프로그램에 참여한 경력단절자들의 80%가량이 정규직으로 전환됐다는 점은 주목할 만합니다. 기업에 복귀한 경력단절자들의 업무 능력에 별다른 문제가 없다는 것을 시사해주고 있으니까요.

　우리 사회는 현재 저출산·고령화로 인해 경제활동 인구가 감소하는 위기에 처해 있습니다. 이런 시대적 상황을 고려하면 경력단절자의 직장 복귀는 국가 차원에서도 인적자원 확보를 위한 중대한 현안입니다.

◆ ◆

경력단절자 채용을 위한 조직 문화 개선

기업들은 최근 직무와 성과 중심으로 조직 운영 방식을 전환하면서 경력자 채용을 늘리고 있습니다. 이런 상황에서 경력단절자를 채용하지 않을 이유가 없습니다. 우수한 실력을 갖춘 경력단절자의 재취업을 허용하면 당사자들은 직장 복귀 기회를 얻고, 기업들은 경험과 성과가 검증된 인력을 확보할 수 있습니다.

　경력단절자 채용을 활성화하려면 해결해야 할 문제가 있습니다. 나이와 기수, 경력을 따지는 연공서열 방식으로부터 탈피하는 겁니다. 연공서열의 기업 문화는 경력단절자 채용을 어렵게 만듭니다. 또 그런 기업에서는 직장생활 공백이 있는 경력단절자가 주변 동료들과 어우러지기가 쉽지 않습니다. 이런 점을 감안하면 경력단절자를 품을 수 있도록 조직 문화 개선이 필요합니다.

회사에서 경력단절자 채용 문제로 벌어지는 논란을 잠재우려면 해당 후보자들이 재직기간에 어떤 기여를 했고, 업무 능력과 팀워크는 어땠는지 살펴봐야 합니다. 만약 조직에서 긍정적 역할을 했고 업무 복귀에 대한 의욕이 강력하다면 기회를 주는 게 좋습니다.

다만 여느 경력사원 후보자들과 마찬가지로 업무 능력을 객관적이고 공정하게 평가해 그 사람에게 걸맞은 직무와 직책, 보상을 줘야 합니다. 특혜나 우대 시비가 불거지면 조직에서 불만이나 갈등이 생길 수 있기 때문입니다.

Q

이직이 잦은 경력자를
뽑아도 될까요?

#대이직시대 #이직횟수 #직무 #일관성 #연속성 #이직동기

해외영업팀장 채용 공고에 안성맞춤인 사람이 지원했습니다. 직무 경험이나 나이, 태도까지 모든 면에서 나무랄 데가 없습니다. 미국에서 대학을 다녀 영어 구사 능력도 뛰어납니다. 어디로 보나 적임자다 싶은데, 한 가지가 걸려 최종 결정을 미루고 있습니다. 이직이 너무 잦은 겁니다. 직장생활을 9년 정도 했는데 벌써 다섯 번이나 회사를 바꾸었습니다. 2년 반을 다닌 첫 직장을 빼고 나면 평균 재직기간이 2년도 안 됩니다. 후보자는 직장을 옮길 때마다 연봉을 올려왔는데, 이번에 내세운 희망 연봉도 직전보다 10% 이상 높습니다. 후보자는 "일을 잘해서 스카우트된 것이고, 경력이 늘어난 만큼 연봉도 따라오른 것"이라며 이직 과정을 대수롭지 않게 설명했습니다.

과연 이 후보자를 뽑아도 문제가 없을까요?

'"한 직장 3년'보다
'한 직무 3년'을 살피세요."

직장생활 9년 동안 다섯 차례나 회사를 옮겼다면 이직 횟수가 지나치게 많습니다. 사람의 습관이나 관성이 잘 바뀌지 않는다는 점을 고려하면, 해당 후보자는 입사하더라도 또 이직할 가능성을 배제하기 어렵습니다.

기업은 대체로 이직이 잦은 사람을 탐탁지 않게 여깁니다. 어떤 기업은 저희에게 인재 추천을 요청하면서 이직 횟수가 세 차례 이상 되는 사람은 제외해달라고 구체적으로 요청한 적도 있습니다. 조직 적응력이나 충성도 면에서 문제가 있을 수 있다는 겁니다.

하지만 요즘은 직장인들의 이직이 워낙 일상화되어 이직 횟수만 가지고 직무 전문성과 조직 적응성을 판단하기가 어려워졌습니다. 게다가 예전처럼 이직 횟수로 사람을 걸러낸다면 뽑을 직원이 얼마 없게 됩니다. 경험과 능력을 갖춘 인재라면 이직이 잦아 보여도 이력서를 뒤로 밀어두기가 어려워졌습니다.

물론 모든 기업이 이직이 잦은 사람을 긍정적으로 본다는 것은 아닙니다. 특히 연배가 있는 경영자들은 여전히 빈번한 이직을 부정적으로 보고 있습니다. 다만 젊은 경영자들은 잦은 이직을 두고 '그럴 수도 있다'고 생각하는 것 같습니다. IT 업계도 업종의 특성상 이직이 활발해서인지 비슷한 인식을 가지는 듯합니다.

◆ ◆

경력 평가의 새로운 기준, 일관성과 연속성

어떤 직무를 이해하려면 최소한 3년은 근무해봐야 한다는 통념이 있습니다. 그래서 보통 한 회사에서 같은 직무를 3년 정도 수행했다면 직무 경력을 인정해줍니다. 하지만 3년도 되지 않아 이직했다면 충분한 직무 경험을 쌓았다고 평가하지 않습니다. 짧은 기간 동안 여러 번 이직한 사람의 경력에 의혹을 갖게 되는 이유도 여기에 있습니다.

예를 들어 경력이 5년쯤 되는 직장인이 이직을 서너 차례 했다면 평균 재직기간이 2년도 채 되지 않습니다. 이런 경우 기업은 후보자의 근무 경력을 제대로 인정해주지 않으려고 합니다. 직장생활을 했지만 직무 경험을 제대로 하지 않아 독자적으로 직무를 맡기가 어렵다고 보는 겁니다.

그런데 최근 들어 기업들은 후보자의 경력에서 '직무의 일관성'을 유심히 살펴봅니다. 이직이 워낙 일상적인 시대라서 이직 횟수나 재직기간만으로는 후보자를 온전하게 평가할 수 없기 때문입니다. 이직

횟수가 다소 많더라도 직무의 일관성과 연속성을 유지하고 있다면 어느 정도 용인해주는 분위기가 형성되고 있습니다.

이직을 판단하는 또 다른 기준은 이직의 동기입니다. 이직의 동기를 꼼꼼하게 살펴보는 이유는 명확합니다. 직장인은 대개 같은 이유로 회사를 옮기는 경향이 있기 때문입니다. 따라서 이직의 동기를 정확하게 파악할 수 있다면 회사의 근무 조건이나 기업 문화를 고려할 때 이 사람이 얼마나 장기근속할 것인지를 미리 가늠해볼 수 있습니다. 나아가 이직 동기를 자극하지 않도록 근무 여건을 만들어주어 장기근속을 유도할 수도 있겠죠.

이처럼 앞으로는 채용 과정에서 후보자를 평가할 때 이직의 방향과 동기를 꼼꼼히 살펴볼 필요가 있습니다. 만약 후보자 이력에 직무 일관성이 있고, 직무 능력을 향상시키려는 의도로 이직을 해왔다면 횟수가 다소 많더라도 용인할 수 있다고 봅니다.

다만 경영자가 유의해야 할 대목이 있습니다. 이직이 잦은 후보자를 채용하더라도 회사의 중요한 직무나 직책을 맡기는 것은 심사숙고해야 한다는 점입니다. 아무리 재능이 뛰어난 인재라도 또다시 이직할 가능성이 있는 사람이라면 중요한 일을 맡기기가 부담스럽습니다. 가령 재무나 인사처럼 경영의 근간을 이루는 부서의 핵심 직책이나, 지속성이 중요한 장기 프로젝트의 주요 직책에 이직이 잦은 후보자를 앉히는 건 곤란하겠지요.

기업에서 조직과 사업의 지속성, 업무의 효율성은 매우 중요합니다. 그런데 어떤 사람이 와서 중요한 업무를 하다가 단기간에 떠나면 적지 않은 타격을 받습니다. 따라서 주요 직책일수록 채용할 후보자의 과거 이직 과정을 면밀하게 검토해야 합니다.

◆ ◆

잦은 이직이 발목을 잡는 순간

직장인들도 잦은 이직에 관해 한번 깊이 성찰해볼 필요가 있습니다. 물론 자신이 유능해서 불려 다닌 것일 수 있고, 더 많은 연봉이나 좋은 근무 조건은 납득 가능한 이직 사유입니다.

하지만 이는 단기적 시각일 수 있습니다. 직장인으로 활동하는 기간은 대략 20~30년입니다. 또한 경력 후반부로 갈수록 회사에서 더 많은 인정을 받고 더 중요한 직책을 맡기를 원하는 게 직장인들의 일반적인 생각입니다. 그런데 시니어 직급에 올라야 할 때, 지난날의 잦은 이직이 발목을 잡는 덫이 되는 경우가 많습니다. 앞서 이야기한 것처럼 기업은 이직이 잦은 사람에게 중요한 일을 맡기지 않으려 하기 때문입니다. 따라서 기업에서 간부가 되고 임원이 되고 싶다면 잦은 이직은 피해야 합니다. 어느 기업이든 핵심 멤버들은 그곳에서 오래 근무하고 있었다는 점을 염두에 둬야 합니다.

대이직 시대는 이직에 대한 관점과 생각의 변화를 요구하고 있습니다. 이제 과거처럼 이직 횟수를 엄격하게 따지면 사람을 구하기가 너무 어려워졌기 때문에, 입사 지원자의 이직 방향과 동기를 따져보고 유연하게 판단할 필요가 있습니다.

질문하신 분의 경우 이직 횟수가 마음에 걸리더라도 능력과 자질을 갖췄다면 채용해도 좋을 것 같습니다. 다만 해외영업팀장 직책의 성격이나 업무의 중요성 등을 따져봐야 하겠습니다. 그 직책이 업무의 연속성과 지속성을 많이 요구하거나, 기업 내부적으로 주요 부서에 해당한다면 해당 후보자 채용에 신중할 필요가 있습니다.

Chapter 2

팬데믹 이후,
사장을 괴롭히는 것들

Q

이직 열풍이
언제쯤 멈출까요?

#대이직시대 #IT기업 #줄퇴사 #직무전문성 #코로나팬데믹 #비대면전환

중소 규모의 IT 솔루션 회사를 경영하고 있습니다. 알려진 것처럼, 요즘 이 업종에 정말 이직이 많습니다. 코로나 팬데믹 시기에 대형 플랫폼 회사, 게임 회사들이 고임금을 앞세워 경쟁적으로 인재 영입에 나서는 바람에 업계 전체가 대혼란에 빠졌습니다. 우리 회사도 예외가 아니어서 회사의 핵심이라 할 수 있는 프로젝트 매니저(PM)급 직원과 핵심 개발자가 줄줄이 퇴사했습니다. 급여도 올리고 유연근무와 재택근무도 도입했지만 역부족이었습니다. 어쩔 수 없이 수주량을 줄이면서 계속 충원을 시도하고 있는데, 적임자를 찾기가 너무 어렵습니다.

더 걱정스러운 것은 어렵게 뽑은 직원이 또 떠날 가능성이 크다는 점입니다. 그러다 보니 채용을 위한 면접 때 나도 모르게 '이 사람은 얼마나 있을까'를 따져보게 될 정도입니다. 직원들의 이런 '줄퇴사'가 일시적 현상이었으면 좋겠습니다. 더 이상 직원들의 이직 때문에 고민하고 싶지 않습니다.

"이직은 이제 일상입니다.
변화된 세상에 적응하십시오."

많은 회사가 참으로 난감하고 곤란하기 이를 데 없는 상황에 놓여 있습니다. 인재 경쟁 여파로 핵심인재를 비롯해 상당수 직원들이 회사를 떠나고 있다면, 그리고 새롭게 직원을 충원하는 것도 쉽지 않다면, 최근 몇 년의 '이직 열풍'에 진저리가 나는 것도 당연합니다.

이런 현상은 IT 업계만의 일이 아닙니다. 대부분의 산업에서 '줄퇴사'가 일상이 되고 있습니다. 잠깐 스쳐가는 일시적 현상이 아니라는 뜻입니다. '대퇴사 시대'라는 말이 무색하지 않을 만큼, 근래의 이직 흐름은 규모나 성격 면에서 과거와는 완전히 차원이 다르다는 것을 이제 받아들여야 할 것 같습니다.

대이직 추세와 관련된 조사나 연구, 통계 들은 심심찮게 접할 수 있습니다. 팬데믹이 위세를 떨치던 무렵 미국에서 'Great Resignation'이라는 신조어가 주목받은 적이 있습니다. 우리말로는 '대사직'이나 '대퇴사'로 번역됐는데, 회사를 떠난 사람들이 대부분 다른 직장으로

팬데믹 이후, 사장을 괴롭히는 것들

'옮긴' 것이었기 때문에 '대이직'이라고 해도 별 무리가 없을 것 같습니다.

◆ ◆

연령대를 가리지 않는다

2021년, 미국 노동부는 8월부터 10월까지 연이어 매달 400만 명이 넘는 직장인들이 자발적으로 회사를 떠났다는 통계를 발표했습니다. 특히 9월에는 440만 명을 기록해 관련 통계를 작성한 2000년 이래 최다 수치를 보였습니다. 이런 거대한 퇴사 행렬의 원인에 대해 의견이 분분하지만, 미국 직장인 상당수가 현재 다니는 회사를 미련 없이 버리고 있는 것은 분명합니다.

우리나라는 어떨까요? 2020년부터 통계청이 발표하고 있는 〈일자리 이동 통계〉를 살펴보면 단서를 찾을 수 있습니다. 이 통계를 보면, 2018년부터 2020년까지 매년 직장을 옮긴 근로자는 전체 취업등록자의 평균 15~16%에 이릅니다. 전체 취업등록자를 2,500만 명이라고 치고 이직자 비율을 16%로 계산하면, 무려 400만 명의 직장인들이 매년 회사를 옮겼다는 이야기가 됩니다. 열 명의 직원이 있는 회사라면 해마다 한두 명이 회사를 떠났다는 뜻입니다.

이 통계에서 특히 주목할 것은 20대 이직자 비율입니다. 통계에 따르면, 2018년부터 2020년까지 매년 20대 근로자들의 20~21%가 회사를 옮겼습니다. 30대 근로자들의 이직률은 그보다는 조금 낮지만, 평균 15%에 이릅니다. 현재 20~30대를 지칭하는 이른바 'MZ세대'의 이직률이 높다는 것이 통계로도 확인됩니다.

그런데 직장에서 간부나 임원으로 활동하는 40~50대 근로자들의 이직률도 같은 기간 14~15%에 이릅니다. 예전에는 40~50대 직장인들의 이직은 흔치 않았습니다. 대체로 이 연령대 직장인들은 회사에서 주요 직책을 맡으며 승진을 기대하고 있기 때문에 회사를 옮기는 경우가 드물었습니다. 그런데 통계는 이제 40~50대 직장인들의 이직도 적잖다는 것을 보여줍니다.

◆ ◆

대이직 시대 f(x)＝글로벌 경쟁 격화×팬데믹

왜 이런 현상이 벌어지고 있는 걸까요? 이처럼 대규모 이직이 추세적으로 나타나는 데는 근본적인 이유가 있습니다.

첫째, 글로벌 경쟁의 격화입니다. 대이직은 본질적으로 글로벌 경쟁의 산물입니다. 세계가 단일시장으로 연결되면서 기업들의 경쟁이 갈수록 치열해지고 있습니다. 또 급속한 기술 발달과 사회 변화로 기업의 외부 환경이 자고 일어나면 바뀐다고 할 정도로 빠르게 변하고 있습니다.

과거에 기업들은 공채로 신입사원을 뽑아 1~2년씩 교육훈련을 통해 기업에 필요한 인재로 양성했습니다. 비교적 시장 환경이 빠르게 변하지 않는 시대였기 때문에 인재 확보와 양성에도 시간적 여유가 있었습니다. 그런데 지금은 직원을 뽑아 가르치는 사이에 회사의 사업이 어떻게 될지 알 수 없는 시대가 됐습니다. 인재를 훈련해서 쓸 수 있는 상황이 아니게 된 것입니다.

이렇게 경쟁이 치열해지면 기업들은 필요한 인재를 다른 기업에서 데려올 수밖에 없습니다. 예를 들어 삼성전자가 고급인재 확보를 위해 인텔이나 애플 같은 경쟁사의 직원을 영입하는 겁니다. 그러면 인재를 빼앗긴 회사는 또 다른 기업의 직원을 빼 올 수밖에 없습니다. 기업들의 인재 전쟁이 연쇄적 이직을 불러오게 되는 것입니다. 직원 입장에서는 그만큼 이직 기회가 많아졌다고도 볼 수 있습니다.

둘째, 코로나19 팬데믹 이후 세계가 빠르게 비대면 사회로 전환했습니다. 이미 그 이전에 '디지털 전환'은 기업들 사이에서 중대한 화두였으나, 팬데믹으로 디지털 전환에 속도가 붙은 것입니다.

그런데 기업들은 아직 비대면 사업을 펼칠 수 있는 IT 시스템과 디지털 인력을 확보하지 못하고 있었습니다. 때문에 신속하게 비대면 사업 구조를 갖추는 데 필요한 인력을 뽑기 시작한 깃입니다. 그 결과 IT 업계를 중심으로 인력 이동이 폭증하면서 '대이직 시대'가 펼쳐지게 됐습니다. 많은 기업들이 한꺼번에 비대면 사업에 필요한 인력 채용에 나서면서 스카우트 경쟁이 벌어졌고, 이로 인해 연쇄적인 이직 행렬이 나타난 거죠.

직장이 아니라 직무를 중시하는 세대의 등장

셋째, 취업 정보를 구하기가 매우 수월해졌습니다. 다양한 취업 정보 플랫폼을 이용할 수 있고, 헤드헌팅 회사를 통해 이직 제안을 받을 수도 있습니다. 많은 시간이나 노력을 들이지 않아도 최신의 취업 정보를 빠르게 받아 볼 수 있습니다. 요즘 젊은 직장인들은 친구와 만난 자리에서 '이 회사는 연봉이 얼마고, 저 회사는 근무환경이 어떻다'는 이야기를 스스럼없이 주고받습니다.

젊은이들이 선망하는 대기업에서도 신입사원의 절반 이상이 3년 안에 퇴사한다는 이야기가 나오고 있습니다. 그렇게 들어가기 어려운 회사에 입사했는데, 왜 제 발로 나오는 걸까요? 신입사원들은 대개 직장에 대한 환상을 갖고 있습니다. 하지만 막상 입사해 상사나 선배들이 지시하는 '심부름' 같은 업무를 하다 보면 여기가 자신이 원하던 직장이 아니라고 생각하게 됩니다. 사실 신입사원이 아무리 똑똑하다고 해도 직무 경험이 전무한 그들에게 처음부터 중요한 업무를 맡길 수는 없는 노릇입니다. 조직 문화를 이해하고 업무 처리 방법을 습득하려면 일정한 시간이 필요하니까요.

그렇지만 신입사원들은 '내가 이런 일을 하려고 직장에 들어왔나'라고 생각합니다. 그런 생각이 이어지다 보면 이 회사와 자신이 맞지 않는 것 같고, 이직을 안 하면 스스로가 바보 같은 느낌까지 듭니다.

마지막으로 직업관의 변화를 들 수 있습니다. 예전에 직장인들은 한 직장 안에서 자기 커리어를 설계했습니다. 이를테면 '나는 이 회사에서 인사팀과 영업팀에서 일해본 뒤 지점장을 거쳐 본부장이 되겠다'라는 식으로 자신의 미래를 설계했던 거죠. 그런데 요즘 직장인들은 시야가 훨씬 넓어져서 자기 회사만 보는 것이 아니라 자기 회사가 속한 업종, 나아가 다른 업종, 심지어 글로벌 시장 전체를 자기의 무대로 봅니다.

이들은 특히 '직무 전문성'을 중요하게 생각합니다. '나는 인사 분야로 계속 갈 거야', '나는 전문 마케터가 될 거야', '나는 재무통으로 자리 잡을 거야'라는 식이죠. 그런데 한 직장에서 그렇게 하기는 어렵습니다. 아직도 상당수의 회사들이 직원들에게 여러 업무를 맡기면서 간부로 양성하는 트랙을 운영하고 있으니까요. 반면 요즘 직장인들은 자기 직무에서 '프로페셔널'이 되는 것을 목표로 하는 경우가 많습니다. 예전 직장인들이 '직장'을 선택했다면 요즘 직장인들은 '직무'를 선택하고 있는 겁니다.

◆ ◆

지금 바꾸지 않으면 영원히 도태된다

질문하신 분은 더 이상 직원들의 퇴사로 고민하고 싶지 않다고 하셨지만, 안타깝게도 이제 기업 경영자들은 직원들이 일상적으로 회사를 들락거리는 현실을 받아들여야 합니다. 경기침체기에는 이런 흐름이 조금 주춤할 수도 있겠지만, '대퇴사'라는 거대한 추세를 되돌리기는 어려워 보입니다. 제비 한 마리가 봄을 몰고 올 수는 없으니까요.

물론 경영자 입장에서 대책 없이 손 놓고 있을 수는 없습니다. 우리 회사만의 인재 관리 방식을 만들어야 합니다. 직원을 채용하고 관리하는 방식을 전면적으로 검토하고 수정, 보완해야 합니다.

특히 이직이 일상화된 시대에 적응하려면 직무별 경력자 채용 시스템을 갖춰야 합니다. 대퇴사 시대가 직장인들에게만 직장 선택의 폭을 넓혀준 게 아닙니다. 경영자 입장에서도 인재 선택의 기회가 확대됐습니다. 정규직으로만 사람을 채용하는 것에서 벗어나 단기 아르바이트나 계약직을 쓸 수도 있고, 외부 자문이나 프리랜서 형태로 인재를 활용할 수도 있습니다. 인재 확보와 운영 방식을 다양화하는 방법을 적극적으로 고민하십시오. 직원이 나간 것은 안타깝지만, 이 기회에 딱 맞는 인재를 뽑아 생산성을 높일 수도 있습니다.

아울러 신입사원에게는 회사에서 어떻게 경력을 쌓을 수 있고 어떻게 보상을 받을 수 있는지에 대해 구체적인 '커리어 맵'을 제시할 필요가 있습니다. 요즘 대기업 가운데는 직원들의 안착을 돕기 위해 경력 설계를 도와주는 곳이 많습니다.

인재 영입을 낚시에 비유하자면, 이제 호수에서 낚시하는 시대를 지나 강에서 낚시하는 시대로 진입했습니다. 강물이 흘러가더라도 물고기는 잡아야 합니다. 부디 흐르는 물에서 낚시하는 방법을 연구하고 실행해, 우리 회사에 든든한 버팀목이 되어줄 '대어'를 낚으시길 바랍니다.

Q

연봉이 아니라면
대체 왜 회사를 떠나는 건가요?

#퇴사이유 #정서적이슈 #소속감 #인정욕구 #관계

#존중 #직원중심문화 #스킨십 #언로

최근 다른 회사들처럼 우리 회사도 직원들의 줄퇴사로 홍역을 치르고 있습니다. 그 원인을 고민하다가 외국의 한 컨설팅회사가 퇴사 이유를 조사한 내용을 보고 깜짝 놀랐습니다. 경영자들이 생각하는 직원의 퇴사 이유는 연봉과 근무 조건이었습니다. 저도 그동안 그렇게 추측하고 있었고요. 그런데 직원들은 '조직과 리더로부터 인정받지 못하는 것'을 중요한 퇴사 사유로 꼽았더군요. 다시 말해 회사에 소속감을 느끼지 못하면 '이곳에 남아 있어야 하는 이유가 없다'고 느끼고 회사를 떠나고 있었습니다.

경영자와 직원들의 인식 차이가 이렇게 클 줄 몰랐습니다. 한국 기업을 대상으로 조사해도 이런 결과가 나올까요? 정말로 직원들은 그런 이유로 회사를 떠나고 있는 걸까요?

"정서적 문제를 풀지 못하면
이탈은 계속됩니다."

대체로 직장인들은 연봉을 많이 주고 근무 조건이 좋은 회사를 매력적으로 생각합니다. 직장인 누구에게 물어봐도 이 점에 대해서는 비슷한 반응이 나올 겁니다. 그래서 직장인들은 기회가 된다면 고연봉에 복지제도를 잘 갖춘 회사로 이직을 시도합니다. 경영자도 직원이 퇴사하면 대체로 '우리 회사보다 더 많은 연봉, 더 나은 근무 조건을 제시하는 곳으로 가겠지'라고 생각하기 마련이지요.

그런데 직장인이 회사를 그만두는 이유에는 연봉이나 근무 조건만 있는 것이 아닙니다. 다른 이유가 더 크게 작용할 수도 있습니다. 연봉과 근무 조건이 아닌 다른 이유 때문에 이직을 한다는 얘기가 믿기지 않는다면, 맥킨지의 보고서 〈Great Attrition or Great Attraction? The choice is yours〉(2021)를 읽어볼 만합니다. 저 역시 이 보고서를 보고 많은 생각을 했던 기억이 있습니다.

이 조사는 미국에서 대이직이 펼쳐진 2021년 고용주와 직장인들을 대상으로 퇴사 사유를 살폈습니다. 도대체 무슨 이유 때문에 수많은 사람들이 거대한 퇴사 행렬에 동참하고 있는지, 그리고 기업들이 직원 이탈을 완화하려면 어떤 조치를 취해야 하는지를 파악하려는 것이었죠. 그런데 조사 결과는 통념이나 상식과 많이 달랐습니다. 회사를 오랫동안 이끌어온 경영자라면 선뜻 받아들이기가 쉽지 않을 정도입니다.

조사 결과를 보면 직장인들은 이직을 결심할 때 가장 중요하게 고려하는 요소로 '회사에 대한 소속감(sense of belonging)', '상사의 존중(valued by manager)', '조직의 존중(valued by organization)'을 꼽았습니다. 즉, 직장에서 소속감을 느끼지 못하거나 상사와 조직으로부터 존중받지 못한다고 느낄 때 이직을 선택한다는 겁니다.

반면 고용주들은 직원들이 이직하는 가장 중요한 이유로 '더 좋은 직장 찾기(looking for a better job)', '불충분한 보상(inadequate compensation)', '건강 문제(poor health)', '발전 기회(development opportunities)', '다른 회사의 스카우트(poached by another company)'를 언급했습니다. 이직 사유에 대한 고용주들과 직장인들의 인식이 매우 다르게 나타난 거죠. 맥킨지는 이 조사 결과를 바탕으로 고용주들은 직원들이 이직하는 이유를 충분히 이해하지 못하고 있다고 진단하면서, 이탈을 줄이려면 직원들의 경험과 관계적인 요소들에 초점을 맞춰야 한다고 조언했습니다.

사장은 직원 마음 모르고, 직원은 사장 마음 모른다

경영자들은 직원들의 퇴사를 대개 보상의 문제, 물질적인 욕구와 연결지어 바라봅니다. 그런데 맥킨지의 조사 결과는 많은 직장인들이 정서적 이슈 때문에 퇴사한다는 뜻밖의 사실을 보여주고 있습니다.

물론 연봉이 중요하지 않다는 얘기가 아닙니다. 어떤 직장인이 많은 연봉을 받는 것을 마다하겠습니까. 다만 이직을 결정할 때 연봉이 가장 중요한 고려 요소가 아닐 수 있다는 것이죠. 실제로 주변을 둘러보면 기존 직장보다 연봉을 더 적게 받는 곳으로 이직하는 사람들을 심심치 않게 발견할 수 있습니다. 그런 경우를 보면 직장 상사와 동료들은 '아니, 저 친구는 왜 우리 회사보다 연봉이 적은 곳에 가는 거지'라며 고개를 갸웃거립니다.

사실 직장인의 이직 사유는 복합적입니다. 어떤 한 가지 이유로만 이직을 결정하지는 않습니다. 여러 이유가 누적된 상태에서 어떠한 직접적인 계기로 이직을 결심하게 되는 것이죠. 이때 누적된 사유의 상당 부분은 정서적인 범주에 속할 가능성이 큽니다. 실제 퇴사하는 직원을 면담하는 자리에서 퇴사 사유를 물어보면 정서적 문제를 꼽는 경우가 꽤 많습니다.

"일하는 방식이 너무 고루해요."
"내부 소통이 꽉 막혀 있습니다."

"꼰대 같은 상사 때문에 더 이상 못 있겠어요."

"회사에 들어오면 숨이 턱 막히고 가슴이 답답해집니다."

퇴사하는 직원들의 이런 이야기가 던지는 메시지는 분명합니다. 회사 내에서 직원들이 느끼는 정서적 문제를 해소하지 않으면 직원 이탈이 계속될 수도 있다는 겁니다. 반대로 직원들에게 큰 영향을 미치는 정서적 요소들을 잘 관리한다면 인적자원을 잘 유지할 수 있다는 말도 됩니다.

'직원들의 이직은 연봉 때문이야'라고 생각하는 것은 안일한 착각이거나 손쉬운 평계일 수 있습니다. 꼭 많은 연봉을 주지 않더라도 소소한 개선을 통해 직원들의 직장생활 만족도를 높이고 퇴사율을 낮출 수 있습니다. 그렇다면 지금부터라도 개선 노력을 시작해봐야 하지 않을까요? 이를 위해서는 우선 회사 내부를 꼼꼼히 들여다봐야 합니다. 기업 문화, 시스템, 업무 프로세스, 간부들의 리더십, 복지 혜택, 경력계발 기회 등 조직 운영 전반을 살펴볼 필요가 있습니다.

◆ ◆

경직성을 벗어나 유연성과 포용성을 갖추라

무엇보다 직원들의 '마음'을 읽는 것이 우선입니다. 그동안 지나치게 회사 중심, 규정 중심, 상사 중심으로 조직을 운영해온 것은 아닌지, 또는 너무 권위적이거나 경직되게 직원들을 대한 것은 아닌지를 되돌아봐야 합니다. 이런 기업 문화에서 직원들은 마음 편하게 업무를 진행하기가 쉽지 않습니다. 동료들과 마음을 열고 대화하는 것도 참 버겁죠. 따라서 회사가 이같이 딱딱하고 무거운 분위기에 갇혀 있다고 판단되면 '직원 중심' 문화로 하루빨리 전환하는 노력이 필요합니다. 직원의 입장에서, 직원의 눈높이에서 조직이 운영되고 사업이 추진되도록 기업 문화를 바꿔나가는 것입니다.

어떤 조직이든 리더가 유연성과 포용성을 갖춘다면 충분히 구성원들을 인정하고 격려하는 문화를 만들 수 있습니다. 최고경영자와 임원, 간부 들이 모두 마음을 열고 직원들과 소통하는 스킨십을 일상화하는 것도 필요합니다. 사실 직원 중심으로 조직을 운영한다는 것이 그리 대단한 일은 아닙니다. 비용이 엄청나게 들어가는 것도 아니고, 회사가 흔들리는 것도 아닙니다. 직원들의 정서적 만족을 위해 할 수 있는 일들은 마음만 먹으면 얼마든지 찾을 수 있습니다.

가장 먼저 할 일은 '언로言路'를 활짝 열어놓는 겁니다. 직원들이 무슨 이야기를 하면 무시하거나 막아버리는 조직이 의외로 많습니다. 맥킨지의 연구에 따르면 기업 경영진은 직원들의 말을 거의 듣지 않습니다. 그러니 직원들이 자유롭게 의견과 아이디어, 감정을 이야기할 수 있도록 언로부터 열어보세요. 멋쩍을 수도 있지만 이야기를 들을 준비가 돼 있고 사장 방은 언제나 누구에게나 열려 있다고 선언해보십시오. 직접 와서 이야기해도 좋고 거북하면 사내 메신저를 통해 대화할 수 있다고 알려주세요. 사장 역시 조직의 한 구성원이며, 다른 직원들과 마찬가지로 회사의 발전을 위한 일이라면 어떤 일이든 할 수 있다는 신호를 전달하는 게 중요합니다.

맥킨지의 조사 보고서도 기업 경영진에게 "한 걸음 물러서서 직원들의 이야기를 경청하고, 직원들이 원하는 변화를 만들고, 회사 내의 관계적 측면에 초점을 맞추는 것부터 시작해보라"고 조언합니다. 이렇게 경영진이 직원들이 떠나는 이유를 제대로 이해하고 적절하게 대책을 수립한다면 그 회사는 머지않아 매력적인 직장으로 거듭날 수 있을 것입니다.

Q

젊은 직원의 당돌한 요구와 태도를 어찌해야 하나요?

#MZ세대 #워라밸 #업무 # 보상 #평생직장 #프로이직러

#소통 #설득 #JobDescription

10여 명의 직원이 일하고 있는 소규모 제조업체 사장입니다. 인력이 많지 않아 회계나 경리 업무는 제가 직접 담당하고, 세무 업무는 세무법인을 통해 처리해왔습니다. 작년 말부터 동종업계 사장들의 모임에서 간사를 맡게 되어 업무를 볼 시간이 부족해졌습니다. 그래서 영업관리를 담당하고 있는 젊은 직원에게 경리 업무를 맡기려고 했더니, 업무 하나를 더 담당하게 된다면 연봉을 늘려달라고 합니다.

저는 경리 업무가 과중하지 않다고 판단해 "두 가지 업무를 충분히 할 수 있기 때문에 연봉을 추가로 올려주기는 어렵다"고 설명했습니다. 그러자 그 직원은 두 달 가까이 일을 하는 둥 마는 둥 하고 있습니다. 평소 업무량이 많지 않은 데다 다른 직원들도 여러 업무를 같이 하고 있는데, 이 직원만 자기 업무 범위가 조금 넓어졌다고 연봉을 올려달라 요구하니 속이 터집니다. 본래 업무 외에 다른 업무도 조금씩 맡다 보면 자기 역량이 쌓이는 것이 아니겠습니까? 그런 것에는 관심이 없고 당장 일이 늘어나는 것만 생각하는 것 같아 답답합니다. 어떻게 해야 할까요?

"MZ세대의 사고방식과 가치관을 이해하고,
시스템에 적용하십시오."

일반적으로 기업 규모가 작을수록 인적자원이 부족하고 경영환경도 녹록지 않습니다. 특히 인력 문제 때문에 고심하는 경우가 많지요. 질문하신 분이 현재 골머리를 앓고 있는 상황도 충분히 이해됩니다. 마음 편하게 직원을 늘릴 수도 없는 중소기업 경영자로서 직원 한 명 한 명이 절실하고 소중한데, 그들 중 누군가가 업무 지시를 제대로 따르지 않는다면 여간 걱정스러운 일이 아닐 집니다.

하지만 흔히 MZ세대로 불리는 젊은 직원들은 과거 세대와 다른 특징과 성향을 가지고 있다는 사실을 간과하면 안 됩니다. 직원들이 어떤 사고방식과 가치관을 갖고 있는지, 직장생활에서 어떤 점을 중시하고 어떤 점에 불만을 갖는지를 꼼꼼하게 살펴봐야 합니다. 무엇보다 직원들을 제대로 이해해야만 효율적 인력관리가 가능해지기 때문입니다.

현재 질문하신 분은 그 직원이 '개인적으로' 꽤 당돌하면서도 이기적인 성향을 갖고 있다고 생각하실 겁니다. 하지만 사실 그 직원의 태도는 MZ세대의 일반적 특징 가운데 하나입니다. 과거에는 회사에 충성하고 헌신하는 것이 직장인의 덕목으로 여겨졌지만, 이는 지금의 MZ세대에게는 더 이상 통하지 않는 흘러간 옛날이야기일 뿐입니다. 예전 직장인들처럼 회사를 위해 자기를 희생하며 모든 걸 바치는 세대가 아니라는 겁니다.

또한 상사나 선배의 눈치를 살피지 않는 것도 MZ세대의 행동 특징입니다. 대표적으로 이른바 '칼퇴' 문화를 들 수 있지요.

MZ세대는 과거 기업에서 일반적이었던 위계질서, 연공서열, 상명하복의 수직적 문화에 강한 거부감을 나타냅니다. 이들이 원하는 이상적 직장의 모습은 수평적 의사소통이 이뤄지고 자유롭고 유연한 조직 문화가 자리 잡은 곳입니다. 연봉이 많고 근무환경이나 복지제도가 잘 갖춰져야 하는 것은 기본이고요.

그들은 개인의 성장과 발전, 그리고 이른바 '워라밸'이라고 불리는 일과 삶의 균형을 추구합니다. MZ세대의 머릿속에는 평생직장이라는 개념도 없습니다. 그래서 언제든지 자기가 원하는 목표와 연봉, 근무 조건을 찾아 능수능란하게 이직을 시도합니다. '프로 이직러(이직을 프로처럼 하는 직장인)'라는 신조어가 나올 정도니까요.

사장은 소통하는 사람이다

과거 세대에 가까운 경영자나 간부들은 MZ세대 직장인들의 사고방식과 태도를 받아들이기 어려워합니다. 사장이나 상사의 지시는 웬만하면 수용해야 하는 것 아니냐고 생각할 수 있습니다. 직장생활을 하다 보면 다소 무리하고 불합리한 일들이 벌어질 수 있고 조직을 위해 희생을 해야 할 때도 있는데, 그런 일이 벌어질 때마다 반발하고 문제를 제기한다면 조직 유지가 가능하겠느냐는 겁니다.

과거에는 그런 게 당연했습니다. 하지만 이제 세상이 달라졌습니다. 우리 사회와 기업의 주축으로 떠오르고 있는 MZ세대와 함께 일하면서 회사를 성장시키려면 적극적으로 그들을 이해하고 소통하려는 노력을 해야 합니다.

요즘 젊은 직장인들이 직장생활에서 불합리하다고 느끼는 경험은 대개 비슷합니다. 나이가 어리다는 이유로 허드렛일을 맡아야 했을 때, 노력한 만큼 보상을 받지 못했다고 느꼈을 때 등입니다. 또 업무 지시를 받으면서 일의 배경과 이유를 명쾌하게 듣지 못했을 때도 답답해합니다. 요컨대 MZ세대 직장인들이 회사에서 불합리함을 가장 많이 느끼는 부분은 결국 '업무'와 '보상' 문제입니다.

질문하신 분에게 근심을 끼치고 있는 직원도 업무 범위와 보상 수준에서 문제의식을 갖고 있는 것 같습니다. 경영자가 이런 문제에 직면해 있다면 우선 해당 직원과 충분히 소통해야 합니다. 보스가 직원들과 소통하는 것은 아무리 많이 해도 지나치지 않습니다. 그만큼 대화와 설명, 설득 노력이 중요합니다.

> "지금 우리 회사 상황이 이러저러한데, 미안하지만 귀하가 경리 업무를 추가로 맡아주면 좋겠습니다. 물론 이 상황이 언제까지 계속되지는 않을 겁니다. 조직이 커지고 일이 많아지면 업무를 분리하겠습니다. 그때까지만 경리 업무를 함께 해주면 고맙겠습니다. 그동안 맡은 일도 잘 해줬는데 이번에도 잘 부탁합니다."

경영자가 상황을 충분히 설명하고 직원의 업무 범위 확대를 부탁한다면 그 직원의 태도가 달라질 가능성이 있습니다. 회사를 경영하다 보면 갖가지 변수를 만나는데, 결국 직원들과 소통을 통해 문제를 풀어나가는 것이 정석입니다. 만약 정성을 기울여 설명하고 설득했는데도 직원이 태도를 바꾸지 않는다면, 그때는 직원을 바꾸는 수밖에 없습니다. 영업관리와 경리 업무를 병행할 수 있는 직원을 채용하는 것입니다.

◆ ◆

채용 단계에서 업무를 명확하게 설명하라

이때 한 가지 간과하면 안 될 것이 있습니다. 채용을 확정하기 전에 해당 후보자에게 직무 설명Job Description을 정확하게 해줘야 한다는 점입니다. 입사 전에 충분한 직무 설명을 하고 동의를 받아야 입사 뒤 업무와 관련한 불평불만이 제기되는 것을 방지할 수 있습니다. 이미 약속한 직무 범위에 대해서는 다른 말을 하기 어렵기 때문이죠. 특히 요즘 젊은 직장인들은 처음부터 자신이 맡을 직무에 대해 회사가 명확하게 설명해주기를 원합니다. 나중에 이것을 일방적으로 바꾸면 회사가 부당하게 업무 지시를 한다고 생각할 수도 있습니다.

질문하신 분이 해당 직원을 어떤 절차를 거쳐 채용했는지를 한 번 더 살펴보십시오. 단정하기는 어렵지만, 직무 설명이 충분치 않은 채 입사했을 가능성이 커 보입니다. 그 때문에 지금 경리 업무를 추가로 하라는 것을 부당한 지시로 받아들여 사실상 태업하고 있는 것이지요.

물론 회사가 직원들의 업무량을 살펴보고 필요에 따라 업무를 가감하는 것은 자연스러운 일입니다. 예를 들어 근무시간이 8시간이라면 영업관리 5시간, 경리 2시간, 그 외 1시간 이렇게 쓸 수 있다고 생각할 수도 있습니다. 하지만 직원은 여러 업무를 맡으면 신경 써야 할 일이 많아져 사실상 업무량이 늘어나는 것이라고 느낄 수 있습니다. 또 여러 업무를 하면 경험 축적이 안 돼 업무 전문성을 기를 수 없다고 우려할 수도 있습니다. 따라서 직원의 업무 범위나 분량을 조정해야 할 필요가 생겼을 때에는 그것에 관해 충분히 설명하고 양해를 구하는 절차와 노력이 반드시 수반돼야 합니다.

직장과 직업이 분리된 세상

기업 경영자들은 MZ세대의 직업관이 과거와 사뭇 달라졌다는 점을 잘 헤아려야 합니다. 요즘 젊은 직장인들은 기본적으로 자기가 다니는 회사만 바라보고 있지 않습니다. 예전에 "대학 졸업하고 뭐 하고 살 거야?"라고 질문하면 대개는 "삼성 갈 거야", "현대 갈 거야"라는 식으로 답했습니다. 실제 직장을 선택하는 과정도 그랬습니다. 직업이 아니라 기업을 보고 직장을 선택한 것이죠. 직장을 선택하면 직업은 자연히 따라왔습니다. 말하자면 직장과 직업은 거의 동일한 개념이었습니다.

하지만 요즘 직장과 직업이 완전히 분리돼 있습니다. 젊은 직장인들은 직장과 직업을 동일시하지 않습니다. 자신이 갖고 싶은 직업을 먼저 설정하고, 그다음에 직장을 선택합니다.

가령 컴퓨터공학을 전공하고 IT 개발자로서 살아가겠다고 생각한 직장인은 하고 싶은 개발 업무를 마음껏 할 수 있는 직장을 선택합니다. 요즘 IT 개발 인력을 채용하는 업종이 굉장히 넓어졌습니다. IT 회사는 물론 전자 회사, 금융 회사, 자동차 회사, 온라인 쇼핑몰 등 IT 인력이 필요하지 않은 업종이 없다고 해도 과언은 아닐 겁니다.

이 때문에 IT 개발자에게 직장은 수시로 선택할 수 있는 것이 되었습니다. 현재 다니는 직장이 자신의 직업적 계획이나 목표에 맞지 않다고 생각하면 언제든지 다른 곳으로 떠날 수 있다고 생각합니다.

MZ세대의 이직률이 높게 나타나는 것은 이런 배경에서 비롯된 것입니다.

경영자 입장에서 직원들이 지시를 잘 따르지 않는 것은 걱정이지만, 직원들이 회사를 떠나는 것은 더 큰 문제입니다. 당장 업무에 공백이 발생하는 데다, 새로 직원을 채용하는 것도 쉬운 일이 아니기 때문입니다. 누군가가 퇴사하면 남아 있는 직원들에게 업무 부하가 늘어나는 등 부정적인 영향을 끼치는 것도 간과할 수 없지요.

그런 점을 고려한다면, 해당 직원과 좀 더 대화와 소통의 시간을 갖고 합일점을 찾아보시는 것이 어떨까요? 질문하신 분의 회사 사정이 어떤지 알 수 없지만, 현재 상황으로 볼 때 해당 직원에게 소폭의 급여 인상을 제시하고 경리 업무를 부여하는 것도 하나의 해결책이 될 수 있습니다. 당장 새로운 직원을 충원하는 것도 간단한 일은 아니기 때문이죠.

물론 심정적으로 그 직원이 야속하고 미울 겁니다. 하지만 경영자라면 감정에 휘둘리기보다는 회사 전체 상황을 깊이 고려해 인력관리를 하는 것이 필요합니다. 아무쪼록 해당 직원이 태도를 바꿔 다시 업무에 충실해지기를 바랍니다.

Q

받는 만큼만 일하겠다는 태도를
받아들이기 어렵습니다.

#조용한사직 #공정성 #무임승차 #보상 #원칙 #워라밸
#소통 #배려 #동반성장 #멘토 #역할모델

최근 친구들과 만난 자리에서 '조용한 사직'이란 유행어가 화제가 됐습니다. 정해진 시간에 주어진 업무만 수행하는, 요컨대 받는 만큼만 일하는 업무 방식을 얘기하는 거라더군요. 이야기를 듣고 쓴웃음이 났습니다. '아, 이래서 요즘 우리 회사의 분위기가 이 모양인가' 싶은 생각이 들기도 했습니다.

직원을 뽑아 일할 만큼 키워놓으면 냉큼 다른 회사로 옮기는 일이 다반사입니다. 일과 삶의 균형을 위한 여러 조치들을 취했지만, 직원들은 성에 차지 않는 모양입니다. 게다가 퇴직자가 맡았던 일이 떠넘겨지자 그만두겠다는 또 다른 직원이 나오는 악순환이 반복되고 있습니다. 이러다 회사 문 닫겠다 싶어 일을 맡기기가 겁이 날 지경입니다. 도대체 일을 대하는 태도가 왜 이렇게 바뀌었을까요? 직원들에게 좋은 보상을 제공하려면 회사가 발전하고 이익이 많이 나야 합니다. 단순한 이 사실을 직원들은 받아들이지 않는 모양새입니다. 회사와 자신을 분리하고 당장 자기 눈앞만 바라보는 것 같아 답답합니다. 어떻게 하면 직원들의 업무 태도를 바꿀 수 있을까요?

"회사의 보상, 워라밸,
간부 리더십을 살피십시오."

'조용한 사직Quiet Quitting'이라는 신조어는 미국의 한 20대 엔지니어가 언급하면서 급속하게 퍼져나가기 시작했습니다. 그는 이 용어를 "주어진 일 이상을 해야 한다는 생각을 그만두는 것"이라고 정의했습니다. 한마디로 직장생활을 유지하는 데 필요한 최소한의 일만 하겠다는 겁니다.

「워싱턴포스트」는 조용한 사직 현상에 대해 "직장인들이 허슬 컬처Hustle Culture를 포기하고 있는 것"이라고 분석했습니다. 허슬 컬처는 개인의 생활보다 업무를 중시하며 열정적으로 일하는 것을 높게 평가하는 문화입니다. 조용한 사직과 대척점에 서 있는 개념이죠.

미국의 경우 조용한 사직이 하나의 추세가 되고 있습니다. 2022년 여론조사기관 갤럽이 미국 직장인 1만 5,000여 명을 대상으로 조사한 결과, 조용한 사직자 비율이 무려 50%였습니다. 반면 업무에 몰입하고 있다고 응답한 사람은 32%에 불과했습니다. 특히 35세 이하 젊은 세대 직장인들의 조용한 사직 비율이 매년 상승하고 있습니다.

그렇다면 우리나라는 어떨까요? 한 취업 플랫폼이 직장인 3,000여 명을 대상으로 '월급의 의미'에 대해 조사한 내용이 있습니다. 전체 응답자의 70%가 '회사에서 딱 월급 받는 만큼만 일하면 된다'라고 답했습니다. 특히 20~30대 직장인의 경우 그 비율이 80%에 가까웠습니다.

위의 조사 결과들은 경영자라면 모두 깜짝 놀랄 수밖에 없을 것입니다. 만약 우리 회사 직원의 70~80%가 조용한 사직자라면 등골이 오싹하고 속이 바짝바짝 타지 않겠습니까? 회사가 성장하려면 모든 직원들이 똘똘 뭉쳐 최선을 다해도 모자랄 판인데, 직원의 상당수가 딴생각을 하며 시간을 보내고 있다니 생각하기도 싫을 겁니다.

◆ ◆

사장이 직장인의 가치관 변화에 예민해야 하는 이유

직원들은 왜 조용한 사직을 선택하고 있을까요? 조용한 사직 현상에는 크게 두 가지 요인이 있습니다. 일한 만큼 받고 싶다는 '공정한 보상', 그리고 일과 삶의 균형을 추구하는 '워라밸'에 대한 요구가 그것입니다. 먼저 조용한 사직을 선택한 직원은 보상에 불만을 갖고 있을 가능성이 큽니다.

'내가 일을 많이 한다고 해도 회사가 그만큼 월급을 주지는 않잖아.'

이런 식으로 생각하는 것이죠.

직장인들은 기본적으로 경제적 이유 때문에 회사를 다닙니다. 월급은 본인이 제공하는 근로에 대한 대가입니다. 따라서 본인이 투입한 노동량과 본인이 받는 월급이 등식을 이루지 않으면 공정하지 않다고 생각합니다. 특히 공정성에 민감한 젊은 MZ세대 직장인들은 더욱 그런 경향이 강합니다. 자신이 일한 만큼 보상을 받지 못한다고 생각하면 받은 만큼만 일하는 쪽으로 입장을 바꾸는 겁니다. 월급 수준 이상으로 시간과 열정, 에너지를 쏟지 않겠다는 것이죠.

워라밸을 중시하는 가치관을 지닌 직장인들도 조용한 사직을 선택할 가능성이 큽니다. 과거와 달리 요즘에는 일에 파묻혀 인생을 보내고 싶지 않다고 생각하는 직장인들이 크게 늘었습니다. 실제로 우리 주변에 인생을 즐기며 살고 싶고, "일도 중요하지만 삶도 중요하다"라고 주장하는 사람들이 많아졌습니다. 그런 사람들이 자신의 모든 것을 업무에 쏟아붓는다는 것은 기대하기 어렵습니다.

회사 직원들을 한번 찬찬히 살펴보십시오. 근무 시간에 생기 없이 심드렁한 표정으로 일하다가 퇴근 시간이 되면 칼같이 자리에서 일어나는 직원들이 있습니다. 아마도 이런 직원들은 조용한 사직을 선택했을 가능성이 큽니다. 그리고 이들은 대개 보상과 워라밸 때문에 자신의 선택을 합리화하고 있을 겁니다.

◆ ◆

보상과 워라밸, 공정성과 일관성 유지가 핵심

그렇다면 '조용한 사직자'들을 어떻게 대해야 할까요? 이들을 그대로
지켜보기만 하는 것은 사실상 인력관리를 포기하는 겁니다. 게다가
조용한 사직자들이 늘면 회사의 활력이 떨어지고 생산성도 저하될 것
이 불 보듯 뻔하므로 대책을 세워야만 합니다.

먼저 조용한 사직이 보상 문제에서 비롯된 것이라면 보상 정책을
점검해야 합니다. 보상 정책의 핵심은 공정성입니다. 직원들은 이렇
게 생각할 수 있습니다.

'적절하게 보상해주면 열심히 일할 겁니다. 내가 노력한 만큼 보상
을 받으면 당연히 일에 매진합니다. 그런데 주변을 보니까 게으름을
피우는 직원도 나와 똑같이 월급을 받고, 성과가 안 좋은 직원도 똑
같이 성과급을 받고 있습니다. 이런 상황에서 왜 내가 열심히 일해
야 하지요?'

이런 이유로 조용한 사직이 보상에 뿌리를 내리고 있다면 보상 제
도를 투명하고 공정하게 개선해야 합니다. 또 직원들에게 업무를 어
떤 방식으로 평가하고 어떤 기준으로 보상하는지 자세히 설명할 필요
가 있습니다. 앞서 말한 대로 젊은 직장인들에게 공정성은 굉장히 중
요한 이슈입니다. 따라서 보상의 원칙을 제대로 세웠다면 모든 임직

원에게 일관성 있게 적용해야 합니다. '평가 따로, 보상 따로'가 된다면 직원들은 금세 마음을 닫고 등을 돌릴 것입니다.

만약 직원들이 일과 삶의 균형을 추구하는 워라밸 때문에 조용한 사직을 선택한다면 다른 접근법이 필요합니다. 이 경우는 직원들의 가치관, 인생철학이 결부된 것이어서 문제를 풀기가 쉽지 않습니다.

예를 들어 업무 능력이 뛰어나고 성과도 곧잘 내는데, 정해진 근무 시간 외에는 일하지 않으려 하는 직원이 있습니다. 그런데 며칠간의 야근이 불가피한 중요 업무가 발생했고, 그 직원이 해당 업무의 적임자입니다. 상사가 그에게 업무 처리를 맡기려고 하자, 직원은 이렇게 말합니다.

"저는 근무 시간에만 일하고 싶습니다. 나머지 시간은 제 휴식과 자기계발에 쓰고 싶어요."

이런 말을 들은 상사는 참 화가 나고 속도 터질 겁니다. 이 상황에서 문제를 풀 방법은 뭘까요? 오직 한 가지뿐입니다. 직원에게 상황을 충분히 설명하고 동의를 구하는 것이죠. 만약 워라밸 철학이 확고한 직원이 회사에 꼭 필요한 인재라면 그의 인생관을 존중하고 타협점을 찾는 수밖에 없습니다. 물론 모든 방법을 동원했는데도 직원이 끝내 회사 방침에 따르지 않는다면 부득이하게 교체를 검토해야겠지요.

◆ ◆

임원과 간부는 직원의 미래다

젊은 직원들이 조용한 사직이라는 소극적 업무 태도를 버리고 회사에 애정을 갖고 일에 몰입할 수 있는 환경을 만들려면 또 하나 중요한 지점을 짚어봐야 합니다. 바로 임직원들 간의 소통과 배려 문제입니다. 조용한 사직을 선택한 직원들은 회사와 상사에 대해 별다른 기대나 희망을 갖고 있지 않은 경우가 많습니다. 그런데 이런 문제가 꼭 직원 개인에게서만 비롯된 문제가 아닐 수도 있습니다. 회사가 원인을 제공했을 가능성도 큽니다. 따라서 회사가 직원들을 충분히 이해하고 인정한다면, 그들도 마음을 열고 태도를 바꿀 것입니다.

중국 역사책 『사기史記』에 "선비는 자신을 알아주는 사람을 위해서 목숨을 바친다"는 이야기가 나옵니다. 사람은 누군가에게 인정을 받으면 그를 위해 최선을 다한다는 뜻이죠. 직장에서도 마찬가지 원리가 작용합니다. 상사나 동료들로부터 인정받는 직원들은 큰 대가가 없더라도 자신의 일에 열중합니다.

젊은 직장인들이 회사와 자신의 성장을 별개로 생각하는 경향이 있기는 하지만, 그런 인식도 상사들이 다양한 방법을 동원해 바꿔줘야 합니다. 개인의 성장과 조직의 성장을 별개로 보는 것은 착각입니다. 회사와 직원은 함께 성장합니다. 직원 본인이 열심히 업무에 임하면 그 과정에서 경험의 축적이 일어납니다. 경험의 축적 없이 어떻게 성장할 수 있겠습니까? 열심히 일하고 배우면 회사에도 도움이 되지만 개인도 성장의 기회를 얻을 수 있습니다. 회사를 위해 일하는 것이 곧 자신을 위해 일하는 것이 되는 선순환이 일어납니다.

경험이 부족한 젊은 직원들은 이런 사실을 간과하기 쉽습니다. 상사들이 적극적으로 멘토 역할을 해야 하는 이유입니다. 대개 젊은 직장인들은 상사의 모습에서 자기의 미래를 봅니다. '아, 나도 이 회사에서 꾸준히 일하면 우리 부장님처럼 되겠구나'라고 생각하는 것이죠. 그런데 만약 상사가 본받을 점은 고사하고 허구한 날 불만에 가득한 얼굴로 잔소리만 한다면 직원들은 마음 둘 곳을 잃고 종국에 회사를 뛰쳐나가고 말 겁니다.

여러분의 회사에서는 임원이나 간부들이 직원들에게 어떤 모습으로 보이고 있습니까? 한번쯤 꼭 살펴보시길 바랍니다. 임원과 간부들이 직원들의 역할모델이 된다면 조용한 사직을 최소화하는 것은 물론이고 회사의 활력을 높일 수 있습니다.

Q

직원들이 성과급 배분에
불만을 제기합니다.

#MZ세대 #성과급 #공정성 #보상 #기여도 #스테이시애덤스

#공정성이론 #조직불안정

온라인 쇼핑몰을 운영하는 대표입니다. 직원들에게 성과급을 지급하는 문제로 고민하고 있습니다. 작년에 온라인 시장이 활황이어서 예상을 넘어서는 매출을 올렸습니다. 어려운 시기에 임직원들이 똘똘 뭉쳐 거둔 성과여서 모두에게 동일한 금액을 성과급으로 지급하려고 했습니다. 그런데 이런 계획이 알려지자 젊은 직원 일부가 문제를 제기했습니다. 신입사원과 10년 이상 근무한 사원의 기여도가 다르고 품목별 담당자의 실적이 크게 차이가 나는데, 어떻게 성과 기여도를 똑같이 평가할 수 있느냐는 말이었습니다.

틀린 말은 아니지만, 모처럼의 성과급인데 모두에게 같은 금액을 지급하는 것이 조직 화합 차원에서 의미가 있는 것이 아닐까요? 격려의 의미를 담은 보상이 오히려 질타의 의미로 받아들여지거나 직원 간에 불화를 만들어낼까 걱정스럽습니다.

"MZ세대가 생각하는 공정성은
기성세대와는 다릅니다."

몇 년 전 어느 대기업에서 성과급 지급 방식에 대한 불만을 가진 젊은 직원이 대표이사에게 공개적으로 항의하는 이메일을 보냈습니다. 이 직원은 전체 구성원에게도 같은 이메일을 보내 해당 사안을 공론화시켰습니다. 해당 기업이 속해 있는 그룹 회장이 직접 나서서 겨우 사안을 진정시켰지요.

임원도 아닌 한 사람의 직원이 대표이사에게 대놓고 자기 뜻을 주장하는 것은 과거에는 상상하기도 어려웠습니다. 그러나 지금 MZ세대로 불리는 젊은 직장인의 가치관과 성향은 이전 세대와 아주 다릅니다. 그들은 기성세대와 다른 시대를 살아왔고, 살고 있습니다. 따라서 기성세대의 관점에서 MZ세대를 바라보면 그들의 행태를 이해하기가 어려울 수 있습니다.

◆◆

기성세대와 MZ세대의 차이

기성세대는 개발도상국 시대를 지나왔습니다. 어린 시절 보릿고개도 겪어봤고 산업화 시기에 직장생활을 하면서 수직적이고 위계적인 조직 문화도 경험했습니다. '지금 어려울지라도 인내하면서 열심히 일하면 미래에 언젠가 성공할 것'이라는 가치관도 배웠습니다. 하지만 MZ세대는 풍요의 시대에 태어나고 자랐습니다. 물질적으로 그다지 부족함이 없는 환경에서 성장했기 때문에 '힘든 현재를 견뎌내면 밝은 미래가 올 것'이라고 생각할 필요가 없었습니다. MZ세대가 현재의 삶의 질과 조건을 중시하는 것도 그런 이유 때문입니다.

따라서 기성세대와 MZ세대는 이를테면 '이익의 실현 시점'을 두고 상당한 견해 차이가 있습니다. 기성세대는 직장생활을 하면서 불공정하거나 부당한 처우를 받아도 미래를 위해 참고 견뎠고, 그것을 미덕이라고 여겼습니다. 말하자면 직장생활을 장거리 달리기나 마라톤으로 봤던 겁니다. 하지만 MZ세대는 이익이나 권리를 침해받으면 즉각적으로 반발합니다. 그들에게는 현재가 가장 중요하기 때문입니다.

게다가 MZ세대 직장인들은 불공정하거나 부당하다고 생각하는 일이 발생하면 이를 감내하는 대신 당당하게 자기 의견을 밝히고 개선을 요구합니다. 자신이 옳다고 믿으면 주변 눈치를 보지 않고 소신껏 할 말을 합니다. 이런 성향 때문에 질문하신 분 회사의 젊은 직원들도 성과급 지급 방식에 대해 공개적으로 불만을 나타내고 있는 것으

팬데믹 이후, 사장을 괴롭히는 것들

로 보입니다.

◆ ◆
조직 불안으로 이어질 수 있는 공정성 이슈

어린 시절부터 치열한 경쟁을 경험한 것도 MZ세대가 공정성을 중시하는 것에 영향을 미쳤을 겁니다. 숨 막히는 입시경쟁을 거쳤고 피 말리는 취업경쟁을 뚫고 직장에 입사했기 때문에 그들의 머릿속에는 '능력주의' 가치관이 강하게 자리 잡고 있습니다. 내가 노력한 만큼, 나의 능력만큼 보상을 받는 것이 당연하다고 생각합니다. 반대로 주변 동료가 능력이 부족한데도 보상을 많이 받거나 성과가 좋지 않은데도 좋은 보상을 받는 것을 부당하다고 여깁니다. 능력주의 가치관과 배치되는 보상 체계를 받아들이지 못하는 겁니다.

질문하신 분이 전체 구성원에게 균등한 금액의 성과급을 지급하려고 한 의도는 충분히 이해할 수 있습니다. 하지만 젊은 직원들이 성과급의 균등 지급에 반발하는 논리 역시 이해해야 합니다. 성과급을 균등하게 지급하는 것은 그들이 생각하는 공정성에 반하는 것입니다. 그들은 성과급에 대해 '회사의 성과에 기여한 만큼 보상을 받는 것'이라는 인식이 확고합니다.

경영학자 스테이시 애덤스Stacy Adams는 '공정성 이론'을 통해 조직 구성원이 불공정하거나 부당한 대우를 받는다고 느끼면 업무 강도를 낮추거나, 임금 인상을 요구하거나, 혹은 퇴사하는 방식으로 행동에 나

선다고 말했습니다. 경영자가 조직을 운영하면서 공정성에 세심하게 관심을 기울이지 않으면 조직의 불안정성이 커질 수 있습니다. 이런 점을 감안하여 젊은 직원들의 반발심을 달랠 필요가 있어 보입니다.

경영자는 전체 직원들을 고려하고 배려하는 방식으로 조직을 운영해야 합니다. 질문하신 분도 같은 이유에서 성과급의 균등 지급 방침을 계획했을 겁니다. 이런 상황에서 경영자의 의도를 살리면서도 공정성에 민감한 젊은 직원들의 불만을 차단할 수 있는 방법을 찾아봐야 합니다.

우선 성과급의 성격을 바꾸는 것이 한 방안이 될 수 있습니다. 전체 직원에게 혜택이 돌아가게 하고자 한 목적에 충실하게, 재원을 직원의 복리후생 강화에 사용하는 것입니다.

성과급을 지급하기로 하였는데 기여도 평가가 쉽지 않다면 직원 각자의 '연봉 대비 몇 %' 방식으로 성과급을 지급하는 방법이 있습니다. 직원의 연봉에는 기본적으로 역량과 성과의 크기가 반영되어 있습니다. 따라서 각자의 연봉을 기준으로 일정한 비율의 성과급을 지급하는 방식은 직원들을 비교적 공평하게 대우하는 방법이 될 수 있습니다.

Q

'이직자가 능력자'라는 인식이
회사 내부에 퍼져 있습니다.

#이직 #능력 #이직횟수 #부적응 #부메랑직원 #기회 #비전 #성장트랙 #롤모델

IT 서비스 회사를 창업해 10년 넘게 이끌고 있습니다. 자체적으로 IT 개발팀을 운영할 여력이 부족한 중소 규모 회사를 대상으로 웹사이트나 쇼핑몰을 관리해주고 새로운 솔루션을 만들어주는 사업을 합니다. 우리 회사는 설립 이후 안정적으로 성장해왔습니다. 그런데 코로나19 팬데믹 기간 중 직원 퇴사 바람이 거세게 불어닥치는 바람에 곤욕을 치렀습니다. 2년 새 직원의 4분의 1가량이 들고 났습니다. 요즘은 좀 잠잠해졌지만, 여파가 아직 남아 있습니다.

그중 가장 심각한 것은 남아 있는 직원들의 열패감입니다. 팀장들을 통해 전해 들으니 직원들 사이에서 "나보다 못한 사람도 회사를 옮겼는데 난 왜 못하고 있을까"라는 얘기가 스스럼없이 오간다고 합니다. 이직 자체를 능력의 증명으로 여기는 이런 인식이 IT 서비스 업종만의 특수성인지는 모르겠지만, 직원 간에 너무도 자연스럽게 이런 얘기가 오가는 현실이 암담하게 느껴집니다. 남아 있는 직원들을 어떻게 대해줘야 자신감을 회복하고 업무에 몰입하게 할 수 있을까요?

"성장욕구를 자극하고 비전을 볼 수 있는
직무경험을 쌓도록 도와주세요."

최근 직장인들의 퇴사가 늘면서 경영자들의 고민도 커졌습니다. 떠난 직원들의 빈자리를 메우기 위한 채용도 힘들지만, 남아 있는 직원들의 뒤숭숭한 분위기를 바로잡기가 참 어렵습니다. 며칠 전까지 함께 일하던 동료가 회사를 떠나면 아무래도 직원들은 일이 손에 잘 잡히지 않게 됩니다.

　더 큰 문제는 떠난 동료가 더 높은 연봉과 더 좋은 근무 조건을 제공하는 회사로 이직했다고 생각하는 겁니다. '저 친구는 더 좋은 회사로 옮겨 가는데 나는 왜 그런 기회가 안 오는 거지'라는 생각에 기운이 빠지게 되죠. 그리고 이런 상황이 반복되거나 잦아지면 조직 전체가 활력을 잃기 마련입니다. 특히 일부 직원들 사이에 이직을 능력의 척도로 보는 시각까지 생기면서 경영자들의 걱정은 더욱 깊어지고 있습니다.

◆◆

이직은 능력의 문제가 아니다

그런데 이직이 과연 능력의 척도일까요? 결론부터 이야기하자면 이직은 능력과 직결되는 것이 아닙니다. 이직은 더 좋은 조건을 제시하는 곳으로 옮기기 위한 것이기도 하지만, 반대로 더 이상 회사에 남아있기 어려운 사람들이 마지막으로 선택하는 방법이기도 합니다.

물론 유능한 직원들이 더 좋은 근무 조건을 갖춘 회사로 떠나기도 하고 스카우트되기도 합니다. 그렇다고 떠난 사람이 남아 있는 직원보다 반드시 유능하다고 단정할 수는 없습니다. 업무 역량이 부족하거나, 조직 적응에 어려움을 겪거나, 성과가 부진하여 직장을 떠나기도 하기 때문입니다.

이직의 사유는 한 가지가 아니라 개인마다 모두 제각각이기 때문에 결코 이직이 '능력'의 잣대가 될 수는 없습니다. 과거나 지금이나이직은 그냥 개인의 선택일 뿐입니다. 그런 점에서 남아 있는 직원보다 떠난 직원이 유능하다고 여기는 것은 어불성설입니다.

오히려 자주 직장을 옮기는 사람은 남아 있는 직원보다 역량과 성과가 뒤떨어질 가능성도 있습니다. 직장인은 기본적으로 축적된 업무경험을 발판 삼아 발전하는데, 회사를 자주 옮기는 사람들은 축적된경험이 상대적으로 취약할 수밖에 없습니다. 그래서 이직이 잦은 사람치고 기술 습득이나 프로젝트 관리, 협업 같은 것에서 강점을 보이기 어려운 경우가 많습니다.

기업이 자주 이직하는 사람을 선호하지 않는 것도 이 때문입니다. 경영자는 기본적으로 이직이 잦은 사람의 채용을 꺼립니다. 이직이 잦은 사람은 입사하더라도 언제 나갈지 모른다고 생각합니다. 금방 나갈 사람에게 중요한 업무를 맡길 수는 없으니까요. 그러다 보니 이직이 잦은 직장인은 회사에서 핵심 업무를 경험하기가 어렵습니다. 이런 현실을 잘 아는 경영자는 이직이 잦은 사람에 대해 '저 사람은 그동안 중요한 일을 맡지 못했겠구나'라고 생각하면서 그에게 중요한 일을 맡기지 않을 가능성이 큽니다.

이직이 일상적인 세상이 됐지만 이직에 대한 시각은 아직도 마냥 긍정적이지는 않습니다. 코로나19 대유행 이전에 몇몇 내로라하는 기업은 후보자 추천을 의뢰하면서 "세 번 이상 이직한 사람은 포함하지 말라"고 요청하기도 했습니다. 그럴 정도로 기업들은 잦은 이직에 매우 부정적이었습니다. 요즘은 과거와 비교해 이직 횟수에 대한 기준이 전보다 훨씬 관대해졌지만, 여전히 심정적인 거부감은 남아 있습니다.

'조직 부적응자인가? 성과를 내지 못했나? 왜 이렇게 자주 옮겨 다니지? 입사해도 오래 못 있겠구나.'

이런 생각이 반사적으로 드는 거죠.

남의 떡은 늘 커 보인다

이렇게 경영자나 임원, 간부들 사이에서 이직에 대한 부정적 인식이 아직 강하게 남아 있는데도 왜 젊은 직원들은 이직을 능력의 척도로 보고 있을까요?

가장 큰 이유는 이직을 성장과 발전의 계기로 삼으려는 직장인들이 늘고 있기 때문입니다. 특히 IT 분야에서 개발자들은 이직을 성장 추구의 한 방편으로 삼고 있습니다. 일반적으로 개발자들은 프로젝트를 수행하면서 경험을 쌓고 능력을 키웁니다. 프로젝트를 학습 기회로 삼아 성장의 길을 걸어가는 것이죠. 그런데 중소 규모 IT 회사의 경우 프로젝트가 많지 않기 때문에 개발자들이 새 프로젝트를 진행하면서 새 기술을 배우기가 쉽지 않습니다. 같은 시스템을 유지보수만 하다 보면 지루해질 수밖에 없는데, 이때 다른 회사가 괜찮은 조건을 제시하면 귀가 솔깃해져 이직을 마음먹게 되는 겁니다.

이것은 비단 IT 회사의 개발자들 사이에서만 나타나는 현상이 아닙니다. 요즘 젊은 직장인들은 어떤 회사에서 어떤 직무를 맡고 있든 간에 욕구가 충족되지 않으면 과감하게 자리를 박차고 일어섭니다. 욕구를 채워주는 회사로 옮기는 것이죠. 젊은 직장인들은 개발자들처럼 성장의 발판이 되는 새로운 프로젝트 참여 기회가 주어지는 쪽으로, 혹은 원하는 직무와 직급 보상이 제공되는 쪽으로 쉽게 옮겨갑니다. 그런 동료들을 보는 젊은 직장인들은 '저 친구는 능력이 있어 원하는 곳으로 떠나는데, 나는 그런 능력이 없어 남아 있는 건가'라고 생각하며 자괴감과 위축감에 빠지기도 합니다.

그러나 이직이 언제나 만족스러운 결과로 이어지는 것은 아닙니다. 꽤 만족할 만한 조건을 제시해서 회사를 옮겼는데, 정작 다녀보니 자신의 기대나 예상에 못 미치는 경우도 종종 생깁니다. 남의 떡이 커 보이지만 실제로 그렇지 않은 경우도 많다는 얘기죠.

이와 관련해 눈길을 끄는 조사 결과가 있습니다. 미국의 한 커리어 자문 회사가 2022년 2,500명의 미국 성인을 대상으로 설문조사를 실시한 결과, 새로운 직장을 갖기 위해 퇴사한 사람의 약 4분의 3이 그 결정을 후회한다고 답했습니다. 또 그들 중 절반은 과거 직장으로 돌아가는 시도를 하겠다는 뜻을 밝혔습니다. 새로운 직장에서 맡은 역할이 자신과 맞지 않거나, 그곳 역시 실망스러운 점이 있다는 것을 알게 된 것이죠. 이런 이유로 미국에서 예전 직장으로 돌아가는 '부메랑 직원'이 늘어나고 있다는 기사가 신문에 실리기도 했습니다.

◆ ◆

성장욕구 자극이 불러올 나비효과

이처럼 이직의 결과는 항상 예측불허입니다. 직장인들도 이런 현실을 어느 정도 알고 있습니다. 그런데도 직장인들 가운데 일부는 떠나지 못하는 자신의 신세를 한탄하기도 하고 심지어 남아 있는 동료들을 폄훼하기까지 합니다. 이런 직장 분위기에서 직원이 정상적으로 업무를 진행하고 원하는 성과를 거두기는 어려울 겁니다.

경영자는 이직자 발생으로 인해 부정적 영향을 받게 되는 직원들을 어떻게 관리해야 할까요? 그들이 동요하지 않고 자신의 업무에 열중하도록 하려면 어떻게 해야 할까요?

가장 좋은 방법은 직원들에게 자부심과 주인의식을 불어넣는 일입니다. 물론 주인의식을 갖도록 한다는 게 말처럼 쉬운 일은 아닙니다. 상황에 따라서 이 단어 사용에 신중을 기해야 할 수도 있습니다. 최근에는 "직원은 오너도 아니고 의사 결정권도 없는데 어떻게 주인의식을 가질 수 있느냐"며 이 단어에 적개심을 표현하는 직장인들도 있으니까요.

그래서 저는 가능하면 회사에서 직원의 성장 가능성을 이야기하라고 권하고 싶습니다. 어떤 회사든 임원이나 간부, 중추적인 핵심 인력으로 자리매김하는 사람들은 실무자 경험을 한 뒤 관리자로 올라간 경우가 많습니다. 말단 사원에서 시작해 중간 간부를 거치면서 업무 경험을 쌓은 뒤 회사의 기능으로 성장하는 것이죠. 특히 젊은 직장인들은 성장에 대한 욕구가 매우 강합니다. 따라서 직원에게 이직하지 않아도 회사에서 충분히 성장할 수 있다는 비전을 심어줄 필요가 있습니다.

우선은 직원들에게 구체적인 성장 경로를 제시해보세요. 직장인의 성장은 결국 직무경험을 통해 이뤄지기 때문에 구체적인 직무를 통해 성장 트랙을 만들어주는 것이죠. 이것은 회사 차원에서 조직적으로 하는 게 좋습니다. 인사 담당 직원들이 직원 개인과 협의해가면서 커리어 계획을 짜고 관리해준다면 좋을 것입니다.

이때 중요한 것은 상사의 역할입니다. 상사 자신이 직원들에게 당당한 롤모델이 되어야 합니다. 직원들에게 상사의 역할과 책임 그리고 권한은 미래의 자신이 갖게 될 몫이니까요.

직장인들이 업무에 몰입하게 만들고 직장에 대한 만족도를 높이려면 대개 '성장할 수 있느냐', '성취할 수 있느냐', '자율적으로 일할 수 있느냐' 이 세 가지 조건을 충족해야 합니다. 여러분도 이 조건들이 충족되도록 회사의 문화와 시스템을 끊임없이 개선해나가는 노력을 기울여보십시오.

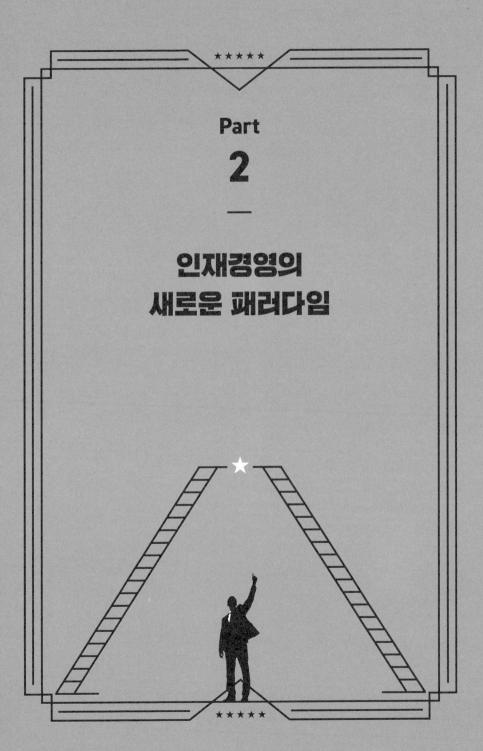

Part
2

—

인재경영의
새로운 패러다임

Chapter 3

인재를 발굴하고
채용하고 유지하는 법

Q

회사 내에 채용 전담자를 두어야 할까요?

#채용전담직원 #리쿠르터 #시니어급 #주니어급 #인재전쟁

200여 명이 근무하고 있는 건설 회사의 대표입니다. 며칠 전, 업계 다른 사장들과 이야기를 나누는 과정에서 '채용 전담 직원'에 대한 이야기가 나왔습니다. 우리 회사는 채용이 많지 않아 관행적으로 인사팀의 막내 직원이 채용 업무를 담당해왔습니다. 그런데 우리 회사보다 규모가 작은데도 전담 직원을 두고 있는 곳도 있고, 큰 회사는 상당한 규모의 전담 부서를 두고 있다고 해서 깜짝 놀랐습니다. 이유를 물어보니, 코로나 이후 직원들의 퇴사가 크게 늘어 뽑아야 할 인원이 많아졌고, 뽑으려는 직원이 대부분 경력자여서 채용이 생각보다 어렵다는 겁니다. 퇴사하는 직원은 늘고 채용은 쉽지 않다 보니 아예 내부에 전담자를 배치하자는 결정을 하게 됐다는 거죠.

이런 것들이 보편적인 현상인가요? 우리 회사도 채용 전담자를 둬야 할까요? 만약 그렇다면 어떤 사람이 적합할까요?

"인재 영입은 회사의
사활이 걸린 일입니다."

종신고용이나 평생직장 개념이 통용되던 시절에 기업들은 채용에 큰 비중을 두지 않았습니다. 기본적으로 직원을 뽑으면 정년까지 일하는 비율이 높았기 때문이죠. 게다가 웬만큼 인지도가 있는 기업의 경우 채용공고를 내면 괜찮은 인재들이 대거 지원했습니다. 이력서를 보고 후보자를 추린 뒤 면접을 하면 원하는 직원을 원하는 만큼 뽑을 수 있었습니다. 그래서 인사 담당자들에게 기업의 채용 업무는 단순하면서도 품이 많이 들어가는, 좀 귀찮은 일로 취급됐습니다. 그러다 보니 질문하신 분의 경우처럼 인사부서의 막내 사원들이 채용 업무를 담당하는 경우가 흔했습니다.

하지만 요즘은 채용을 바라보는 기업들의 관점과 태도가 완전히 달라졌습니다. 채용 업무만 전담하는 직원을 두는 곳은 이제 흔하고, 아예 채용 전담 부서를 두는 곳도 많아졌습니다. 이런 흐름은 채용의 중요성이 커진 현실을 반영하고 있습니다.

이 같은 추세 변화에는 몇 가지 이유가 있습니다. 우선 직장인들의 이직률이 과거보다 현저하게 높아졌습니다. 자발적으로 회사를 옮기는 직원들이 크게 늘면서 충원 수요가 상시적으로 발생하고 있습니다. 직원들이 수시로 나가는 상황에서 지원자를 기다리고만 있을 수는 없기 때문입니다. 한 명이 나가면 한 명을 채우는 식으로 필요한 직원을 수시로 채용해야 합니다. 빈자리를 신속하게 채워야 업무 차질을 최소화할 수 있으니까요. 이런 이유로 채용 담당자의 역할이 어느 때보다 중요해졌고 채용 업무의 절대량도 많아졌습니다.

둘째 인재의 중요성이 더욱 커졌습니다. 시장 경쟁이 치열해지면서 기업의 생존과 성장은 어떤 인재를 얼마나 보유하고 있느냐에 따라 큰 영향을 받고 있습니다. 과거에는 기업들이 가만히 있어도 입사 지원자들이 줄을 섰습니다. 회사는 이 가운데 맘에 드는 사람을 고르기만 하면 됐죠. 하지만 요즘은 취업 정보가 넘쳐나기 때문에 후보자들이 자신의 입맛에 맞는 기업과 직책을 선택하려고 합니다. 그러니까 지원자들을 기다렸다가 뽑겠다는 건 인재 확보 경쟁을 포기하겠다는 것과 다름없습니다.

◆◆

인재 전쟁은 시작되었다

얼마 전 충주의 큰 재래시장에 방문한 적이 있었습니다. 음식 거리로 유명한 골목의 어느 식당에서 일행들과 식사를 하고 있는데, 갑자기 주변에서 할머니들이 고래고래 소리를 지르면서 싸움을 벌이기 시작했습니다. 사정을 알고 보니 불문율을 깨고 호객행위를 하는 이웃 식당 때문에 손님을 빼앗긴 식당 주인이 거세게 항의하는 바람에 한바탕 소동이 벌어진 것이었습니다. 우리 일행이 식사를 하는 30분 내내 고성과 삿대질이 오갔습니다.

이처럼 재래시장 상인들 사이에서도 손님을 두고 치열한 싸움이 벌어지는데, 기업의 경우에는 두말할 필요가 없을 겁니다. 한번 밀리면 시장 경쟁에서 뒤처지는 것은 물론 회복하기 어려운 타격을 받을 수 있기 때문에 기업들은 인재 확보를 위해 치열한 경쟁을 벌입니다. '인재 전쟁'이라는 말이 괜히 나온 것이 아닙니다.

기업들은 특히 회사의 운명을 바꿀 수 있는 핵심인재에 대해서는 한치의 양보도 하지 않고 있습니다. 예전에는 실력이 출중한 후보자가 나타나더라도 기업들은 서로 관계를 의식해서 점잖게 접근했습니다. 요즘은 그렇지 않습니다. 무조건 자기 회사로 데려가기 위해 모든 방법을 동원합니다. 이런 상황에서 "우리 회사에 지원하는 사람 중에 뽑겠다"는 생각은 참 한가해 보이기까지 합니다.

인재 확보의 중요성과 시급성을 인식한 기업들은 앞다투어 리크루터 조직을 신설하거나 확충하고 있습니다. 대기업이나 중견기업은 물론이고 규모가 작은 벤처기업도 채용 전담 조직을 꾸리고 있습니다. 이제 채용 전담 조직은 기업에서 중요성이 날로 커지는 부서로 자리잡고 있습니다. 과거에 기업의 인사부서에서 수행하던 업무 비중을 따져보면, 채용이 20~30%, 교육훈련이 70~80%였습니다. 하지만 이

인재를 발굴하고 채용하고 유지하는 법

제 그 비중은 완전히 역전됐습니다.

　채용 전담 조직은 기본적으로 채용 실무를 담당하면서 늘 회사가 원하는 인재를 발굴하는 데 관심을 쏟습니다. 현업부서가 인력 수요를 전달하면 사방팔방으로 인재를 찾아다니는 것이지요. 채용 전담 부서의 직원이 수백 명에 이르는 회사도 있습니다. 회사 규모가 커서 채용 업무가 많은 탓도 있지만, 채용의 중요성에 대한 인식이 깊어지면서 조직을 강화하고 있는 것이라고 봐야 합니다.

　다행히 질문하신 분의 회사는 아직 퇴사자가 많지 않다고 하니 당장 인력 운용에 큰 문제는 없는 것으로 보입니다. 하지만 안심하면 안 됩니다. 시장 상황이 워낙 빠르게 바뀌고 있습니다. 언제 인력 문제가 발생할지 모릅니다. 더구나 회사를 성장시킬 수 있는 핵심인재를 확보하는 노력은 '평소에' 해야 합니다. 전쟁은 미리 준비하는 것이니까요. 이미 벌어진 상황에서 준비가 무슨 소용이 있겠습니까? 기업의 경쟁력은 인재가 결정합니다. 지금이라도 전담자를 배치해 인재 확보에 나설 필요가 있습니다.

　이런 상황에서 채용 전담자를 둔다면, 경험과 지식이 풍부한 시니어급 인재를 배치하는 것이 좋습니다. 해당 업무의 확장 가능성을 염두에 둔다면 더욱 그렇습니다. 단순 채용 업무라면 지금처럼 인사부서의 주니어급 사원으로도 충분하겠지요. 하지만 경영자의 인재 확보 전략을 보필할 수 있는 수준이 되려면 주니어급으로는 부족할 겁니다. 경영자와 호흡을 맞출 수 있고, 기업 문화를 잘 이해하면서, 회사의 장기적 비전과 채용시장 동향에 대해 통찰력을 갖추고 있어야 하기 때문입니다.

　채용 업무는 상당한 경험과 식견이 있어야만 제대로 수행할 수 있습니다. "기업은 사람"이라는 말을 들어보셨을 겁니다. 업무 시스템을 만들고, 사업을 추진하고, 회사를 발전시키는 것은 모두 사람, 즉 직원에게 달려 있다는 뜻입니다. 기업이라면 인재 영입에 사활을 걸어야 합니다.

인재를 발굴하고 채용하고 유지하는 법

Q

불황에 인력을 줄이는 건
당연하지 않나요?

#불황기 #인재전략 #역발상 # 인재시장 #고급인재 #인력교체 #클로버형조직

경기 한파가 예상돼 신규 채용을 작년보다 훨씬 줄였습니다. 이 상태가 지속
된다면 기존 직원까지 줄여야 할 것 같아 걱정하고 있습니다. 그런데 이런 시
기일수록 전문인력이나 고급인력을 늘려야 한다는 의견도 있습니다. 남들이
움츠리는 시기에 앞서서 치고 나갈 준비를 해야 한다는 것이죠. 특히 후발업
체라면 남들이 쉴 때 일하고 남들이 소극적으로 접근할 때 공격적으로 나서야
한다고 강조합니다.

그렇지만 이런 전략은 버틸 체력이 있는 기업들이나 취할 수 있는 것 아닐까
요? 우리 회사처럼 규모가 작은 회사가 선택하기에 어려운 전략이라고 생각
합니다. 중소 규모 회사들은 불황기에 인력을 더 줄이고 더 보수적으로 운영
할 수밖에 없지 않을까요? 불황기에 중소 규모 회사는 어떻게 인력을 운용해
야 할까요?

"불황기야말로 인재 확보의
최적기입니다."

불황이 찾아오면 기업이나 가계 모두 위축되기 마련입니다. 특히 기업들은 수요가 줄면서 생산과 고용, 투자에 대한 지출을 줄이고 설비 가동률을 낮추게 됩니다. 경영난에 빠진 기업들은 인력 감축에 나서기도 합니다. 불황의 파고를 헤쳐 나가기 위한 비상조치를 취하는 겁니다.

그런데 경험 많은 경영자들은 어려움이 처할 때마다 '위기는 곧 기회'란 말을 떠올리곤 합니다. 불황기에 어떻게 대응하느냐에 따라 경쟁력을 강화하는 기회로 만들 수 있으니까요. 메모리반도체 시장의 절대 강자인 삼성전자는 후발주자 시절에 불황기에 진입하면 오히려 대규모 설비투자에 들어가는 역발상 전략으로 앞서 나가기 시작했습니다. 다른 반도체 회사들이 불황에 위축되면서 투자를 줄이거나 중단할 때 더 과감하게 투자해 경쟁사들과 격차를 벌려나간 겁니다.

불황이 닥치면 역설적으로 인재 시장은 오히려 좋아집니다. 왜냐

하면 기업들이 사업 철수나 인력 감축에 나서면서 좋은 인재들이 시장에 쏟아져나오기 때문입니다. 예를 들어 국내 제약 대기업들이 신약 개발 사업에서 철수하면 신약 개발 관련 인재들이 대거 채용시장에 나옵니다. 이들은 평소에 좀처럼 시장에서 찾기 어려운 인재들입니다. 만약 신약 개발을 전문적으로 하는 중소 규모 벤처기업이라면 인재를 구할 수 있는 절호의 기회가 온 겁니다. 특히 수요가 줄어 몸값이 낮아짐에 따라 고급인재를 비교적 적은 비용으로 영입할 수 있습니다.

규모가 있는 헤드헌팅 회사들은 불황기에 평상시와 다른 전략을 구사합니다. 평상시라면 채용시장에서 찾아보기 힘든 콧대 높은 인재들이 이 시기에는 먼저 헤드헌팅 회사에 연락해 구직활동을 하기 때문입니다. 헤드헌팅 회사들은 이들 고급인재들을 평소 신뢰 관계를 맺고 있는 회사에 소개해줍니다. 기업의 요청을 받고 인재를 추천하는 게 아니라 헤드헌터가 먼저 기업에게 제안을 하는 것이죠.

경기 불황기는 가성비 좋은 인재를 영입할 수 있는 적기입니다. 우수한 인재들이 시장에 나올 때 적극적으로 영입에 나설 필요가 있습니다. 실제로 경험이 많은 경영자들은 경기가 둔화할 때 적극적으로 채용에 나서기도 합니다. 인재 경쟁이 소강상태에 빠지는 시기를 이용해 비교적 손쉽게 우수 인력을 확보할 수 있기 때문입니다. 좋은 기회를 포착하려면 발상의 전환이 필요합니다. 남들과 똑같은 생각으로 불황기를 대하면 기회를 흘려보내게 됩니다.

◆ ◆

뽑지 못할 상황이면 교체라도 시도하라

경기는 사이클이 있습니다. 불황이 언제까지 계속되지는 않습니다. 불황기에 투자하는 것이 호황기에 과실을 누릴 수 있는 효과적인 방법이 될 수 있는 이유입니다. 인재 영입도 마찬가지입니다. 경기가 다시 살아나면 모든 기업들이 인재 확보에 나서면서 경쟁이 불붙기 때문에 우수한 인재를 얻기가 훨씬 어렵습니다. 따라서 경기가 얼어붙을수록 고급인재 채용에 나서야 합니다.

물론 중소기업들은 사정이 다를 수 있습니다. 중소기업은 대기업이나 중견기업에 비해 불황에 좀 더 취약합니다. 대기업에 비해 여력이 부족할 수밖에 없습니다. "있는 사람도 내보낼 판인데 무슨 인재 확보냐"라고 반문하는 것도 이해가 됩니다.

그러나 '불황기가 인재 영입의 기회'라는 말은 중소기업에게도 똑같이 적용됩니다. 중소기업도 성장하려면 좋은 인재를 많이 확보해야 합니다. 인재 없이 회사를 키우기는 불가능합니다. 따라서 좀 더 적극적이고 과감해질 필요가 있습니다. 가성비가 높은 우수 인재를 채용할 수 있는 절호의 기회를 놓친다면 너무 아쉽습니다.

만약 재무적인 여건상 인력 증원이 여의치 않다면 인력 교체라도 모색해보십시오. 기존의 인력을 좀 더 나은 인재로 바꾸는 것입니다. 자발적인 퇴사자가 나올 경우 그 자리를 우수 인재로 채우는 것은 물론이고, 기존 인력을 크게 무리하지 않고 정리할 수 있다면 좀 더 적극적인 인력 교체를 추진할 필요가 있습니다. 전문성과 업무 역량이 뛰어난 인재들로 조직을 재편해 회사의 경쟁력을 업그레이드하는 겁니다.

인재 확보 전략을 회사의 조직 구조 전환과 연계해 추진하는 것도 검토해보십시오. 이른바 '클로버형 조직'으로 바꾸는 겁니다. 클로버형 조직은 세잎클로버 형태의 구조를 갖고 있는 조직을 가리킵니다. 업무 역량이 뛰어난 전문가들로 정규조직을 형성하고, 나머지 인력은 외주계약이나 비정규직 형태로 운영하는 겁니다. 클로버형 조직은 직원을 최대한 적게 유지하면서 성과는 극대화할 수 있는 구조입니다. 조직 구조가 날씬하면서도 유연한 것이 장점입니다. 말하자면 소수정예 조직이라고 할 수 있습니다.

인력 수준을 고도화하는 동시에 소수정예화하면 인건비를 적정하게 유지하거나 줄이면서도 회사의 생산성을 훨씬 높일 수 있습니다. 물론 조직 구조 개편과 인력 교체가 결코 쉬운 일은 아닙니다. 그 과정에서 여러 가지 어려움을 겪을 수도 있습니다. 하지만 경영자와 관리자는 그런 일을 하는 사람입니다. 어떻게든 회사의 경쟁력을 강화하기 위한 방법을 찾아야 합니다.

잭 웰치Jack Welch 전 GE 회장은 생전에 "인재 후보군을 확대 강화하는 것이 나의 가장 중요한 직무라고 생각한다"는 말을 자주 했습니다. 인재지향적 철학이 분명한 경영자가 뛰어난 기업을 만듭니다. 단언컨대, 기업은 인재가 전부입니다.

Q

외부 영입을 중단했더니
경쟁력이 떨어지는 것 같습니다.

#인재외부영입 #인재내부선발 #낙하산인사 #직무분석

#적재적소 #벤치마킹 #구성원동의

반도체 부품 회사의 경영기획실장입니다. 우리 회사는 적극적 인재 영입을 통해 빠르게 성장해왔습니다. 글로벌 기업과 경쟁하는 과정에서 촌각을 다투는 경우가 비일비재하다 보니 인재의 상당 부분을 영입에 의존할 수밖에 없었습니다. 이렇게 영입한 인재에게 주요 보직을 맡겼는데, 내부 직원들이 홀대받고 있다며 불만을 토로하기 시작했습니다. 핵심 중간간부들이 회사를 떠나기까지 했습니다. 어쩔 수 없이 외부 영입을 중단하고 내부 직원에게 기회를 주는 쪽으로 인력 운용 정책을 바꿨습니다.

그런데 이렇게 몇 년이 지나면서 회사가 경쟁력을 잃고 있는 조짐이 나타나고 있습니다. 제품과 기술 개발에서 선발 기업을 따라잡기는커녕 후발 기업의 도전을 받고 있는 것이죠. 이 때문에 다시 외부에서 우수한 인재들을 영입하는 것을 고려하고 있습니다. 그러나 과거의 직원 이탈이 재현될까봐 두려워 결정을 못 하고 있습니다. 직원들의 반발을 감수하면서 인재 영입을 재개해야 할까요?

"전사적 직무 분석으로
영입과 육성의 균형점을 찾으십시오."

참 곤란한 문제에 직면해 있군요. 그런데 이런 상황은 다른 기업에서도 흔히 일어나는 일입니다. 많은 경영자들이 인재 영입을 시도하다가 내부 반발 때문에 포기하거나 형식적 영입에 그치는 경우가 적지 않습니다.

기업이 인재를 영입하는 것은 중요한 직책을 맡기기 위한 경우가 대부분입니다. 그런데 영입한 인재가 요직을 맡으면 기존 구성원들은 기운이 빠질 수밖에 없습니다. 특히 그 직책에 가까이 도달해 있던 직원은 허탈감이 큽니다.

'얼마 뒤면 내가 갈 수 있는 자리에 낙하산이 내려왔네. 나는 회사를 위해 최선을 다해왔는데 죽 쒀서 개 주는 꼴이 됐구나. 도대체 내게는 언제 기회가 올까?'

이렇게 생각하면서 회사에 대한 강한 불만이 고개를 들게 됩니다. 특히 외부 인재 영입이 잦은 조직에서는 내부 구성원들의 반발과 좌절감이 더욱 커질 수 있습니다. 경우에 따라서는 회사에 실망하고 떠나는 사람들도 생겨납니다.

그러나 아무리 내부 반발이 걱정돼도 영입을 포기하면 안 됩니다. 회사가 성장하고 발전하려면 인재를 영입하지 않을 수 없습니다. 사업을 하다 보면 내부 구성원들의 역량만으로 대처하기 어려운 문제가 발생합니다. 특히 신규 사업을 추진하는 경우 해당 분야의 경험과 지식, 전문성을 갖춘 인재가 필요할 수밖에 없습니다. 그런데도 내부 구성원들에게만 의존해 사업을 꾸려가면 회사가 경쟁력을 잃는 것은 시간문제입니다. 기업에서 인재 영입은 선택의 문제가 아닙니다. 조직 전체의 경쟁력 강화를 위해서 반드시 해야만 하는 일입니다. 다만 외부 인재 영입에 따른 내부 구성원들의 불만과 반발을 최소화하는 노력이 필요합니다.

◆ ◆

직무 분석 토대로 내부 구성원 합의 이끌어내야

그렇다면 어떻게 하는 것이 좋을까요? 직원들로 하여금 회사가 인재 영입에 나서는 것을 이해하고 동의하도록 만들어야 합니다.

이렇게 하려면 우선 회사 전체적으로 직무 분석을 실시해야 합니다. 이때 각 직무의 내용과 조건, 책임과 권한을 면밀하게 분석해야 합니다. 이렇게 내려진 직무 분석의 결과를 토대로 채용과 승진 같은 인사 결정을 내리십시오.

만약 직무 분석 결과 특정한 직무의 경우 내부 구성원 중에 맡을 수 있는 적임자가 없는 것으로 나타난다면 외부에서 영입할 수밖에 없습니다. 이러한 필요성을 공개적으로 밝혀야 합니다. 또 어떤 직무는 내부 구성원들이 충분히 수행할 수 있습니다. 그런 경우 당연히 기존 직원들 중에서 적임자를 선정해야겠지요. 이처럼 전사적인 직무 분석을 통해 인재 기용에 대한 투명한 합의를 이뤄낸다면 인재 영입에 대해서 구성원들이 좀 더 유연한 인식을 가질 수 있을 겁니다.

'빅토리아 시크릿'이라는 브랜드의 창시자 레스 웩스너Les Wexner는 1990년 무렵 큰 난관에 봉착했습니다. 1963년 미국에서 '더리미티드'라는 의류 가게를 창업한 뒤 수십 년간 초고속 성장을 거듭하며 세계적인 패션회사로 도약했지만, 어느 순간 회사의 수익이 뚝 떨어지고 주가도 하락하는 고비를 맞이한 것입니다.

웩스너는 무엇이 잘못되었는지를 알아내기 위해 전문가들에게 조언을 구했는데, 이 과정에서 큰 깨달음을 얻게 됐습니다. 기업의 성패는 인재관리에 달려 있다는 것이었습니다. 그는 특히 체계적인 진단 결과, 자기가 이끄는 회사의 인력 수준이 낮다는 사실을 알게 되었습니다.

그는 하버드경영대학원의 조직학 전공 교수를 컨설턴트로 기용해 꼼꼼하게 직무를 분석했습니다. 이 결과를 토대로 외부에서 경험이 풍부한 관리자급 간부를 대거 영입했습니다. 약 3년에 걸친 조직 개편 과정에서 250개 고위직의 절반 이상을 교체했습니다. 교체된 자리에 새로 임명된 사람들의 3분의 2는 기존 직원이었고, 3분의 1은 영입 직원이었습니다.

웩스너의 사례에서 알 수 있듯이 외부 인재 영입과 내부 인재 육성 사이에서 합리적 결정을 하려면 주요 직무에 대해 정교한 분석과 치밀한 평가가 선행되어야 합니다. 이런 직무 분석 과정을 통해 어떤 직무에 외부 영입이 필요하고 또 어떤 직무에 내부 직원 배치가 적절한지 판단할 수 있기 때문입니다. 직원들의 사기가 꺾이거나 반발을 초래하는 사태를 방지하려면 전사적인 직무 분석을 통해 인재 기용에 대한 내부 합의를 끌어내야 합니다.

직무 분석을 할 때 염두에 둬야 할 것은 회사의 목표와 방향, 전략이 중요한 기준이 된다는 점입니다. 가령 어떤 중견기업이 대기업으로의 도약을 목표로 한다면, 대기업의 인력 수준과 비교해 주요 직무의 요건을 따져봐야 합니다. 일종의 벤치마크를 설정한 뒤 직무 분석을 해야 한다는 것이죠. 회사 전체의 역량 수준을 비교 대상에 견줘 분석해보니 어느 직무는 적절한 인력이 맡고 있는데 어느 직무는 수준이 낮은 인력이 담당하고 있다는 식의 평가가 이뤄져야 합니다. 그런 다음 외부 영입이 필요한 포지션에 적임자를 채용하면 됩니다.

이때 절대 간과하면 안 되는 것은 직무 분석을 통해 인재 기용에 대한 객관적이고 명확한 요건과 기준을 제시하고 구성원의 동의를 얻어야 한다는 점입니다. 이렇게 해야 인재 영입에 따른 불만과 갈등을 상당 부분 줄일 수 있습니다.

인재를 발굴하고 채용하고 유지하는 법

기업이 경쟁력을 강화하려면 우수한 인재를 확보하는 것이 최우선 과제입니다. 필요에 따라 적재적소에 인재를 기용하는 것은 가장 기본적인 경영활동입니다. 질문하신 분의 회사도 외부 인재 영입을 주저하면 안 됩니다. 다만 회사 전체 구성원이 이해하고 수용할 수 있는 인재 관리 방침을 먼저 마련할 필요가 있습니다. 직원들의 합의를 이끌어내는 데 좀 더 노력을 기울여보시기 바랍니다.

Q

이직이 일상화된 시대에 필요한
새로운 리더십은 무엇입니까?

#구글 #산소프로젝트 #결과중심적리더십 #포용성 #다양성 #경력자 #스타일

수도권에 있는 중견 전자 회사에서 대표를 맡아 경영을 총괄하고 있습니다. 팬데믹 시기를 지나며 직원들의 잦은 퇴사가 일상이 된 상황에서 조직과 사업을 어떻게 관리할지 고민하고 있습니다. 회사와 직업에 대한 직원들의 생각은 이미 크게 변해 있습니다. 한 군데 직장에 오래 몸담지도 않고, 회사의 비전과 자기의 비전을 일치시키는 경우도 드뭅니다. 그들 역시 바뀐 세상에서 자신들의 생존을 위해 몸부림치고 있음을 잘 압니다.

다만 이렇게 바뀐 직원들을 이끌려면 기존의 리더십으로는 한계가 있을 것 같습니다. 지금 세상에 맞는 리더의 모습은 무엇일까요?

"과정이 아니라 결과를 챙기는
결과 중심 리더십이 필요합니다."

말씀하신 것처럼 바야흐로 대이직 시대입니다. 기업의 규모와 업종을 불문하고 직원들이 나가고 들어오는 모습을 일상적으로 접하게 되었습니다. 이런 상황에서 조직과 사업을 관리하려면 새로운 리더십이 필요하다는 생각에 전적으로 동의합니다. 달라진 상황에서 오래된 방식을 고집하는 것은 현명하지 않습니다. 그렇다면 대이직 시대에 조직을 잘 관리하려면 어떤 리더십이 바람직할까요?

이직이 활발하다는 것은 경력자들의 이동이 잦다는 뜻입니다. 질문하신 분의 회사에서도 직원들이 떠나면 아마도 그 자리를 경력직으로 충원하고 있을 겁니다. 과거에 기업들은 신입사원을 채용해서 교육과 훈련을 통해 회사에 필요한 인재로 키우는 방식을 선택했습니다. 간혹 필요에 따라 외부에서 경력사원을 채용하는 경우가 있더라도 소수에 그쳤습니다. 조직과 인사의 큰 줄기는 공채로 입사한 직원들을 핵심인재로 육성하는 것이었지요.

이런 문화에서 상사와 부하, 선배와 후배 사이는 '사수'와 '조수'의 관계가 됩니다. 상사나 선배가 부하나 후배를 하나부터 열까지 가르치면서 업무 노하우를 전수하는 형태가 되는 겁니다. 젊은 직원들은 상사와 선배의 가르침을 자양분으로 삼아 점차 조직에서 중요한 역할을 맡을 수 있는 인재로 거듭나는 과정을 거쳤습니다.

하지만 요즘 기업들은 신입사원 채용 규모나 횟수를 과거보다 현저히 줄였습니다. 시장 상황과 경영환경이 하루가 다르게 급변하기 때문에 교육과 훈련 기간이 길 수밖에 없는 신입사원보다 직무 경험과 업무 능력을 갖춘 경력사원을 뽑아 곧바로 실무에 투입하는 것을 선호합니다.

◆ ◆

구글의 산소 프로젝트가 밝힌 좋은 리더의 조건

경력사원은 말 그대로 자기 업무 분야에서 일정한 경력을 쌓은 사람입니다. 자기 나름대로 일하는 방식과 노하우를 갖고 있습니다. 그런데 경력사원을 채용해놓고 그들에게 여전히 "일은 이렇게 하는 거야", "왜 일을 그런 식으로 하는 거야"라면서 사사건건 개입하고 간섭하는 상사들이 아직도 적지 않습니다. 자기 아랫사람이니까 관리해야 한다는 생각에서 이래라저래라하는 것이지요.

하지만 이는 과거 신입사원 공채 시절에나 통용되던 옛날 방식입니다. 이런 방식으로 경력사원들을 대하면 반발을 불러일으키거나 잡

인재를 발굴하고 채용하고 유지하는 법

음을 발생시킬 가능성이 큽니다. 결과를 도출하기까지 과정과 방식은 사람마다 다를 수 있습니다. 경력사원들은 다른 문화에서 다른 방식으로 일하면서 성과를 냈던 사람들이기 때문에, 그들에게 즉각적인 성과를 요구하려면 그들의 업무 방식을 존중하고 자율성을 보장해야 합니다. 경력사원을 관리하는 방식은 달라야 한다는 뜻입니다.

세계 최대 IT 기업 중 하나인 구글은 '일하기 좋은 기업'으로도 알려져 있습니다. 좋은 일터를 만들기 위해 끊임없이 조직 문화를 쇄신한 덕분에 얻은 명성입니다. 구글은 2009년 좋은 리더의 요건을 알아내기 위해 이른바 '산소 프로젝트Project Oxygen'를 실시했습니다. 좋은 관리자는 조직의 산소와 같다는 뜻에서 지어진 프로젝트 명칭이었습니다. 연구팀은 꼬박 1년간 팀장급 이상 리더를 대상으로 방대한 자료를 수집, 분석해 좋은 리더의 여덟 가지 요건을 추려냈습니다. 그 요건은 대략 다음과 같습니다.

1. 좋은 코치 역할을 한다.

2. 팀원들에게 권한을 주고 사소한 일까지 관리하지 않는다.

3. 팀원들의 성공과 행복에 관심을 준다.

4. 생산적이고 결과 지향적이다.

5. 팀원들과 소통을 잘한다.

6. 팀원들의 경력개발을 돕는다.

7. 팀에 대한 명확한 비전과 전략을 갖고 있다.

8. 팀원들에게 조언할 수 있는 전문성을 갖고 있다.

이 여덟 가지는 모두 좋은 리더, 훌륭한 관리자가 갖춰야 할 요건입니다. 이를 갖춘 상사라면 어떤 직장인이든 믿고 따르겠지요. 제가 여덟 가지 요건을 보면서 가장 크게 와닿았던 것은 '결과 중심적 리더십'이었습니다. 생산적이고 결과 지향적이라는 것은 직원 개인에게 권한을 위임해 자율적이고 능동적으로 일하게 함으로써 최종적으로 원하는 결과를 얻어낸다는 뜻입니다.

'좋은 코치'는 선수들을 강압적으로 훈련시키거나 자기가 생각하는 방향에 맞춰 억지로 끌고 가지 않습니다. 대신 선수들에게 더 나은 경기력을 얻도록 동기를 부여하고 선수가 자발적으로 기량을 연마해 높은 경지에 오를 수 있도록 지지하는 멘토 역할을 합니다. 물론 선수가 도움을 필요로 할 때는 성심껏 가르쳐주고 격려해주지요.

◆ ◆

새로운 리더십의 키워드는 결과 중심, 포용, 자율

어느 조직이든 가장 중요한 것은 성과와 결과입니다. 특히 조직에서 경력사원 비중이 높아졌다면, 과정이 아니라 결과를 챙기는 '결과 중심적 리더십'을 발휘해야 합니다.

경력사원을 신입사원 대하듯 세세하게 관리하고 일일이 간섭하면 오히려 부작용을 초래하게 됩니다. 옛날에는 기업 안에서 시쳇말로 '까라면 까'는 문화가 지배적이었습니다. 상사가 지시하면 부하는 순응해야 했습니다. 하지만 요즘 직장인들은 자기 주관과 개성, 권리

인재를 발굴하고 채용하고 유지하는 법

의식이 뚜렷해서 불합리하거나 부당한 지시를 내리면 강한 거부 반응을 드러냅니다. 하물며 자기만의 스타일과 방식, 노하우를 가진 경력사원이라면 '만기친람萬機親覽' 식으로 개입하고 관리하려 드는 상사에게 무조건 순응하는 태도를 보이지는 않을 겁니다. 정면으로 반발할수도 있고, '당장 회사를 그만둬야겠다'고 생각할 가능성도 있습니다. 그러나 반대로 믿어주면서 권한을 위임한 뒤 결과를 담담히 지켜보면예상을 뛰어넘는 성과를 만들어내기도 합니다.

결과 중심적 리더십은 직원 개개인의 서로 다른 개성과 스타일, 방식을 품에 안을 수 있는 포용적 리더십과 연결됩니다. 포용적 리더십은 기본적으로 사람들의 다양성과 자율성을 인정하는 것입니다. 결과 중심적 리더십도 마찬가지입니다. 저는 종종 우리 회사의 본부장들에게 이렇게 말하곤 합니다.

"본부장마다 각자 자기 컬러로 리더십을 발휘하세요. 중요한 것은 성과입니다. 성과를 만들어내려면 직원들에게 적절히게 동기를 부여해야 합니다. 동기부여를 하는 방식은 다양합니다. 어떤 스타일이 옳으냐? 정답은 없습니다."

일하는 방식을 꼭 한 가지로만 고집할 필요는 없습니다. 본부장, 그리고 본부장을 뒷받침하는 팀장들은 각자 스타일과 방식이 있습니다. 직원들도 마찬가지입니다. 따라서 그들의 스타일과 방식을 존중해야 합니다. 가령 고객을 만날 때 정장을 입고 넥타이를 맬지, 어떤 화법을 구사할지는 전적으로 직원들이 선택할 사안입니다. 그런데 어떤 상사는 옷차림이나 말투까지 '감 놔라 대추 놔라' 지시하기도 합니다. 젊은 직원들은 이것을 업무 지시라기보다는 사생활 영역을 침범한 강요로 받아들일 겁니다. 이런 상황에서 어떻게 직원들이 편하게 일할 수 있겠습니까? 상황이 계속되면 리더와 불화가 표출될 것이고, 업무 성과를 거두기는 더 어려워질 것입니다.

프로야구 구단이 억대 연봉을 들여 베테랑 선수를 영입하는 까닭은 승리에 기여할 것을 기대하기 때문입니다. 매 경기에 이겨서 궁극적으로 우승이란 최고의 자리를 차지하기 위해서입니다. 그런데 감독이 이 선수가 그동안 쌓아온 방식을 인정하지 않고 스스로 움직일 여지를 주지 않는다면 제 기량을 펼칠 수 있을까요?

대이직 시대는 이제 다시 이전으로 돌아갈 수 없는 흐름이 됐습니다. '까라면 까는' 시대도 지나갔습니다. 이런 상황에서 기업에 경력사원의 필요와 중요성은 갈수록 커지고 있습니다. 그들의 능력을 최대한 이끌어내려면 자율성과 다양성을 인정하는 바탕 위에서 성과를 관리하는 결과 중심적 리더십이 필수적입니다.

Q

지금 어떤 분야의 인재 확보에
가장 신경을 써야 할까요?

#4차산업혁명 #ICT #IT #디지털전환 #디지털마인드 #디지털퍼스트

식품 회사의 대표를 맡고 있습니다. 코로나19 팬데믹 기간 동안 여타 회사들은 수요 부진으로 어려움을 겪었지만, 저희는 오히려 매출이 늘면서 모처럼 성장 기반을 확보하게 됐습니다. 그래서 그동안 여력이 없어서 유보해왔던 신규 사업을 추진하기 위해 적극적으로 인재 확보에 나서고 있습니다. 제도적으로 직원이 우수한 인재를 추천해 입사하면 추천자에게 성과급을 지급하고, 간부 평가 때 인재 확보 관련 비중을 10%까지 높였습니다. 이렇게 인재 확보에 관심을 쏟은 결과 인재를 여럿 확보하게 됐고 덩달아 직원들의 사기도 높아졌습니다.

그런데 이렇게 무턱대고 인재를 영입하다 보니 우선순위가 필요하지 않나 하는 생각이 듭니다. 지금 최우선으로 확보해야 하는 분야의 인재가 있을까요?

"업종 불문하고
디지털 인재 확보에 나서야 합니다."

2010년대 초반 독일 정부는 기존 산업에 정보통신 기술을 접목해 경쟁력을 강화한다는 '인더스트리 4.0Industry 4.0' 전략을 추진하기 시작했습니다. 이 개념을 토대로 세계경제포럼WEF은 2016년 '4차 산업혁명'의 시대가 본격화하고 있다고 선언했지요. 4차 산업혁명에서 가장 핵심은 정보통신 기술, 즉 디지털 기술을 기존 산업과 융합해 생산성과 경쟁력을 강화하는 것입니다.

팬데믹 이후 기업에 던져진 최대 화두는 '디지털 전환Digital Transformation'입니다. 디지털 전환은 기업이 디지털 기술을 경영활동의 모든 영역에 적용함으로써 사업과 조직 운영을 근본적으로 혁신하는 것을 의미합니다. 제조업, 유통업, 서비스업 등 업종을 가리지 않습니다. 그 흐름이 매우 광범위하여 '디지털 대전환'이라고 부르기도 합니다. 세계경제포럼의 조사에 따르면, 디지털 전환은 2016~2025년에 걸쳐 세계적으로 100조 달러에 이르는 경제적 가치를 창출하고 있는 것으

인재를 발굴하고 채용하고 유지하는 법

로 추산됩니다.

　미국의 1,200여 개 기업을 대상으로 실시된 어느 조사 결과에 따르면, 기업들은 디지털 전환을 최우선 경영전략으로 채택하고 있었습니다. 이 조사에서 디지털 기반의 비즈니스 전략을 채택했거나 채택할 계획이 있는 기업이 89%로 나타났고, 디지털 전환 전략을 수립하거나 추진하고 있다고 응답한 기업이 70%에 달했습니다.

　또 글로벌 컨설팅기업 KPMG가 2018년 세계 84개 나라의 주요 기업인 4,000명을 대상으로 조사한 결과 응답자의 절반 정도가 IT 투자와 IT 관련 인력을 계속해서 늘리고 있다고 밝혔습니다. 이들은 디지털 전환을 비즈니스 혁신의 핵심 동력으로 인식하고 있었습니다. 특히 선발 기업들은 모두 디지털 전환을 가장 중요한 경영 미션 중 하나로 다루고 있었습니다.

◆ ◆

디지털 전환이 가져올 새로운 기회

디지털 전환은 더 이상 선택의 문제가 아닙니다. 디지털이 거의 모든 일상에 스며들어 있고 비즈니스의 핵심 요소로 작용하는 시대에 디지털 전환은 기업의 성장과 발전을 위해 놓쳐서는 안 될 필수불가결의 요소가 되고 있습니다. 기업의 상황이나 업종에 따라 다소간 정도의 차이는 있겠지만, 디지털 전환은 반드시 추진해야만 하는 경영과제가 된 것입니다.

질문하신 분이 운영하는 식품 회사도 디지털 전환에서 예외가 될 수 없습니다. 물론 원재료의 조달과 가공, 유통과 공급 과정에서 발생하는 각종 데이터를 디지털 시스템으로 관리함으로써 이미 경영 효율화를 꾀하고 있을지도 모르겠군요. 그렇지만 제가 말하는 디지털 전환이란 그저 입출고 관리 등의 프로세스를 처리하는 전산시스템의 도입이 아닙니다. 사내의 모든 정보가 일관성 있는 기준에 의해 관리되고 기록되며 고객과 관련한 제반 서비스의 바탕을 IT에 두어야 한다는 뜻입니다.

이 같은 디지털 전환은 관리의 편리성과 확장성에 따른 경쟁력 확보 차원을 넘어 새로운 사업 기회를 포착하는 데도 매우 중요합니다. 따라서 인력에 대한 투자 여력이 있다면 디지털 인재를 최우선으로 확충하는 게 좋습니다.

제가 대표로 있는 헤드헌팅 회사 커리어케어도 디지털 인력 비중이 높은 편입니다. 전체 직원의 8분의 1가량이 IT 담당 직원들입니다. 주변에서 "커리어케어가 무슨 IT 회사냐"라며 의아해하기도 합니다. 하지만 실제로 IT 시스템과 인력에 대한 지속적 투자 덕분에 회사는 헤드헌팅 업계에서 최고가 될 수 있었습니다. 또한 IT 분야 투자를 통해 축적된 정보는 인재 추천 서비스뿐만 아니라 리더십 평가와 자문 서비스, 핵심인재 포털에 이르기까지 사업영역을 확장하는 데도 큰 도움이 됐습니다.

인재를 발굴하고 채용하고 유지하는 법

◆◆
리더의 디지털 마인드가 중요하다

과감한 디지털 전환을 위해서 가장 중요한 것은 최고경영자부터 디지털 마인드를 갖춰야 한다는 점입니다. 지금은 디지털 마인드 없이 기업을 성공적으로 운영하기 어려운 시대입니다. 경영자가 디지털 기술의 세세한 부분까지 파악하는 전문가가 되기는 쉽지 않겠지만, 디지털이 산업과 경제를 변화시켜나가는 트렌드는 꼭 파악해야 합니다. 그래야만 회사의 디지털 관련 인력에게 비전이나 방향을 제시할 수 있습니다. 아울러 디지털 인력은 양적으로나 질적으로나 가능한 한 많이 확보하는 것이 좋습니다. 디지털 분야 인재의 중요성은 당장의 필요에 반응하는 일시적 처방이 아니라 사업의 영속성을 확보하고 끊임없이 진화해가는 과정이란 점에서 더욱 큽니다.

기업들이 IT 부문에서 아웃소싱을 손쉽게 활용할 수 있는 시대이기는 하지만, 자체적인 IT 인력과 인프라, 솔루션을 보유하는 것은 전혀 다른 이야기입니다. 디지털 기술과 역량이 비즈니스의 핵심이 되는 상황에서 이를 외부에만 의존하는 것은 한계가 있기 때문이지요. 저 역시 기업 경영자로서 우수 인재에 대한 욕심이 많지만, 특히 요즘은 IT 관련 인재를 더욱 중시할 수밖에 없습니다.

이처럼 디지털 전환이 세계적으로 기업들의 경영 화두가 되고 있음에도 아직 국내 기업들의 디지털 전환 수준은 미흡합니다. 한국산업기술진흥협회가 2021년 조사한 결과 디지털 전환을 '적극 추진'

하는 기업은 고작 9.7%에 불과했습니다. 또 디지털 전환을 추진하기 위한 전담 조직을 보유한 기업은 2.1%, 전담 인력을 보유한 기업은 6.2%에 그쳤습니다. 특히 대기업과 중견기업에 비해 중소기업은 디지털 전환에 상당히 소극적입니다. 이것을 뒤집어 생각하면 국내 기업들이 디지털 전환을 통해 생산성을 제고하고 새로운 사업모델을 개발할 수 있는 여지가 많다는 뜻이기도 합니다. 디지털 전환은 업무 프로세스 효율화, 제조 공정 스마트화, 새로운 비즈니스 창출로 기업에게 큰 가치를 제공할 수 있습니다.

시장은 갈수록 급변하고 있으며, 선발 기업은 디지털 경쟁에서 저만치 앞서가고 있습니다. 디지털 전환은 업종을 불문하고 광범위하게 확산되고 속도가 빨라질 것입니다. 기업이 디지털 전환의 때를 놓치게 되면 시장 경쟁에서 밀려날 가능성이 커집니다. 이 같은 디지털 대전환의 시대에는 무엇보다 '디지털 퍼스트'의 태도가 중요합니다. 디지털 마인드를 갖추고 디지털 기술에 능통하며 디지털 비즈니스를 창출할 수 있는 인재들이 절실합니다. 디지털 인재를 최우선으로 확보하기 위해 아낌없이 노력을 기울여야 할 때입니다.

Q

팀장에게 가장 필요한 역량은
추진력일까요, 친화력일까요?

#리더 #리더십 #기계 #AI #정서 #소통 #동기부여 #감성지능 #51%법칙

저는 디자인 회사를 이끌고 있습니다. 처음에 출판과 간행물 디자인으로 출발했는데, 웹 디자인을 거쳐서 캐릭터와 영상까지 다루는 종합 디자인 회사로 성장했습니다. 직원도 200여 명에 이릅니다. 앞으로 마케팅에 더욱 힘을 쏟을 요량으로 특별팀을 신설하려는데, 그 팀장 자리를 맡길 사람으로 두 후보를 두고 고민하고 있습니다.

한 사람은 헤드헌팅 회사에서 추천을 받은 사람입니다. 외국에서 대학을 나왔고 판단이 신속 정확하며 추진력이 강하다는 평가를 받고 있습니다. 다른 한 사람은 내부에서 발탁된 사람입니다. 지금껏 회사가 성장하는 동안 마케팅 역량을 발휘해오기도 했고, 무엇보다 친화력이 좋아 두루 좋은 관계를 맺고 있으며 사람을 챙길 줄 안다는 평을 받고 있습니다.

지금 우리에게 더욱 필요한 사람은 누구일까요?

“리더는 AI가 아니라
사람을 이끕니다.”

두 명의 후보자가 확연히 구분되는 특징을 가졌군요. 회사의 내부 상황을 잘 모르기 때문에 딱 잘라 어느 쪽을 선택하는 것이 옳다고 말하기가 쉽지 않습니다. 다만 채용 대상이 되는 직위가 팀장이라는 점에서 두 후보를 살필 필요가 있습니다. 회사 업무란 혼자서 하는 것이 아니기 때문에 조직을 잘 이끌어갈 수 있는 역량, 다시 말해 리더십 측면을 중점적으로 체크해야 한다는 의미입니다.

리더에게 리더십이 필요하다는 것은 너무나 당연한 이야기이지요. 조직을 이끄는 사람은 정서적 측면에서 구성원들을 관리하고 독려하는 능력을 갖춰야 합니다. 그게 조직 전체의 성과를 높이는 데 매우 중요한 요소이기 때문입니다.

심리학자인 대니얼 골먼은 1995년 『감성지능Emotional Intelligence』이라는 저서를 통해 감성지능 개념을 널리 확산시켰습니다. 감성지능을 평가하는 감성지수EQ는 인지능력을 주로 평가하는 지능지수IQ와 비

인재를 발굴하고 채용하고 유지하는 법

교되는 개념으로 큰 주목을 받았지요. 그 뒤부터 여러 기업이 감성지능을 임직원을 평가하는 지표로 활용하기 시작했습니다.

감성지능은 크게 자기감정 인식, 자기감정 관리, 동기부여, 타인 감정 인식, 대인관계 관리 등 다섯 가지 분야로 나뉩니다. 골먼에 따르면, 감성지능은 일상생활과 비즈니스 모두에서 지능지수보다 훨씬 중요하게 작용합니다. 그는 개인의 성공에서 지능지수가 차지하는 비중은 20%에 불과하고 나머지 80%는 감성지수에 달려 있다고 주장합니다.

감성지능 역량은 특히 리더십과 밀접한 관계가 있는데, 조직에서 고위간부로 올라갈수록 감성지능이 중요해집니다. 또한 뛰어난 성과를 거두고 있는 인재들을 대상으로 한 연구에서도 그들의 역량 중 3분의 2가 감성지능에 기반을 두고 있는 것으로 나타났습니다. 반면 지능이나 기술적 전문성과 관련된 역량은 3분의 1에 그쳤습니다. 한마디로 뛰어난 리더는 대체로 '감성 리더십'의 소유자라는 의미입니다.

애플 최고경영자 팀 쿡Tim Cook은 2017년 미국 MIT 졸업식 축사에서 이렇게 말한 적이 있습니다.

"나는 인공지능과 같이 인간처럼 생각하는 능력을 가진 컴퓨터에 대해서는 별로 걱정하지 않습니다. 오히려 사람들이 컴퓨터처럼 생각하는 것을 걱정합니다."

사람들이 컴퓨터처럼 가치나 감정을 배제한 채 생각하고 행동하는 상황을 우려한 것입니다. 감정적으로 메마르고 정서적으로 문제가 있는 사람들에 대한 언급이지요. 그는 모든 일의 중심에 사람을 놓고 사람을 우선으로 생각하는 '인간다움'을 강조했습니다.

◆ ◆

사람을 이끄는 사람이 지녀야 할 자질

인간은 이성의 동물이기도 하고 감정의 동물이기도 합니다. 어느 쪽의 성향이 인간을 정의하는 데 더 적합한지를 똑 부러지게 말하기는 어렵지만, 그만큼 감정이 인간의 중요한 특징이라는 점은 분명한 사실입니다. 어느 조직이든 인간적 측면이 사라지면 황폐해지기 마련입니다. 한두 명의 소수가 성과를 낸다 하더라도 전체적인 조직력이 발휘되기는 어렵습니다.

일을 아주 잘한다고 평가받는 사람 가운데는 이기적이면서 주변 사람들을 도구처럼 여기는 이들이 드물지 않습니다. 이처럼 '똑똑하지만 차가운' 사람들은 자기 업무에서 좋은 성과를 낼 수 있더라도 리더 위치에서 조직을 잘 이끌어가기란 상당히 어렵습니다.

실제로 일을 잘한다는 평가를 받던 사람이 팀장이나 간부로 발탁된 뒤 조직관리 능력 면에서 낙제점을 받는 경우를 종종 볼 수 있습니다. 이런 경우는 대부분 감성 리더십 부족에서 비롯된 문제입니다. 그 바탕에는 타인에 대한 공감과 배려, 포용, 소통, 동기부여 같은 정서적 요소의 부재가 깔려 있을 가능성이 높습니다. 그러나 리더에게는 인간적 매력이 무엇보다 필요한 덕목입니다. 리더가 이끌어야 하는 것은 사람이지 기계나 인공지능이 아니기 때문입니다.

글로벌 기업 가운데는 감성지능이 부족한 사람을 채용하지 않거나 감성 리더십을 갖추지 못한 사람을 리더로 승진시키지 않는 회사도 있습니다. 그만큼 기업 경영에 감성이 중요한 평가 요소가 된 것이지요.

미국의 유명 햄버거 브랜드인 쉐이크쉑의 창업자 대니 마이어Danny Meyer는 직원들의 업무 능력을 평가할 때 '51% 법칙'을 적용합니다. 감성적 업무 수행 능력의 비중을 51%, 기술적 업무 수행 능력의 비중을 49%로 평가하는 것입니다. 그는 기업이 직원을 채용할 때 51%의 감성적 능력을 갖춘 사람을 뽑아야 한다고 주장합니다. 기술적 능력은 교육과 훈련으로 체득할 수 있지만, 감성적 능력은 그렇게 하기가 어렵다는 이유에서입니다.

대니 마이어는 직원을 채용할 때 다섯 가지 감성 능력을 평가 기준으로 삼습니다. 첫 번째는 친절하고 온화한 성격이고, 두 번째는 배우는 것을 좋아하고 무언가를 알고자 하는 지성입니다. 세 번째는 최대한 열심히 일하는 노동윤리이고, 네 번째는 다른 사람들의 감정을 읽고 적절하게 처신하는 공감능력입니다. 마지막으로 자신에 대해 잘 알고 옳은 일을 하는 성품입니다.

감성지능과 감성지수가 높은 사람은 기업에 꼭 필요한 자원입니다. 기업은 근본적으로 사람이 모여서 일하는 곳입니다. 구성원들이 어떤 관계를 형성하고 어떤 감정을 느끼는지가 업무의 질과 생산성,

나아가 조직 문화에 결정적으로 영향을 미칩니다.

특히 여러 단위의 조직을 이끄는 리더는 자신의 감정을 적절히 조절하고 구성원들과 원만한 관계를 구축하면서 동기를 부여하고 성과를 이끌어낼 수 있는 감성지능 역량을 갖춰야 합니다. 감성지능이 뛰어난 인재들은 위기상황에서도 흔들리지 않고 자기 역할을 충실히 수행할 수 있습니다. 팀장이나 간부 또는 임원처럼 조직을 이끄는 리더에게 감성지능에 기반한 리더십이 필요한 이유입니다.

주니어 직원을 채용하는 경우 실무 지식이나 역량을 중시합니다. 대개 상사가 부여한 업무를 잘 수행해내는 것이 중요하기 때문입니다. 하지만 간부를 채용하는 것은 다른 문제입니다. 조직 구성원들을 이끄는 직책이기 때문에 리더십 역량을 반드시 살펴봐야 합니다. 그중에서도 감성지능이 매우 중요한 요소라는 점을 유념하시기 바랍니다.

인재를 발굴하고 채용하고 유지하는 법

Q

인원감축이 불가피한데,
어떤 직원을 정리해야 할까요?

#구조조정 #종신고용 #연공서열 #성과급제 #직무급제

#잭웰치 #유비 #조조 #리더십

제법 규모가 있는 무역 회사를 운영하고 있습니다. 고금리와 고유가, 러시아와 우크라이나 간 전쟁으로 물류가 경색되고 세계 경기가 곤두박질치면서 요즘 회사가 큰 어려움에 처해 있습니다. 이에 따라 인력을 줄이기 위해 구조조정 규모와 대상자 선정 작업을 진행하고 있습니다. 그런데 어떤 결정을 내려야 할지 판단하기가 어렵습니다. 지금껏 동고동락하며 높은 충성심을 가지고 이 회사를 지금껏 성장시켜온 이들을 한 번 더 믿어보아야 할지, 아니면 재직 기간은 짧지만 지금 성과를 만들어가고 있는 이들을 남겨야 할지 고민입니다. 회사가 살아남으려면 누구를 선택하고 누구를 내보내야 할까요?

"비상시국에는 과거가 아닌
미래 기여도가 중요합니다."

인력 구조조정은 경영이 어려워진 회사가 살아남기 위해 취할 수 있는 마지막 수단입니다. 경영자라면 직원을 내보내는 일은 어떻게든 피하고 싶습니다. 어떤 직원이든 모두 회사가 필요해서 어렵게 채용한 인재들이니까요. 그보다 더 힘들고 괴로운 일이 있을까요? 흔히 구조조정을 '손에 피를 묻힌다'고 표현하는데, 그만큼 그 과정과 결과가 경영자에게 고통스러운 일임을 나타내고 있는 말입니다.

　인력 구조조정은 뼈를 깎아내는 아픔이 있더라도 현재의 위기를 버텨내고 다시 일어서기 위한 경영자의 결단으로 봐야 합니다. 이렇게 어려운 결단을 내렸다면, 그에 상응하는 결과를 내야겠지요. 이를 위해 가장 심사숙고해야 할 것은 '누구를 남기고 누구를 내보낼 것이냐'에 대한 판단입니다.

　사람은 오랫동안 함께한 이들에게 정을 느끼기 마련입니다. 익숙하고 편안하고 고맙기 때문입니다. 이러한 감정을 가지는 것은 보편적인 인지상정입니다. 경영자들도 사람이기에 예외는 아닙니다. 그러나 인력 구조조정 국면은 말 그대로 중차대하고 비상한 시기입니다. 조직을 슬림화해서 어떻게든 살아남아야 합니다. 이런 때일수록 회사의 운명을 책임지고 있는 경영자는 냉정하고 냉철해야 합니다. 인정에 흔들리면 곤란합니다. 그렇게 되면 구조조정의 이유와 취지가 무색해지기 때문입니다.

결론을 먼저 말씀드리면, 미래를 위해서 성장 가능성이 큰 직원들을 회사에 남겨야 합니다. 애초부터 구조조정의 목적은 현재의 위기를 버티고 미래를 도모하는 것입니다. 미래를 기준으로 구조조정 작업을 진행하는 것은 너무도 당연합니다.

◆ ◆

구조조정은 자원 배분의 왜곡을 바로잡는 행위

과거 평생직장과 종신고용 개념이 통용되던 시대에는 나이가 많고 경력이 오래된 직원일수록 임금을 많이 받았습니다. 그런데 냉정하게 계산해보면 고참 직원들이 임금을 많이 받는 것은 현재의 역량이 뛰어나거나 기여도가 높기 때문이 아닙니다. 그들의 임금에는 과거의 기여도가 상당 부분 반영되어 있습니다. 연공서열제라는 제도의 취지가 원래 그런 것입니다.

따라서 현재 시점을 기준으로 본다면 고참 직원들은 능력이나 성과에 비해 많은 임금을 받고 있는 경우가 많습니다. 현재 기여도와 무관하게 보상이 이뤄지고 있는 셈이고, 회사 차원에서 보면 자원 배분이 왜곡되고 있는 겁니다.

과거 경력이 현재 성과와 크게 관련이 없을 수 있다는 학술자료가 있습니다. 미국 플로리다주립대 채드 반 이데킨제Chad H. Van Iddekinge 교수 연구팀이 경력자들의 과거 근무경력과 현재 업무 성과의 상관관계를 조사해봤더니 유의미한 연관성이 나타나지 않았다고 합니다. 경력을 평가하는 기준이 단편적이거나 피상적일 때, 이전의 업무 경력만 살필 뿐이고 실제로 성과를 냈는지 또는 실패한 경험은 없는지 면밀히 검토하지 않을 때, 단지 경력이 많다는 이유로 보상을 더 많이 받아 가는 자원 분배의 왜곡이 발생합니다. 이런 결과는 고참 직원들을 평가할 때 참고할 만한 대목입니다.

우리나라는 여전히 연공서열제 방식을 채택하고 있는 기업들이 상당수입니다. 그리고 적지 않은 기업들이 "우리는 재원이 넉넉하지 못하기 때문에 직원들에게 연봉을 많이 주고 싶어도 못 준다"고 말합니다. 하지만 전체 직원들의 기여도를 냉정하게 평가한다면 자원 배분의 왜곡을 바로잡을 수 있을 뿐 아니라, 우수하고 유능한 인재를 적절한 임금으로 유인할 수 있습니다.

그렇다면 직원들의 기여도는 어떻게 평가하는 것이 타당할까요? 가장 바람직한 방법은 직무와 성과에 따라 기여도를 평가하고 보상하는 것입니다. 직원들이 현재 맡고 있는 직무의 중요성과 난이도 및 기여도를 평가하는 것이 직무급제고, 해당 직무에서 이뤄낸 성과에 따라 상응하는 보수를 지급하는 것이 성과급제입니다. 요컨대 직무와 성과를 기준으로 직원들의 기여도를 평가하자는 것이 핵심입니다.

결국 인력 구조조정에서 누구를 남기고 누구를 내보내느냐 하는 문제를 풀기 위한 기준점은 직무와 성과에 대한 평가에서 시작해야 합니다.

◆ ◆

경영자라면 악역을 자처해야 한다

'구조조정' 하면 잭 웰치 전 GE 회장을 언급하지 않을 수 없습니다. 잭 웰치 전 회장은 1981년 GE 역사상 최연소 CEO에 오른 뒤 "고쳐라, 매각하라, 아니면 폐쇄하라"라는 유명한 슬로건을 내걸고 대대적으로 사업과 인력을 구조조정했습니다. 세계시장에서 1위나 2위를 하지 못할 사업을 모조리 접었습니다. 덩치만 크고 생산성이 낮았던 GE를 환골탈태하기 위한 초고강도 처방이었지요. 그 과정에서 170개 사업부 중 110개를 청산했고 10만 명이 넘는 직원을 정리했습니다. 워낙 거세게 구조조정을 추진하다 보니 미국 언론은 그에게 '중성자탄 잭Neutron Jack'이라는 무시무시한 수식어를 붙였습니다.

하지만 잭 웰치는 회장 취임 당시 직원 40만 명이 250억 달러의 매출을 내던 GE를, 퇴임하던 2001년에 31만 명이 1,300억 달러의 매출을 만드는 회사로 바꿔냈습니다. 그 해 GE는 시가총액 기준으로 미국 1위 기업에 등극했습니다. 강력한 구조조정과 경영혁신으로 GE를 세계 최고기업으로 성장시킨 잭 웰치는 '세기의 경영자', '경영의 달인'으로 불리게 되었습니다.

대대적인 구조조정을 실시할 당시 잭 웰치는 대중에게 비정하고 냉정한 경영자 이미지로 각인되었습니다. 하지만 경영자가 인정에 얽매이면 회사를 책임지고 이끌기가 어렵습니다. 경영자는 회사를 살리고 키우기 위해 어쩔 수 없이 비정해야 하는 측면이 있습니다.

전문가들은 이와 관련해 『삼국지』의 두 영웅인 유비와 조조의 예를 들기도 합니다. 중국 후한 말기에 천하의 패권을 놓고 다투던 유비와 조조는 당대의 영웅호걸이지만 서로 다른 면모를 가졌습니다. 유비가 인정과 의리를 중시하고 따뜻한 인품을 가졌던 반면, 조조는 능력 위주로 사람을 평가하는 차가운 성격의 소유자였습니다. 대중적 인기는 유비가 더 높았을지 모르지만, 경쟁의 최종 승자는 조조였습니다. 특히 기업과 경영을 생각하는 사람은 조조의 인재관리와 조직관리 방법에 큰 관심을 보입니다.

어느 조직이나 단체의 구성원이든 스스로 '악역'을 자처하기란 어려운 일입니다. 사람은 누구나 다른 사람에게 인정과 존경, 애정을 받고 싶어 합니다. 그러다 보니 과거의 인연에 얽매이거나 연연하는 경우가 흔합니다. 하지만 경영자라면 보다 냉정해질 필요가 있습니다.

질문하신 분이 어렵고 고통스러운 결정 앞에서 고민이 클 수밖에 없다는 점은 충분히 공감합니다. 그러나 경영악화라는 위기에서 벗어나 미래를 도모하기 위한 구조조정을 실시하는 마당에 인정은 어쩌면 사치스러운 감정일 수 있습니다. 회사의 미래를 위해 냉정한 판단이 필요할 것 같습니다.

인재를 발굴하고 채용하고 유지하는 법

Q

고용 안정과 고용 유연 사이에서
딜레마에 빠져 있습니다.

#구조조정 #고용유연성 #고용안정성 #희망퇴직 #정리해고

#노동법 #평생고용 #비정규직 #유연안정성 #flexicurity

설립된 지 30년이 지난 중견 제조회사의 대표입니다. 지난 몇 년간 코로나19에 원자재와 유가 상승, 우크라이나와 러시아 전쟁이 겹치면서 비용이 상승하고 매출과 이익이 줄어 경영난을 겪고 있습니다. 사업을 하면서 이런저런 고비가 많았지만 요즘처럼 힘든 적은 없었습니다. 불황이 길어질 것 같아 어쩔 수 없이 구조조정에 들어갔습니다. 그런데 직원들의 반발이 매우 거세 인원을 줄이기가 쉽지 않습니다. 희망퇴직 신청을 받았더니 정작 회사에 필요한 직원만 관심을 보일 뿐, 조직 기여도가 낮은 직원들은 외면하고 있습니다. 어떤 직원은 고용노동부에 진정을 넣고 소송도 불사하겠다며 목소리를 높이고 있습니다.

미국이나 유럽에서는 경영상의 필요에 따라 직원을 자유롭게 해고할 수 있다고 하는데, 한국은 왜 이렇게 해고가 어려운지 모르겠습니다. 한국에서 고용의 유연성은 기대할 수 없는 걸까요?

"고용 유연 없이는 고용 안정을
이룰 수 없습니다."

사람들이 직장을 선택할 때 '고용 안정성'은 매우 중요한 조건입니다. 생계 수단의 유지는 삶의 안정과 직결되기 때문입니다. 그런데 기업 경영자에게도 '고용 유연성'은 기업의 성장 발전을 좌우하는 매우 중대한 사안입니다. 경영 여건 변화에 따라 유연하게 인력을 조정해야 기업의 지속적인 성장이 가능하기 때문입니다.

　고용 유연성과 고용 안정성은 동전의 양면과 같습니다. 노동자를 보호하려면 고용 안정성에 무게를 둬야 하는데, 기업들의 경영환경을 고려한다면 고용 유연성을 외면할 수 없습니다. 어느 한쪽에 치우치기가 곤란한 난제 중의 난제입니다. 정부가 좀처럼 노동 개혁에 나서지 못하는 것도 이런 사정 때문입니다.

　우리나라 역대 정부도 노동 개혁을 많이 내세웠지만 대부분 용두사미로 끝났습니다. 국민 대다수가 노동자라는 점을 고려할 때 여론의 반발을 고려하지 않을 수 없었기 때문일 겁니다. 양대 노총으로 대

인재를 발굴하고 채용하고 유지하는 법

표되는 거대 노조의 반발도 커다란 장벽으로 작용했습니다. 노동 개혁의 필요성은 분명하지만, 결국 정치적 부담을 이기지 못해 흐지부지되고 만 것입니다.

그러다 보니 한국 노동시장의 유연성은 세계 각국과 비교할 때 한참 부족합니다. 세계경제포럼의 조사에 따르면, 한국 노동시장의 유연성은 경제협력개발기구^{OECD} 37개국 중에서 최하위권인 35위에 머물러 있습니다. 적대적이고 대립적인 노사관계가 만연한 풍토 때문에 노사협력 수준도 조사 대상 141개국 중 130위에 그치고 있습니다.

◆ ◆

노동자는 선한 약자, 경영자는 악한 강자?

질문하신 분의 회사가 경영난으로 불가피하게 추진하기로 한 인력 구조조정이 난관에 봉착한 것도 우리나라의 매우 경직된 노동시장 특성 때문입니다. 사실 우리나라에서 이 문제로부터 자유로운 기업 경영자는 없다고 봐도 무방합니다. 경영자라면 이런 고민과 고충을 모를 리가 없을 겁니다. 하지만 안타깝게도 과거 경험과 현재 상황을 종합해 보면, 우리나라의 고용 유연성이 단기간에 획기적으로 개선될 가능성은 크지 않습니다. 고용 유연성을 높이려면 먼저 정부가 앞장서고 노동자들과 경영자들이 타협해야 하는데, '고양이 목에 방울 달기'처럼 어렵습니다.

고용 유연성 문제를 바라보는 시각과 노사에 대한 인식은 이제 좀 달라져야 할 것 같습니다. 예전에는 노동자를 보호하고 배려해야 한다는 일정한 사회적 합의가 존재했습니다. 노동조합이나 노동자들을 이익집단으로 보지 않고 사회적 약자로 바라본 것이죠. 그런데 이제 노조를 약자로 보는 시각은 많이 줄어들었습니다. 이제는 강성 노조가 있는 기업에서 경영활동이 노조에 휘둘리는 사례가 빈번하게 발생합니다. 국내 최고의 자동차 기업조차 노조의 동의 없이 공장 신설이나 생산라인 변경을 추진하는 게 매우 어렵습니다.

기업 경영자에 대한 부정적인 시각에도 변화가 필요합니다. 우리 사회에서 경영자는 직원들을 막 부리거나 함부로 내쫓는 부도덕한 사람이라는 인식이 있습니다. 노동자가 약자라면 경영자는 강자라는 이분법적인 생각도 여전합니다. 물론 경영자 가운데 윤리적으로나 도덕적으로 문제가 있는 사람들도 없지 않습니다. 하지만 불문곡직하고 경영자는 강자이면서 문제 있는 부류라고 생각하는 것은 일반화의 오류입니다. 함께 일하며 회사를 키워나가는 직원들에 대한 배려심과 애정이 없는 경영자가 과연 얼마나 되겠습니까?

◆ ◆

경직된 한국의 노동환경

무엇보다 고용 유연성 확대가 필요한 이유는 기업의 경영환경이 너무나 빠르게 변화하고 있기 때문입니다. 예를 들어 어떤 회사의 주력사업이 더 이상 성장하지 못하거나 쇠퇴하는 상황에 처했다면, 경영자

인재를 발굴하고 채용하고 유지하는 법

는 난국을 타개하기 위해 사업구조 재편이나 신규 사업 진출을 검토할 수밖에 없습니다. 그런데 직원들은 대부분 기존 주력사업에 맞춰 뽑은 인력들입니다. 이런 경우 경영자는 어떻게 해야 할까요?

물론 직원들을 최대한 보호하고 유지해야 할 겁니다. 신규 사업에 기존 직원들을 배치하는 것도 한 가지 방법입니다. 하지만 전혀 새로운 사업 분야에서 기존 직원들이 능력을 발휘하는 것은 한계가 있을 수밖에 없습니다. 그러는 사이에 선발업체들과 격차는 더욱 벌어지겠지요. 경영자 입장에서 속이 타는 일입니다. 만약 고용 유연성이 보장된다면 기존 사업부 직원들을 일부 정리하고 신규 사업에 적합한 경력직원들을 새로 채용할 수 있을 텐데, 그렇게 할 수 없는 형편이기 때문입니다.

우리나라에서도 기업이 경영상의 중대한 사유가 발생했을 때 정리해고를 할 수 있도록 법으로 정해놓긴 했습니다. 다만 그 조건이 미국, 유럽 등 외국과 비교하면 너무 엄격하고 까다롭습니다. 그 때문에 정리해고를 비롯한 인력 구조조정에 나서기가 현실적으로 매우 어렵습니다. 심하게 말해 회사가 거의 망하기 직전까지 가야 정리해고가 가능합니다.

◆ ◆

노동 개혁이 가져온 유럽 각국의 고용 안정

반면 외국의 고용 유연성은 우리나라와 비교할 수 없을 만큼 강합니다. 전국경제인연합회(전경련)의 조사에 따르면, 2012년 유럽 재정위기 당시 심각한 재정적자에 빠졌던 스페인과 포르투갈은 노동 개혁을 통해 경제 체질을 상당히 개선했습니다. 스페인은 고용의 유연성^{flexibility}과 안정성^{security}을 동시에 높이는 이른바 '유연안정성^{flexicurity}' 법안을 통과시켰고, 포르투갈은 개별 해고 사유를 인정하는 등 기존 노사관계 패러다임을 획기적으로 바꾸는 노동 개혁을 실시했습니다. 두 나라 모두 해고 관련 규제 완화, 근로조건 수정 자율화 같은 노동시장 유연성을 개선하는 정책을 펼쳤습니다. 그 결과 10년 만에 노동시장 유연성 지표와 실업률, 고용률에서 모두 뚜렷한 개선을 이뤄냈습니다.

유럽연합^{EU}에서 처음 등장한 유연안정성 개념은 기업이 해고와 채용의 유연성을 발휘하고 노동자는 사회안전망을 통해 취업 기회와 생활 안정을 보장받는 것을 뜻합니다. 이미 덴마크와 네덜란드를 비롯해 여러 국가들이 유연안정성 제도를 도입해 시행하고 있습니다.

우리나라도 이제 고용 유연성에 대한 시각을 바꿔야 합니다. 고용 유연성이라는 말을 꺼내면 노동자 권리를 약화하고 고용불안을 조장한다는 쪽으로만 생각하는 경향이 있는데, 그건 편향되고 경직된 사고방식입니다. 회사와 직원, 사용자와 노동자가 함께 성장하고 발전하려면 상황에 맞게 유연하게 대처할 수 있어야 합니다. 그런 여지를 만들어주자는 것이 고용 유연성의 근본적인 취지입니다. 이를 반노동자적 행위로 몰아가는 것은 이치에 맞지 않습니다.

사실 우리나라에 임시직, 계약직이 늘어나는 것도 고용 유연성이 부족하기 때문입니다. 현행 제도에서 기업이 직원을 정규직으로 채용하면 내보내기가 어려운데다 시간이 갈수록 급여 부담이 커집니다. 그러다 보니 기업 입장에서는 정규직 채용을 꺼리게 되고 임시직, 계약직 같은 비정규직 직원을 활용하게 되는 것이지요. 다시 말해 비정규직이 늘어나는 것은 기업이 고용 유연성을 확보하기 위한 자구책 성격이 강하다는 겁니다. 한국에서 정규직을 채용하면 고용 유연성을 확보할 방법이 거의 없습니다. 우리 사회의 심각한 현안 중 하나인 노동시장 양극화도 낮은 고용 유연성에서 비롯된 측면이 있습니다.

그동안 평생고용 개념이 통용되었지만, 이제 그런 시대는 지나갔습니다. 그런데도 우리나라 고용 관련법은 여전히 평생고용 시대에 머물러 있습니다. 이 점이 고용 유연성 문제를 풀지 못하는 배경이 되고 있습니다.

◆ ◆

또 하나의 뜨거운 감자, 정년 연장 이슈

이와 관련해 우리 사회에서 뜨거운 감자로 부상한 정년 연장 이슈를 살펴볼 필요가 있습니다. 현행법(고용상 연령차별 금지 및 고령자 고용 촉진에 관한 법률)으로 정해진 정년은 60세입니다. 그런데 최근 국내 거대 노조를 중심으로 정년을 64세로 연장하자는 안건이 단체 협상의 중요 의제로 제기되기 시작했습니다.

고령화 단계를 넘어 고령 사회로 진입한 우리 사회에 고령자의 고용 문제는 풀어야 할 숙제임은 틀림없습니다. 그러나 기업 입장에서 다른 조건을 그대로 둔 채 정년을 연장하자는 주장은 부담스러울 수밖에 없습니다.

결정적 이유는 연공서열에 기반한 현재의 임금 시스템 때문입니다. 한국경영자총협회에 따르면, 국내 100인 이상 사업장의 절반 이상이 호봉제를 택하고 있습니다. 그리고 범위를 1,000인 이상 사업장으로 한정하면 그 비율은 70%에 육박합니다. 연공서열 임금 구조가 온전한 상태에서 법적으로 정년이 연장될 경우 기업은 인력 구조를 재편하기가 더욱 어려워집니다. 젊어져야 할 부담은 커지고, 노동 경직성에 따른 경쟁력 약화를 걱정하지 않을 수 없습니다.

정년 연장은 우리 사회의 또 다른 중요 이슈인 청년 고용과도 연계된 문제입니다. 법이 권고조항이던 정년을 의무조항으로 바꿔 60세로 연장하고 적용 범위를 국가 및 지방자치단체, 상시근로자 300인 미만 사업장까지 확대한 것이 2017년입니다. 이후 많은 기업들은 인력 구조 재편에 상당한 어려움을 경험했습니다. 임금 부담이 컸던 기업을 중심으로 청년고용이 감소했다고 보기도 합니다.

이제 우리 사회는 고용 유연성 문제를 심각하게 고민해야 할 때가 되었습니다. 지금처럼 계속 손 놓고 있다 보면 여러 기업이 급변하는 경영환경 속에서 점점 더 어려움을 겪게 될 것입니다. 고용의 주체는 기업입니다. 기업이 생존하고 성장해야 일자리도 창출하고 고용도 늘어납니다.

인재를 발굴하고 채용하고 유지하는 법

Chapter 4

인재 선발 방법이
진화하고 있다

Q

지인 추천으로 영입한 임원 때문에
속이 터집니다.

#지인추천VS헤드헌터 #채용트렌드 #서치펌

홍보대행사를 창업해 20년째 경영하고 있습니다. 그리고 재작년 신규 사업을
출범시키면서 사업책임자를 영입했습니다. 고등학교 동창의 추천을 받아 채
용했는데, 입사 이후 도무지 결과물을 내지 못하고 있습니다. 조직이 구축돼
야 사업이 돌아가고 매출이 발생할 텐데, 어느 것 하나 기대를 충족하지 못하
고 있는 것입니다.

초기부터 해당 사업에 대한 사실상의 전권을 주었습니다. 사업 진전 속도가 더
뎠지만, 처음 1년은 준비 과정이라고 보고 간섭하지 않았습니다. 하지만 2년
이 지난 지금은 그냥 지켜볼 수만은 없어 자주 상황을 점검하고 있습니다. 여
러 차례 이야기를 나눠봤지만 노력 중이라는 답변만 되풀이할 뿐 이렇다 할
대안을 내놓지 못하고 있습니다.

애초에 헤드헌팅 회사의 추천을 받아보자는 임원들 의견을 무시하고 고등학
교 동창을 믿고 결정한 게 경솔한 선택이었던 것 같습니다. 참 난처하고 답답
합니다. 이 일을 어떻게 바로잡아야 할까요?

"헤드헌팅 회사를 적절하게
활용할 필요가 있습니다."

굴지의 대기업들은 사내에 많은 변호사를 고용하고 있습니다. 그런데 중요한 소송에 대해서는 그들이 직접 나서지 않는 경우가 많습니다. 대부분 외부 법무법인에 소송을 의뢰합니다. 마찬가지로 공인회계사를 고용하고 있는 기업들도 인수합병 같은 큰 프로젝트를 추진할 때는 대체로 외부 회계법인에 맡깁니다. 왜냐하면 기업 내부에서 할 수 있는 일과 외부에서 할 수 있는 일이 다르기 때문입니다.

기업의 인사부서는 인력 채용과 운영, 평가와 보상을 설계하고 책임지는 인재전략의 컨트롤타워입니다. 특히 인재 확보 전쟁이 극심한 요즈음에는 채용 업무만 전담하는 리크루팅 조직을 별도로 운영하는 기업들도 점차 많아지고 있습니다. 그런데도 기업들의 헤드헌팅 회사 서비스 이용은 점점 더 늘고 있습니다.

여기에는 이유가 있습니다. 기업 내부의 인사 담당 조직이 해결하기 어려운 과제들이 속출하고 있기 때문입니다.

물론 회사의 인사 담당 부서에서 직접 뽑을 수도 있습니다. 그런데 이렇게 생각해볼까요? 중요한 직책에 인재를 영입해야 하는 상황입니다. 객관적인 평가, 폭넓은 조사, 엄격한 검증 절차를 거쳐야 하겠죠. 그런 경우 인사부서의 조사와 검증 결과만 가지고 영입을 결정하기는 부담스럽습니다. 객관적 시각 확보에 한계가 있기 때문입니다. 조직 내부의 편견이나 선입관 같은 것이 작용할 수 있다는 이야깁니다.

또 다른 문제도 있습니다. 후보군에 한계가 있다는 점입니다. 애초부터 후보군이 적은데다 각자 인맥을 동원해 알음알음으로 후보자를 물색할 수밖에 없습니다.

헤드헌팅 회사들은 인재 시장에 대한 방대한 정보와 인재 발굴 노하우를 갖추고 있습니다. 이 때문에 기업들이 인재 영입에 나설 때 헤드헌팅 회사에 도움을 요청하는 것입니다.

◆ ◆

로펌, 회계법인, 세무법인, 그리고 서치펌

채용 면접과 관련해 '3의 법칙'이란 것이 있습니다. 첫째, 후보자를 세 차례 이상 면접하고, 둘째, 세 사람 이상이 면접에 참여하며, 셋째, 세 곳 이상의 장소에서 면접을 진행하라는 것입니다. 어떤 사람들은 여기에 세 가지 이상의 면접 방식을 택해야 한다고까지 주장하기도 합니다. 이는 그만큼 다양한 각도에서 후보자를 평가해야 채용 과정에서 발생하는 실수를 줄이고 적임자인지 파악할 수 있다는 뜻입니다.

물론 이렇게 하려면 비용과 시간이 많이 들어가기 때문에 일반적으로 기업들이 이 법칙을 다 따르기란 쉽지 않습니다.

서치펌이라고도 불리는 헤드헌팅 회사는 본질적으로 기업의 경영활동을 지원하는 조직입니다. 기업에 반드시 필요하지만 내재화하기 어려운 업무를 외부에서 지원하는 개념입니다. 앞서 예를 든 회계법인이나 법무법인 외에도 노무법인, 세무법인, 마케팅법인, 홍보법인, 전략컨설팅법인 같은 전문 서비스 회사도 비슷한 개념의 조직들이라고 할 수 있습니다. 기업들은 경영 전반에 걸쳐 이런 전문 서비스 회사의 도움을 받고 있습니다.

기업이 인재 영입에 관한 전문가 그룹인 헤드헌팅 회사를 이용하는 것 역시 자연스러운 일입니다. 기업에서 가장 중요한 자원은 인재입니다. 최고경영자의 최측근에 인사 담당 조직을 두는 것도 그 때문입니다. 헤드헌팅 회사는 인사 담당 조직의 부족한 부분을 채워주는 역할을 하는 전문 서비스 회사입니다.

질문하신 분은 신규 사업 책임자를 지인 추천으로 영입했다가 애초 기대에 못 미쳐 고민하고 있는 것으로 보입니다. 중요한 직책일수록 사람을 영입할 때 여러 후보자들을 놓고 다각도로 검토하고 철저하게 검증해야 합니다. 그런 점에서 지인 추천에 의지해 검증을 소홀히 한 게 아닌가 하는 생각이 드는군요.

만약 신규 사업 책임자를 교체할 의사가 있다면 헤드헌팅 회사에 인재 추천을 의뢰해보는 것을 추천하고 싶습니다. 특히 회사 내부의 인맥으로 적임자를 찾기 어렵다면 헤드헌팅 회사를 적극 활용할 필요

인재 선발 방법이 진화하고 있다

가 있습니다. 100명 중에서 1명을 고르는 것과 1,000명 중에서 1명을 고르는 것은 천양지차입니다. 후보군의 크기가 채용의 양은 물론 질도 좌우하기 때문입니다. 중요한 인재는 최대한 폭넓게 살펴보고 구해야 합니다.

전문 헤드헌팅 회사들은 채용시장의 최근 트렌드를 잘 알고 있습니다. 시야에 두고 있는 후보도 많습니다. 게다가 인재 발굴과 추천 경험이 풍부한 헤드헌터들이 산업과 업종별로 나뉘어 활동하기 때문에 전문적 식견을 갖고 있습니다. 특히 후보자를 철저하게 검증합니다. 원하는 인재를 빠르고 정확하게 찾길 원하는 기업들이 헤드헌팅 회사를 찾는 이유입니다.

◆ ◆

이름값하는 헤드헌팅 회사를 찾아라

활용 필요성에 대해 공감한다면, 다음으로 어떤 헤드헌팅 회사를 선택하느냐 하는 문제가 남습니다. 현재 국내에서는 1인 회사부터 100명이 넘는 헤드헌터가 포진해 있는 회사까지, 수많은 헤드헌팅 회사가 활동하고 있습니다. '헤드헌터'라는 이름으로 일하고 있는 사람들은 1만 명을 훨씬 웃돌 것으로 추산됩니다. 당연히 회사별로, 개인별로 이들의 전문영역과 업무 경험, 서비스 방식에 차이가 있습니다. 따라서 어떤 헤드헌팅 회사를 선택하느냐가 발굴하는 인재의 수준과 채용 속도를 좌우합니다.

저라면 헤드헌터 개인이 아니라 헤드헌팅 회사를 보고 선택하고, 회사의 브랜드를 가장 중요하게 보겠습니다. 흔히 하는 얘기처럼 '적어도 이름값은 한다'는 판단 때문입니다. 브랜드는 오랜 업력과 풍부한 경험, 내부 전문가 그룹, 고객의 신뢰가 쌓여서 형성된 것입니다. 그런 점에서 당연히 브랜드 인지도가 높은 회사를 선택하는 것이 효율적이고 안정적입니다.

한 가지 더 중요한 판단 요소는 후보군과 관련된 데이터베이스를 얼마나 갖추고 있느냐 하는 것입니다. 인재를 제대로 발굴하려면 헤드헌터들의 경험과 식견, 안목이 필요합니다. 헤드헌터 개인의 역량에 더해 광범위한 후보자군을 체계적으로 관리하는 데이터베이스가 결합되면, 짧은 시간에 적임자를 찾아낼 수 있는 가능성이 커집니다. 인재 추천을 의뢰한 기업이 신속하게 필요한 인재를 확보할 수 있다는 뜻입니다.

데이터베이스의 또 다른 강점은 최신 경영 트렌드에 걸맞은 인재를 찾도록 해준다는 점입니다. 기업에서 찾는 인재도 유행을 탑니다. 잘 관리되고 있는 헤드헌팅 회사의 데이터베이스를 활용하면 그런 트렌드에 맞는 인재를 추천받을 수 있습니다.

기업 경영자들은 하나같이 "인재가 중요하다"고 말합니다. 그런데 의외로 인재 채용에 드는 비용에 대해 인색한 경우가 많습니다. 그러나 유능한 인재는 두고두고 회사에 효자 노릇을 합니다. 그런 점에서 인재 영입은 비용이 아니라 투자 관점에서 봐야 합니다.

인재 선발 방법이 진화하고 있다

Q

새로 채용한 간부가
부하직원을 데려오겠다고 합니다.

#패키지이직 #조직융화 #적응기간 #패거리문화

#조직부적응 #동반퇴사 #팀구성선제안

중견 유통회사의 대표입니다. 대기업의 부장급 간부를 재무 담당 임원으로 채용하려고 합니다. 현재 면접과 평판조회를 거치고 연봉협상까지 마친 상태여서 최종 입사일만 확정하면 됩니다. 그런데 후보자가 전 직장에서 자신과 같이 일했던 팀장과 팀원을 데려오면 안 되겠냐고 문의해왔습니다. 오랫동안 자신과 일해왔으며 업무 능력과 도덕성, 리더십 모두 나무랄 데가 없다고 하면서요. 후보자는 이 사람들과 같이 일하면 단기간에 조직과 사업을 업그레이드할 수 있을 것이라고 자신 있게 이야기합니다.

하지만 신사업도 아니고, 업무를 담당하고 있는 기존 직원들이 있는데 팀장과 팀원을 한꺼번에 영입하는 게 맞을까요? 능력과 태도를 검증받은 사람들이고 함께 일하면 강력한 시너지를 낼 수 있다는 점에서 충분히 고려해볼 수 있지만, 선뜻 수용하기가 부담스럽습니다.

"핵심인재의 패키지 입사를
마다할 이유는 없습니다."

직장인이 회사를 옮길 때 후배나 부하직원, 또는 선배나 상사와 함께 이직하는 경우를 더러 볼 수 있습니다. '패키지 이직'이라고도 하지요. 회사에 필요한 인재를 영입할 때 그와 손발을 맞출 수 있는 동료를 함께 영입하는 형태입니다.

이런 동반 입사는 경우에 따라 득이 될 수도 있고 실이 될 수도 있습니다. 장단점이 있다는 뜻입니다. 결국 회사가 선택할 문제입니다.

단점부터 따져볼까요? 예를 들어 어느 한 명의 핵심인재를 영입하기 위해 그의 요구대로 몇 명의 동료를 함께 입사시켰습니다. 그런데 핵심인재와 달리 동반 입사한 직원들은 조직에 별로 필요하지 않을 수도 있습니다. 단지 핵심인재가 필요하다고 주장해서 곁가지로 데려다놓았을 수도 있다는 겁니다. 이 경우 회사는 비용 측면에서 불필요한 부담을 져야 합니다.

또한 동반 입사한 직원들이 자기들끼리만 어울리는 상황이 발생할 수도 있습니다. 직장인이 이직하면 가장 먼저 해야 하는 일은 조직에 동화되려는 노력을 기울이는 것입니다. 하지만 새로운 환경에 적응하는 것이 말처럼 쉬운 일은 아닙니다. 그렇기 때문에 동반 입사한 사람들은 이직 초기에 대체로 서로 의지하면서 어울리는 경향이 많습니다. 이렇게 하다 보면 의도하지 않았더라도 결과적으로 '끼리끼리 문화'나 '패거리 문화'를 형성할 수 있습니다. 조직에 융화되지 못하고 일종의 섬 같은 존재가 될 수 있다는 뜻입니다.

한국인들이 외국으로 이민 가서 현지인들과 섞이지 못하고 같은 한국인들끼리 어울리는 경우를 종종 볼 수 있습니다. 장소만 한국에서 외국으로 바뀌었을 뿐, 만나고 대화하고 소통하는 사람은 여전히 한국인입니다. 이와 마찬가지로 동반 입사자들도 끼리끼리 뭉치면서 조직에서 겉도는 모습이 연출될 수 있습니다. 이렇게 되면 회사는 조직관리 측면에서 상당한 부담을 안게 됩니다.

◆ ◆

국가대표 감독은 혼자 오지 않는다

그러나 동반 입사가 단점만 있는 것은 아닙니다. 운영의 묘를 잘 발휘하면 상당한 성과를 거둘 수도 있습니다. 예를 들어 회사에 큰 보탬이 될 수 있는 고급인재를 영입하는 경우를 생각해봅시다. 회사는 그가 원활하게 업무를 수행할 수 있도록 여건을 만들어줄 필요가 있습니다. 회사 업무 가운데 혼자 할 수 있는 일은 거의 없습니다. 대개 주변 동료들과 머리를 맞대고 손발을 맞춰야 성과를 낼 수 있습니다.

그런데 새로 영입한 사람이 아무리 유능해도 일정한 적응기간이 필요합니다. 경우에 따라서는 적응하는 데 상당한 시간이 걸릴 수도 있습니다. 이 경우 만약 그와 호흡이 잘 맞고 함께 일해본 경험이 있는 동료들이 있다면 어떨까요? 당연히 훨씬 수월하고 빠르게 업무에 적응할 수 있겠지요. 영입한 고급인재가 적응하는 시간을 단축할 수 있고 비용도 줄일 수 있습니다.

회사가 신규 사업을 펼치기 위해 새로운 조직을 구성하는 상황에서도 동반 입사는 매우 효율적인 선택이 될 수 있습니다. 회사 내부에 신규 사업과 관련된 경험자가 없다면 우선 사업 책임자를 외부에서 영입해야 합니다. 아울러 실무자도 새로 채용해야 할 수 있습니다. 만약 신규 사업을 담당할 임직원을 한 명씩 채용한다면 시간도 오래 걸릴 뿐 아니라 적임자를 모두 충원하는 것이 어려울 수도 있습니다. 이런 상황에서 책임자나 관리자를 영입할 때 그와 손발을 맞췄던 경험이 있는 동료나 부하직원들을 한꺼번에 채용한다면 조직 구축에 소요되는 시간과 노력을 대폭 줄일 수 있게 됩니다.

특정한 부서나 조직을 책임지는 고위급 간부를 채용하는 경우 회사가 먼저 "필요하다면 당신을 보좌하면서 함께 일할 수 있는 사람을 데리고 와도 좋다"며 조직 구성 권한을 주는 경우도 왕왕 있습니다. 어차피 해당 간부가 입사해서 새롭게 사람들을 뽑아야 하는 상황이라면 차라리 본인이 일하기 편한 인재를 데리고 오는 것이 낫다고 보는 겁니다. 물론 기존 인원을 데리고 일할 수도 있겠지만 서로 적응하는 과

인재 선발 방법이 진화하고 있다

정에서 시간이 걸릴 뿐만 아니라 여러 가지 어려움을 겪을 수도 있기 때문입니다.

이런 모습은 국가대표 축구팀 감독을 선임할 때 종종 볼 수 있습니다. 실력과 명망이 있는 지도자를 감독으로 기용할 때 그에게 코치진을 구성하는 권한을 주는 것이 일반적입니다. 감독의 축구 철학과 지도 방침을 공유할 수 있는 유능한 코치들을 배치해야 좋은 성적을 낼 수 있기 때문입니다. 프로축구나 프로야구에서도 신임 감독에게 스태프 추천 권한을 주는 경우가 적지 않습니다.

만약 감독 한 명만 임명한다면 어떻게 될까요? 감독이 부임한 뒤 함께 일할 코치들을 일일이 찾아야 하거나, 아니면 구단에서 영입한 기존 코치들과 호흡을 맞춰나가야 할 겁니다. 이 과정에서 어쩔 수 없이 시간이 소요될 뿐만 아니라, 그렇게 모인 코치들이 팀워크를 발휘해 좋은 성적을 낸다는 보장도 없습니다.

따라서 고위직을 영입할 때 회사가 먼저 동반 입사를 검토하고 제안할 필요도 있습니다. 회사의 중책을 맡을 사람이라면 일할 수 있는 여건을 만들어줘야 하기 때문입니다. 혼자 입사해서 스스로 업무 여건을 만들어가려면 상당한 시간과 노력이 소요됩니다. 그 과정에서 지쳐버릴 수도 있고, 갈등이 생겨 조직 적응에 실패할 수도 있습니다. 어렵사리 영입한 인재를 제대로 활용하지도 못하고 시간과 비용만 낭비하는 일이 벌어질 수 있다는 거지요. 그렇기 때문에 고위직이나 핵심 간부를 영입할 때는 함께 팀워크를 이룰 수 있는 인력까지 감안한 채용 전략을 검토해야 합니다.

◆◆

동반 입사 뒤 동반 퇴사가 벌어지지 않으려면

동반 입사는 여러 각도에서 바라볼 필요가 있는 꽤 복잡미묘한 문제입니다. 하지만 핵심인재 영입이 필요한 상황이고 동반 입사가 조직 운영 측면에서 효율성이 크다고 판단되면 굳이 선택하지 않을 이유는 없습니다. 다만 핵심인재와 함께 여러 명을 동반 영입하기로 결정할 때는 요모조모 꼼꼼하게 살펴봐야 할 문제들이 있습니다.

우선 동반 입사자들이 회사에 꼭 필요하고 적합한 인력인지를 따져봐야 합니다. 한 사람을 영입하기 위해 불필요한 여러 사람을 영입하는 것은 부작용이 클 수도 있습니다. 아울러 동반 입사자들이 조직 내부에 잘 융화할 수 있는 사람들인지도 면밀히 살펴봐야 합니다. 조직에 융화되지 못하면 결국 쓸데없이 비용만 지출하는 꼴이 되기 때문입니다.

동반 영입이 완료된 뒤에도 꼼꼼하게 사후관리를 해야 합니다. 회사 차원에서 그들이 조직에 잘 안착하고 융화할 수 있도록 살피는 노력을 해야 한다는 겁니다. 만약 '알아서 잘들 하겠지' 하는 생각으로 무신경하게 됐다가 최악의 경우 조직 적응에 실패해 '동반 퇴사'라는 문제가 발생할 수도 있습니다. 애초부터 한 명을 중심으로 옮겨 왔기 때문에 회사에 대한 적응이 어렵거나 불만이 생길 경우 함께 떠나는 경우를 배제할 수 없다는 겁니다.

'든 자리는 몰라도 난 자리는 안다'는 속담이 있습니다. 사람이 들어올 때는 표시가 잘 안 나더라도 나간 뒤에 빈자리는 크게 느껴지는 법입니다. 더욱이 한꺼번에 여러 명이 빠져나간다면 회사가 상당한 타격을 받게 됩니다. 그들이 맡고 있던 업무가 동시에 중단되기 때문이지요. 특히 그들이 회사의 중추적 직무를 담당하고 있다면 그 여파가 심각할 수 있습니다. 따라서 동반 입사자들에 대해서는 특별한 관심을 갖고 조직에 융화되도록 이끌어주는 노력이 필요합니다.

질문하신 분의 회사가 재무 담당 임원으로 채용하려고 하는 후보자가 회사에 꼭 필요한 핵심인재라면 그가 동반 입사를 원하는 사람들에 대해서도 일단 긍정적으로 검토해보는 게 좋겠습니다. 재무 담당 임원은 회사의 중추적인 직책 중 하나입니다. 그가 원활하게 업무를 수행하고 좋은 성과를 내도록 하려면 업무 여건을 만들어줄 필요가 있습니다. 다만 후보자가 추천한 사람들을 묻지도 따지지도 않고 무조건 받아들일 수는 없겠지요. 적절한 평가 절차를 통해 꼼꼼하게 살펴보고 결정하시기 바랍니다.

Q

채용 오류가 계속 발생하는데,
면접 방식이 잘못된 걸까요?

#면접실패 #평판조회 #면접착각 #후광효과 #대비효과 #인턴제도

#3개월계약직 #인·적성검사 #채용리스크

의료소모품 관련 중소기업을 운영하고 있습니다. 얼마 전 마케팅 담당 과장을 뽑았습니다. 우리 회사보다 규모가 큰 중견 회사에서 근무하고 있는 대리 3년 차 직원이었습니다. 분야가 다르긴 한데 나름대로 체계적 훈련을 받은 것 같아 한 직급을 올려 영입했습니다. 실무 면접과 임원 면접도 모두 무난히 통과해 '잘 뽑았다'고 생각하고 있었습니다.

그런데 입사 뒤 얼마 지나지 않았는데도 같이 일하는 팀장이 고개를 내젓고 있습니다. 팀장의 문제제기는 가벼운 지적을 넘어서는 수준이었습니다. 일 처리 과정에서 과할 정도로 고집스러운 면모를 보이고, 동료들과 커뮤니케이션에서도 낙제점을 받고 있답니다. 실무 면접과 임원 면접, 사장 면접까지 세 차례나 면접을 했는데도 결과가 이렇게 나오니 당황스럽습니다. 어떻게 해야 앞으로 이런 실수를 하지 않을까요? 직원을 잘 뽑는 방법이 있을까요?

"면접을 보완할 다양한
장치들을 활용하세요."

기업의 경영자나 관리자라면 당연히 채용을 위한 면접을 많이 해봤을 겁니다. 그리고 사람을 잘못 뽑았다며 후회한 적도 많을 겁니다. 면접 때 인상이 좋아서 뽑았는데 나중에 보니 면접 때 봤던 것과 완전히 딴판인 경우가 종종 발생합니다.

기업에서 직원을 뽑을 때 면접을 하지 않는 곳은 없습니다. 채용과 관련된 절차와 트렌드가 변한다고 해도 면접을 생략하지는 않습니다. 기업마다 면접 방식도 참 다양합니다. 면접장에 들어가는 면접관과 후보자의 수가 다르고, 사무실 바깥에서 합숙 면접을 하거나 등산 면접을 하고, 심지어 술자리 면접이나 게임 면접을 하기도 합니다. 채용에서 오류를 줄이려는 기업의 몸부림입니다.

◆ ◆

면접의 객관성이 왜곡되는 이유

일반적으로 면접관들은 자신이 면접을 통해 후보자를 제대로 평가할 수 있다고 믿는 경향이 있습니다. 미국의 심리학자 리처드 니스벳Richard Nisbett은 면접관이 면접할 때 자신이 실제 파악한 것보다 더 많은 정보를 습득했다고 믿는 경향에 대해 연구했습니다. 그는 이런 경향을 가리켜 '면접 착각Interview Illusion'이라는 개념으로 설명했습니다. 면접관들이 면접 과정에서 상대방에 대해 쉽게 착각한다는 겁니다.

면접관이 후보자에 대해 착각하기 쉬운 것은 인간의 보편적인 심리 현상 때문입니다. 대표적인 것이 '후광효과Halo Effect'입니다.

사람은 어떤 대상의 한 가지 두드러진 특성 때문에 그 대상의 다른 특성에 대해 객관적으로 평가하지 못하고 왜곡된 평가를 내리곤 합니다. 후광효과는 사람을 평가할 때 흔히 나타납니다. 외모가 매력적인 사람은 거의 모든 경우 유리한 평가를 받습니다. 또 첫인상이 상대방에 대한 전반적인 평가를 좌우합니다. 첫인상이 좋으면 단점이 가려지고, 반대로 나쁘면 장점이 가려집니다.

여러 명의 후보자를 면접하는 과정에서 이른바 '대비효과Contrast Effect'로 평가가 왜곡되기도 합니다. 대비효과는 사람을 평가할 때 객관적인 기준에 근거하지 않고 다른 대상과 비교를 통해 평가하면서 오류가 발생하는 현상을 말합니다. 예를 들어 A 후보자는 외모도 훌륭하고 말도 잘하는데, B 후보자는 외모도 평범하고 말솜씨도 그저 그렇다고 합시다. 그런데 실제 업무 능력이나 성품은 B가 더 나은 경우 면접관들은 B에 대해 공정하고 정확한 평가를 내리는 게 쉽지 않습니다. A가 더 낫다는 '인지적 편향'이 이미 생겼기 때문입니다.

이처럼 면접만으로 사람을 제대로 평가하는 것은 한계가 있습니다. 말과 표정에 좌우되고 외모에 이끌려 판단의 오류를 저지를 가능성이 높습니다. 미인 선발 대회라면 모르겠지만, 인재를 채용하는 것은 완전히 다른 차원의 문제입니다. 따라서 면접의 한계를 보완하는 방법을 모색할 필요가 있습니다.

◆ ◆

회사와 후보자가 서로 알아가는 시간을 갖는다면

사람을 제대로 평가하려면 지금까지의 행적을 살펴봐야 합니다. 과거의 행적은 그 사람의 실체를 알 수 있는 매우 중요한 정보입니다. 따라서 후보자가 제출한 이력서뿐만 아니라 그의 이력 전반을 꼼꼼하게 뜯어볼 필요가 있습니다. 평판조회는 여기에 큰 도움을 주는 도구입니다. 평판조회란 후보자와 함께 일한 주변 사람들, 가령 예전 직장의 상사나 동료들에게 그가 어떤 사람인지를 물어보는 것을 가리킵니다. 또 업무 경력 외에 각종 대회 참가 실적이나 봉사활동, 취미활동 같은 이력을 살펴보는 것도 유용합니다.

인·적성검사를 실시하는 것도 좋습니다. 우리 회사도 직원을 뽑을 때 인·적성검사를 합니다. 후보자의 성향을 어느 정도 파악할 수 있기 때문입니다. 검사를 통해 조직 적응성과 성과 지향성, 그리고 추구하는 가치를 꼼꼼히 살펴봅니다.

채용 후보자들에게 직무에 대해 자세히 알려주는 것도 좋은 방법입니다. 입사 지원자들은 보통 자신이 어떤 환경과 조직에서 어떤 방식으로 일을 하게 될지 잘 모릅니다. 그래서 입사한 회사의 근무 환경이 자신이 예상했던 것과 다르면 적응에 어려움을 겪게 되고, 어떤 경우에는 곧바로 퇴사하는 불상사로 이어지기도 합니다.

우리 회사는 채용 전담자가 후보자를 대상으로 사전 미팅을 합니다. 그 자리에서 후보자에게 회사의 근무 환경과 담당할 직무, 기업 문화 등에 대해 충분히 설명해줍니다. 이렇게 하면 후보자는 결정에 신중을 기하게 되고, 회사 역시 사실상의 1차 면접을 진행하는 셈이어서 채용 오류를 줄일 수 있습니다.

채용 오류를 피할 수 있는 또 다른 방법이 있습니다. 정식 채용 전에 일정 기간 회사에 와서 근무해보도록 하는 것입니다. 후보자가 직무를 경험해보고 근무 환경을 살펴 자신에게 맞는 곳인지 판단할 기회를 주는 방법으로, 회사도 후보자가 해당 직무에 어떻게 적응하는지 알아볼 수 있습니다.

프랑스의 우편 공기업인 라 포스트La Poste 산하 교육기관인 포마포스트Formaposte는 신입직원들의 퇴사가 잦아 어려움을 겪다가 입사 지원자를 대상으로 1주간의 업무 체험 프로그램을 도입했습니다. 이 제도를 도입한 뒤 신입직원들의 퇴사가 현저하게 줄어들었습니다.

요즘 경력사원을 채용하면서 일정 기간 계약직 형태로 미리 직무를 체험하도록 하는 회사들도 있습니다. 대개 3개월 계약직 프로그램을 운영합니다. 이 기간 동안 해당 직무를 수행하는 과정에서 후보자와 회사가 서로를 파악할 수 있습니다. 채용 오류를 크게 줄일 수 있다는 점에서 여러모로 유용한 제도입니다. 기업들이 신입사원 채용을 위해 운영하는 인턴십 제도와 유사한 면이 있지요.

직원을 채용하는 것은 참 어려운 일입니다. 면접 방식을 꼼꼼하게 설계하고 면접 단계를 늘리더라도 한계가 존재할 수밖에 없습니다. 질문하신 분은 마케팅 담당 과장 채용 결과가 나빠서 면접에 대한 자신감이 약해진 것 같습니다. 그러나 너무 실망하지 않으셔도 됩니다. 경영자와 관리자들이 흔히 경험하는 일이니까요. 다만 앞으로 임직원을 채용할 때 면접에만 의존하지 말고 다양한 보완 방법을 시도해보십시오. 분명히 한결 나은 결과를 얻게 될 것입니다.

Q

평판조회로 후보자를
얼마나 검증할 수 있나요?

#평판조회 #서류심사보완 #내부진행 #외부의뢰 #프로면접러 #레퍼리

금융서비스 회사 대표입니다. 얼마 전 인사부서에서 외부 회사의 평판조회 서비스를 이용하겠다는 기획안이 올라왔습니다. 요즘 많은 기업들이 이용하고 있다는 이야기를 듣기도 했고, 채용 오류가 적지 않은 것도 사실이기에 승인했습니다. 그런데 평판조회가 정말로 효과가 있는 걸까요? 물론 서류심사나 몇 차례의 짧은 면접만으로 채용을 결정하는 게 옳다고 생각하지는 않습니다. 확신을 가지고 뽑았던 직원이 입사 뒤 너무도 다른 모습을 보였던 적이 한두 번이 아니었으니까요. 그런 점에서 함께 일했던 사람의 의견을 들어보는 것은 좋다고 생각합니다.

그러나 잘 모르는 사람에게 자신이 같이 일했던 사람의 실상을 낱낱이 이야기하는 게 어렵지 않을까요? 평판조회 내용이 사실과 얼마나 부합할지 의구심이 듭니다. 평판조회가 인재 검증이나 평가에 정말 도움이 되나요?

"아무리 유능한 면접관도
평판조회를 이길 순 없습니다."

요즘에는 피면접자들이 사전에 면접을 철저하게 준비하는 데다 면접관의 의중을 훤히 파악하고 있는 경우가 많습니다. '프로 이직러'라는 신조어까지 유행할 정도입니다. 잦은 이직으로 노하우가 쌓여 면접을 가볍게 통과하는 사람을 일컫는 말입니다. 이런 사람들은 인터넷 사이트나 각종 직장인 플랫폼을 이용해 자신이 지원하는 회사의 면접관이 누구인지, 면접에서 주로 어떤 질문들을 하는지에 대한 정보까지도 미리 입수합니다. 그러다 보니 면접관 앞에서 크게 긴장하지 않으면서 예상한 질문에 술술 답할 수 있습니다.

물론 모든 피면접자들이 이 정도로 철저하게 준비해서 면접에 나서지는 않을 겁니다. 하지만 짧은 시간 동안 이뤄지는 면접에서 '면접 기술'을 갖춘 피면접자를 꿰뚫어보는 것은 참 어려운 일입니다. 면접관이 변별력을 발휘하기가 쉽지 않은 것이죠.

면접을 많이 해본 사람도 크게 다르지 않습니다. 그래서 "좋은 사람을 뽑았다"며 만족했다가 입사 뒤 카멜레온처럼 표변하는 직원을 대하고 망연자실하는 경우가 왕왕 발생합니다. 실제 인성이나 태도, 업무 능력 면에서 면접 당시에 판단했던 것과 완전히 다른 모습을 보여주는 사람들이 생각보다 많습니다.

직원을 채용할 때 가장 중요한 절차가 면접이라는 점에는 이견이 없습니다. 회사의 주요 인사들이 직접 후보자와 대면해 이런저런 질문을 던지고 답변을 듣는 과정에서 능력과 인성을 평가할 수 있으니까요. 어떤 기업도 면접 절차 없이 사람을 뽑지는 않습니다.

그런데 문제는 면접이 사람을 정확하게 평가하는 데 근본적 한계가 있다는 점입니다. 면접관들은 자신도 모르게 후보자의 말솜씨나 외모에 치우쳐 객관적으로 평가하지 못할 가능성이 큽니다. 아무래도 말을 조리 있게 논리적으로 하는 사람, 잘생기고 깔끔한 외모의 소유자에게 후한 점수를 주게 됩니다. 면접은 후보자의 인성과 능력, 태도를 종합적으로 평가하는 절차인데, 인상에 이끌리다 보면 그릇된 판단을 내리기 쉽습니다. 그래서 기업들이 면접을 보완하는 수단으로 평판조회를 실시하는 것입니다. 특히 최근 경력사원 수시채용이 크게 늘면서 평판조회를 상당히 중요한 검증 방법으로 인식하는 흐름이 확대됐습니다.

인재 선발 방법이 진화하고 있다

◆◆
최고의 레퍼리는 이전 직장 상사

300여 개 기업을 대상으로 조사한 결과 약 80%의 기업이 경력사원을 채용할 때 평판조회가 필요하다고 인식하고 있는 것으로 나타났습니다. 또 평판조회를 실시하는 기업의 65% 정도가 평판조회 결과를 인용해 후보자를 불합격 처리한 적이 있었습니다. 서류심사와 면접에서 파악하지 못했던 후보자의 부정적 정보를 확인했기 때문이지요.

불합격 처리의 사유로는 '인성에 대한 평가가 좋지 않아서'가 70%에 달할 만큼 압도적으로 많았습니다. 또 '전 직장에서 업무 성과가 좋지 않아서', '조회 결과가 회사의 인재상과 맞지 않아서', '학력과 경력이 제출 내용과 달라서'도 주요 사유로 꼽혔습니다. 이런 결과는 서류 심사와 면접을 통한 후보자 평가가 부정확할 수 있다는 점을 잘 보여줍니다.

같은 조사에서 평판조회를 거쳐 입시한 직원들은 실제 입무 태도와 역량 면에서 평판조회 결과와 비슷한 모습을 보이는 것으로 나타났습니다. 응답 기업의 92%가 평판조회를 거친 직원들이 입사 뒤에도 평판조회 결과와 대체로 유사한 모습을 보였다고 답했습니다. 평판조회가 채용 후보자의 실체를 파악하는 데 매우 효과적인 수단이라는 사실을 확인해주는 결과입니다. 실제로 해당 조사에서 평판조회에 대한 만족도를 물었더니 90%에 가까운 기업들이 만족한다고 답했습니다.

평판조회는 채용 후보자의 인성, 대인관계, 업무 능력, 업무 성과, 학력과 경력 진위, 이직 사유 정보를 후보자의 주변인들로부터 수집하고 평가하는 활동입니다. 주로 후보자가 다녔던 회사의 상사나 동료, 선후배, 인사부서 관계자가 레퍼리Referee, 즉 조회처 역할을 합니다. 후보자와 함께 일해본 사람들의 의견이라 그의 과거 행적을 상대적으로 객관적 시각에서 판단할 수 있다는 장점이 있습니다.

조회처를 정할 때 가장 중요한 것은 평판조회 대상자에 대해 가급적 정확하고 객관적인 평가를 해줄 사람을 찾아야 한다는 점입니다. 이 점에서 후보자를 지휘했던 상사의 의견은 중요도가 매우 높습니다. 상사는 후보자에게 직접 업무를 지시하고 그 결과를 보고받았기 때문에, 이전 직장에서 후보자가 보인 업무 태도와 능력을 가장 정확하게 평가할 수 있습니다. 이에 반해 동료나 선후배들은 함께 일을 했더라도 다소 피상적 평가를 할 가능성이 큽니다.

평판조회를 실시할 때는 후보자의 동의를 받는 절차가 필요합니다. 아울러 후보자에게 자신의 평판조회 조회처를 지정하도록 요청합니다. 이런 경우 후보자들은 보통 자신과 친분이 있는 사람들을 포함하기 위해 애를 씁니다. 자기에게 유리한 의견을 낼 것이라는 생각 때문이지요. 실제로 조회처에게 연락해서 "나에 대한 평판조회 전화가 갈 건데, 잘 좀 이야기해줘요"라고 부탁하는 경우도 적지 않습니다. 이렇게 되면 후보자에 대한 객관적이고 정확한 의견을 듣기가 어려워집니다.

이 때문에 헤드헌팅 회사는 평판조회를 할 때 '블라인드 체크'를 병행합니다. 후보자가 지정하지 않은 사람 가운데 후보자를 잘 아는 사람을 찾아 평판조회를 하는 것이죠. 물론 이 경우에도 후보자의 동의를 받아야 합니다. 후보자가 동의하지 않은 상태에서 평판조회를 하면 일종의 뒷조사가 되기 때문에 법적으로 문제가 될 수 있습니다. 그러나 후보자를 객관적으로 검증할 수 있는 핵심 정보는 대개 비지정 조회처로부터 나오는 경우가 많습니다. 따라서 평판조회의 정확도를 높이려면 비지정 조회처를 늘리는 것이 좋습니다. 문제는 이 비지정 조회처를 찾고 그들로부터 후보자에 대한 의견을 듣기가 쉽지 않다는 것입니다. 최근에는 평판조회를 전문으로 하는 회사도 생겼는데, 비지정 조회처를 얼마나 빠르고 정확하게 찾아내느냐를 보면 평판조회 회사의 수준을 가늠할 수 있습니다.

◆ ◆

오해와 왜곡 피하려면 전문 회사에 맡겨라

자체적으로 평판조회를 실시하는 경우도 있습니다. 하지만 회사 내부 구성원들이 평판조회를 하는 것은 한계가 있습니다. 무엇보다 평판조회 전문가들이 아니기 때문이지요. 아마추어들이 평판조회를 제대로 하기란 쉽지 않습니다.

따라서 중요한 직책에 누군가를 채용해야 한다면 되도록 외부 전문가에게 평판조회를 의뢰하는 것이 바람직합니다. 평판조회 전문가들은 경험이 풍부하기 때문에 조회처가 사용하는 말투나 어휘, 어조에서 진실을 말하는지 거짓을 말하는지를 짐작할 수 있습니다. 그 정도로 경험이 풍부하다는 뜻이지요. 현재 평판조회 서비스를 전문적으로 제공하는 회사들이 여럿 있기 때문에 외부 전문가를 구하는 것은 그리 어렵지 않습니다.

어려운 것은 어느 곳이 평판조회 경험이 풍부하고 신뢰도가 높은지를 판단하는 겁니다. 비용이 적게 든다고 아무 곳에나 의뢰하면 정작 필요한 정보를 얻지 못할 수도 있습니다. 최악의 경우 평판조회를 하지 않는 것만도 못한 결과를 손에 쥘 수도 있습니다. 정보라는 것은 사람을 거칠 때마다 와전되거나 왜곡될 가능성이 상존합니다. 평판조회도 사람의 신상정보를 다루는 일이기 때문에 마찬가지입니다.

요컨대 평판조회를 잘못하면 멀쩡한 사람을 망가뜨릴 수도 있고, 또는 문제아를 괜찮은 사람으로 오해하게 만들 수도 있습니다. 경우에 따라서 채용 후보자에 대한 평판조회를 의뢰한 기업에게 큰 타격을 입힐 수도 있는 것이지요. 그만큼 평판조회는 상당히 예민한 업무여서 꼼꼼하고 치밀하게 접근해야 합니다.

우리 회사에는 평판조회만 전문으로 하는 조직이 있습니다. 현재 10여 명의 전문 컨설턴트들이 기업들의 요청을 받아 평판조회 서비스를 제공하는 팀입니다. 이 전문 컨설턴트들은 체계적인 교육을 받은 데다 경험도 많아, 우리 회사에서 제공하는 평판조회 보고서는 기업들로부터 상당한 신뢰를 받고 있습니다.

경력자 채용이 일반화한 요즘 평판조회는 후보자 평가에 매우 중요한 수단이 되었습니다. 서류 심사와 면접만으로 사람을 정확하게 평가하는 것은 본질적으로 한계가 있기 때문입니다. 잘못된 평가를 기반으로 사람을 뽑으면 조직에 상당한 폐해를 끼칠 수 있습니다. 특히 중요한 후보자일수록 조직에 미치는 부작용과 악영향은 더욱 커집니다. 따라서 중요한 직책에 사람을 채용할 때에는 반드시 평판조회를 실시할 필요가 있습니다. 아울러 정확하고 면밀한 검증을 원한다면 외부의 평판조회 전문가들에게 의뢰하는 것이 바람직합니다.

Q

회사에 소속되지 않고
비상임으로 자문하겠다고 합니다.

#프리에이전트 #긱이코노미 #해결사 #온디맨드자문서비스 #전문가매칭

의료기기 회사의 대표입니다. 전략 담당 임원의 퇴사로 고심하던 중에 대기업에서 오랫동안 근무하다 퇴직한 사람을 알게 됐습니다. 애초 채용을 염두에 둔 것은 아니었지만, 몇 차례 만나다 보니 퇴사한 임원의 자리를 채우고도 남겠다는 판단이 서 조심스레 입사 의향을 물었습니다. 그는 "이제 더 이상 한 곳에 매이고 싶지 않다"면서 "만약 회사가 필요하다면 프로젝트별로 참여하거나 자문에 응하는 방식으로 돕겠다"고 합니다.

그동안 개별 사안에 관해 외부 전문가의 컨설팅을 받은 경험은 많지만, 일의 성패는 내부 구성원의 책임감과 소속감이 좌우한다고 믿고 있습니다. 그래서 이분에게도 외부에 있는 관찰자로 조언하기보다 내부의 실행자로 참여해달라고 요청했던 겁니다. 그러나 상근 임원으로 회사에 합류하는 것을 너무 부담스러워해서 더 이상 같은 제안을 하기가 어려워 보입니다. 외부 인사가 자문하는 것이 회사나 사업에 얼마나 도움이 될까요? 그동안 만족할 만한 결과를 낸 적이 없는 터라 판단이 잘 서지 않습니다.

"선수는 소속감이 아니라
전문성으로 일합니다."

회사를 경영하다 보면 종종 어려운 문제에 부닥치게 됩니다. 대부분의 경우 회사 구성원들을 통해 문제해결을 시도하겠지만, 어떤 문제는 내부 인력의 지식이나 경험만으로 풀기 어려울 때도 적지 않습니다. 이런 때에 경영자는 외부의 누군가에게 조언을 구합니다.

질문하신 분도 외부 전문가의 컨설팅을 종종 받아왔지만 만족스러운 결과를 얻은 적이 많지 않았던 것 같군요. 물론 내부 구성원과 외부 전문가는 회사를 대하는 마음이나 애정, 책임감의 정도에서 차이가 있을 겁니다. 그래서 대부분 경영자들이 좋은 인재라면 일단 회사에 들여놓고 싶어 합니다. 우리 식구가 되어야 소속감과 책임감 때문에 일을 더 열심히 한다고 생각하는 거지요.

하지만 새롭고 어려운 문제에 봉착할 때마다 '해결사'를 채용한다면 어떻게 될까요? 인건비 부담이 감당하기 어려울 만큼 늘어나게 될 것입니다. 게다가 문제가 해결된 뒤 해당 인력을 어떻게 활용하느냐

하는 것이 또 다른 현안이 될 수 있습니다. 요컨대 인력 운용의 유연성에 문제가 발생할 수 있다는 뜻입니다.

회사의 성장과 발전에 반드시 필요한 핵심인재들은 직접 고용해야 합니다. 또 인사나 재무 등 경영활동의 근간을 이루는 인력도 당연히 정규직 형태로 운영해야겠지요. 하지만 일상적이고 장기적인 업무가 아닌 경우에는 외부의 전문가를 활용하는 것이 경영 효율성 측면에서 좋은 방안이 될 수 있습니다. 특히 지식정보사회가 도래한 이후 일하는 방식이 크게 변화하면서 특정한 회사나 조직에 소속되지 않고 독립적으로 활동하는 전문가 계층이 광범위하게 형성되고 있습니다. 회사에 일시적·단기적으로 처리해야 하는 일이 생겼다면 그런 일에 능통한 외부 전문가들에게 업무를 의뢰할 수 있게 됐다는 겁니다.

◆ ◆

전문가 자문 서비스의 이용 만족도가 높은 이유

미국의 작가이자 미래학자인 대니얼 핑크Daniel Pink는 『프리에이전트의 시대Free Agent Nation』라는 저서를 통해 '원하는 시간에, 원하는 장소에서, 원하는 만큼, 원하는 조건으로, 원하는 사람을 위해 자유롭게 일하는' 프리에이전트가 21세기 노동방식의 주류가 될 것이라고 예견했습니다. 프리에이전트는 전문적 지식과 기술을 바탕으로 조직에 얽매이지 않고 자유롭게 일하는 개인을 지칭합니다. 1인 사업자, 독립 노동자, 프리랜서가 프리에이전트의 범주에 들어갑니다.

또 다른 미래학자인 토머스 프레이[Thomas Frey]는 2015년 한 강연에서 "향후 15년 안에 20억 개의 일자리가 사라지고, 5년 안에 전체 근로자 중 40%가 프리랜서, 시간제 근로자, 1인 기업 등 기존 근로 시스템과 다른 형태로 일하게 될 것"이라고 전망했습니다.

이들이 예측한 미래는 이미 현실이 되고 있습니다. 그동안 프리에이전트나 프리랜서로 활동할 수 있는 분야는 제한적이었지만, 이제 그 범위가 빠르게 확대되고 있습니다.

기업들이 필요에 따라 계약직이나 임시직으로 사람을 고용하는 방식을 뜻하는 이른바 '긱 이코노미[Gig Economy]'의 성장에서도 그런 추세를 읽을 수 있습니다. 「하버드비즈니스리뷰[HBR]」는 2023년까지 세계 긱 이코노미 시장이 4,550억 달러 규모까지 커질 것이라고 전망했습니다. 또 보스턴컨설팅그룹 코리아는 2022년 발표한 보고서에서 국내 긱 이코노미 규모가 향후 5년간 연평균 약 35% 성장할 것으로 예측했습니다. 엄청나게 가파른 성장세입니다. 이런 추세에서 기업들은 프리랜서들을 적극적으로 활용할 필요가 있습니다.

프리랜서 전문가들을 기업과 연결해주는 매칭 서비스 시장도 함께 커지고 있습니다. 외국에서 이미 톱탈[Toptal], 카탈런트[Catalent], 업워크[Upwork], 이노센티브[InnoCentive] 등이 전문성을 갖춘 프리랜서와 기업을 매칭시켜주는 온라인 플랫폼으로 각광 받고 있습니다. 기업들은 이들 온라인 플랫폼을 이용해 일시적이고 단기적으로 활용할 수 있는 전문가 그룹에 손쉽게 접근할 수 있게 됐습니다.

국내에서도 프리랜서 전문가들을 활용할 수 있는 플랫폼들이 속속 등장하고 있습니다. 우리 회사에서도 온디맨드 전문가 자문 서비스를 제공하는 플랫폼인 '디앤서^{The Answer}'를 운영하고 있습니다. 디앤서는 전략기획, 시장조사, 조직설계, 브랜드 전략, 마케팅 전략, 디지털, 영업 등 다양한 분야의 전문가를 엄선해 기업과 연결해주는 서비스를 제공합니다.

◆ ◆

온디맨드 활용은 경쟁력의 한 요소

온디맨드 자문 서비스는 기업들과 프리랜서 전문가들이 서로 '윈윈' 할 수 있는 협력 모델입니다. 한마디로 '누이 좋고 매부 좋은' 일이죠. 기업은 몸값이 비싼 전문가들을 직접 고용하지 않고 필요한 기간만큼만 활용할 수 있기 때문에 비용 부담을 크게 줄일 수 있습니다. 전문가들은 조직에 얽매이지 않고 본인이 원하는 만큼만 일할 수 있기 때문에 자유로운 라이프스타일을 유지하면서 소득을 창출할 수 있습니다.

프리랜서 자문 서비스 시장은 빠르게 커질 것으로 예상됩니다. 무엇보다 기업을 둘러싼 시장 상황과 경영환경이 급변하고 있기 때문입니다. 상황 변화에 따라 새롭고 어려운 일이 계속 발생할 수밖에 없는데, 그때마다 인력을 채용하기는 어려운 노릇입니다. 이런 경우 고민할 필요 없이 프리랜서 전문가에게 자문하면 손쉽게 해결책을 얻을 수 있습니다.

하버드경영대학원과 보스턴컨설팅그룹이 공동조사한 결과 미국

인재 선발 방법이 진화하고 있다

경제매체 「포춘Fortune」이 선정하는 500대 기업 대부분이 온디맨드 자문 서비스를 이용해 전문가를 확보하고 있었습니다. 또 온디맨드 자문 서비스를 이용하는 700개 기업의 경영진에게 물었더니 응답자의 90%가 온디맨드 자문 플랫폼 활용이 향후 기업의 핵심 경쟁력 가운데 하나가 될 것이라고 답변했습니다.

우수한 인재가 많은 기업은 시장에서 성공할 가능성도 높습니다. 하지만 회사에 필요한 업무가 생길 때마다 인력을 직접 채용하는 것은 현실적으로 어려운 일입니다. 다행히 시장에는 경험이 풍부하고 전문성이 높은 프리랜서 전문가들이 꽤 많습니다. 그들을 활용할 수 있는 효율적 방법도 존재합니다. 회사의 경쟁력을 강화하기 위해 프리랜서 자문을 적극적으로 활용해보시기 바랍니다.

Q

퇴사한 직원을
다시 받아들여도 될까요?

#포용적태도 #감정적대응 #메시지관리 #재입사자연봉책정

온라인 쇼핑몰을 운영하는 회사의 사업본부를 책임지고 있습니다. 1년 전 퇴사했던 영업팀 차장이 같이 일하던 동료를 통해 재입사하고 싶다는 뜻을 전해왔습니다. 이를 받아들여야 할지 고민입니다.

재직했을 때 성과를 잘 냈고 동료들과도 잘 어울렸던 사람이어서 다시 받을 수도 있다고 생각합니다. 그런데 재입사를 허용할 경우 기존 구성원들에게 잘못된 신호를 보내게 되는 것은 아닐지 걱정이 됩니다. 이를테면 우리 회사는 떠났다가 언제든지 돌아올 수 있는 곳이라는 인식을 심어주는 것은 아닐까요? 사업본부를 총괄하고 있기 때문에 힘들고 어려운 상황을 견디며 열심히 일하고 있는 직원들을 의식하지 않을 수가 없습니다. 그렇다고 성과와 역량이 검증된 데다 기업 문화를 잘 알고 있고 업무에 곧바로 투입할 수 있는 직원을 받지 않는 것도 합리적인 결정 같아 보이지는 않습니다. 복귀를 허용해야 할까요? 재입사를 원하는 퇴사자들을 어떤 관점에서 접근하고, 어떤 기준으로 판단해야 할까요?

"감정은 배제하고
실용적 기준으로 판단하세요."

회사를 떠났던 사람이 다시 입사하는 경우는 직장생활에서 종종 일어납니다. 이런 퇴사자의 재입사는 대체로 회사와 직원의 필요가 서로 맞아떨어지기 때문에 이뤄집니다. 가령 회사가 어떤 자리에 인력이 필요한 상황인데, 때마침 그 자리를 충분히 채울 수 있는 퇴사자가 재입사를 원하는 경우입니다.

그런데 기업들마다 인사제도나 정책이 다르듯 퇴사자의 재입사를 바라보는 관점도 모두 다릅니다. 어떤 기업은 회사를 떠났던 사람에 대해 관대하고 포용적인 태도로 재입사를 허용하지만, 또 어떤 기업은 퇴사한 사람의 재입사를 절대 허용하지 않기도 합니다.

이 문제는 옳고 그름을 따질 수 있는 것도 아니고 정답이 있는 것도 아닙니다. 회사의 인사정책이나 조직 문화에 관한 문제이기 때문입니다. 다만 퇴사자의 재입사를 허용하지 않는 기업의 경우 혹시 감정적 이유가 작용하는지를 따져볼 필요가 있습니다. 예를 들어 '회사가 자존심도 없나, 한번 떠난 사람을 어떻게 받아'라거나 '우리를 버리고 떠난 배신자를 왜 다시 받아야 해'라는 식의 거부감이 개입될 수도 있으니까요.

정서적 문제가 아니고 오롯이 인사정책이나 조직 문화와 관련된 것이라면 퇴사자의 재입사는 충분히 검토할 만한 가치가 있습니다. 실용적 관점에서 볼 때 긍정적인 면이 많으니까요. 어차피 경력자들을 채용해야 한다면 굳이 회사를 떠났다는 이유로 채용 대상에서 제외할 필요는 없다고 봅니다. 누구든 회사에 도움이 되는 사람이라면 채용에서 우선순위를 부여하는 게 맞지 않을까요? 인성이나 실력이 좋고 동료들과 관계도 원만했던 '에이스'가 복귀한다면 오히려 환영해야 하지 않을까요?

◆ ◆

재입사 채용을 통해 조직에 어떤 메시지를 줄 것인가

퇴사자의 재입사는 여러 가지 장점을 갖고 있습니다. 첫째, 기업 문화를 잘 알고 있기 때문에 조직에 적응하기가 훨씬 수월합니다. 둘째, 능력과 성과가 이미 검증됐기 때문에 다른 경력자에 비해 채용 오류가 훨씬 적습니다. 셋째, 회사 구성원들에게 조직에 대한 자부심을 일깨우는 부수적 효과를 누릴 수 있습니다. 직원들이 '나가봐도 별것이 없나 보네, 우리 회사가 얼마나 좋으면 다시 돌아오겠어'라고 생각할 수도 있지 않을까요?

인재 선발 방법이 진화하고 있다

물론 '우리 회사는 나갔다가 얼마든지 다시 돌아올 수 있는 회사'라는 부정적 시각이 만들어질 수도 있습니다. 따라서 퇴사자의 재입사는 가려서 할 필요가 있습니다. 재직하는 동안 조직에 부정적 이미지를 심었거나 불화를 일으키고 해를 끼친 사람은 재입사 허용에 신중을 기해야 합니다. 그런 사람의 재입사 요청을 받아준다면 직원들의 사기를 떨어뜨리고 반발을 초래할 수 있습니다.

우리 회사에서도 퇴사했던 사람들을 여럿 다시 뽑았는데, 퇴사자의 재입사 요청을 받을 때마다 재입사가 직원들에게 어떤 메시지를 주게 될지에 관해 사전검토를 했습니다. 회사의 모든 행위는 어떤 시그널을 담고 있습니다. 특히 인사는 더욱 그렇습니다. 따라서 직원의 재입사 허용에 어떤 메시지가 담기게 될지 검토해서 꼼꼼하게 '메시지 관리'를 해야 합니다.

어떤 경우에는 직원들에게 '지금 이만한 사람을 다른 곳에서 구할 수 없다'라는 메시지를 전달할 수 있고, '이 사람은 불가피한 사정으로 퇴사했기 때문에 다시 함께 일할 수 있다'라는 메시지를 내보낼 수도 있습니다. 또 '우리 회사는 다른 조건 안 따지고 우수한 인재라면 무조건 뽑는다'라거나, '나갔던 사람이 다시 돌아올 만큼 회사의 위상이 높아졌다'라는 메시지를 전파할 수도 있지요.

퇴사자의 재입사와 관련해서 연봉 문제가 제기될 수 있습니다. 퇴사자가 회사를 떠나 옮겨 갔던 직장에서 더 많은 연봉을 받았다면 재입사할 때 연봉 기준을 어떻게 정할 것이냐가 문제가 될 수 있다는 이야깁니다. 만약 그가 비슷한 경력의 동료들보다 많은 연봉을 받기로 하고 복귀한다면 다른 직원들의 불만이 터져 나올 수 있습니다.

저는 이런 경우 회사의 기존 원칙과 체계에 따라 연봉을 결정하는 것이 타당하다고 봅니다. 재입사자가 직전 직장에서 받았던 연봉과 관계없이 회사에 대한 기여도와 시장에서 평가되는 가치에 따라 회사가 정한 기준으로 보상해야 한다는 뜻입니다. 그렇지 않으면 조직에 분란과 잡음이 생길 수도 있습니다.

퇴사자의 재입사 문제는 기본적으로 회사의 철학과 가치, 인재상을 기준으로 판단할 필요가 있습니다. 아울러 회사의 전반적인 인력 운용 상황도 함께 고려해야겠지요. 다만 기본적으로는 부정적 여파를 일으킬 소지가 없다면 퇴사자의 재입사를 허용하는 것이 바람직하다고 생각합니다. 무엇보다 인재에 관해서 실용적 관점을 가질 필요가 있습니다.

역사를 되돌아보면 뛰어난 리더들은 적이나 원수조차도 능력과 됨됨이를 갖췄다면 흔쾌히 등용했습니다. 신하의 허물을 덮어주고 능력을 발휘할 수 있도록 관용을 베푼 군주들도 많습니다. 그들은 천하를 경영하는 데 가장 중요한 자원이 인재라는 것을 알고 있었던 것이지요. 그리고 복귀한 사람들은 대체로 국가와 사회에 크게 기여했습니다.

조직을 이끌어가는 리더라면 과거의 묵은 감정에 얽매이지 않고 인재를 두루 중용할 수 있는 아량을 갖출 필요가 있습니다. 하물며 한때 동고동락했던 동료이자 자질과 능력을 갖춘 인재라면 굳이 채용하지 않을 이유가 없습니다. 그들에게 기회를 준다면 보답하기 위해서라도 최선을 다해 일할 겁니다.

Q

직원을 빨리
뽑아달라고들 야단입니다.

직원 200명 정도의 식품 회사를 경영하고 있습니다. 지난 몇 년 사이 몰아친 퇴사 광풍은 경영자로서 저를 돌아보는 계기가 됐습니다. 분기별로 한두 명에 그쳤던 퇴사자가 줄을 잇자 솔직히 혼란스러웠습니다. 특히 회사의 핵심 전력이라 할 팀장들로까지 퇴사 열풍이 번지면서 혼란은 고통으로 변했습니다. 자연스럽게 외부 영업에 주력하던 시간을 내부 문제 파악으로 돌렸습니다.

고민 끝에 내린 해결책은 '빠져나간 자리는 더 좋은 사람으로 채운다'는 것이었습니다. 인사팀에 채용 담당자를 뽑아서 사람 찾기에 몰두했습니다. 올라온 경력기술서를 놓고 우리 회사에 적합한지를 꼼꼼히 살폈습니다. 시간이 걸리고 비용이 들어가더라도 철저하게 검증하겠다고 다짐했습니다. 그러나 일손이 비어 업무가 안 돌아가는 마당에 웬만하면 뽑자는 간부들의 성화가 빗발치고 있습니다. 결국 오래 자리가 비어 있는 상품기획팀 팀장을 급하게 충원했는데, 잘한 일인가 싶습니다. 이렇게 하면 좋은 인재를 구하기 어렵다는 생각이 떠나질 않습니다. 어떻게 해야 우수한 인재, 우리 회사에 필요한 인재를 빨리 뽑을 수 있을까요?

"적임자를 뽑으려면
기다리고 또 기다려야 합니다."

경영학의 아버지로 불리는 피터 드러커^{Peter Ferdinand Drucker}는 기업의 인력 채용과 관련해 이런 말을 남겼습니다.

> "직원을 채용하는 데 5분밖에 쓰지 않는다면 그 직원의 잘못을 고치
> 는 데는 5,000시간을 쓰게 될 것이다."

인력 채용이 얼마나 중요한 일인지를 함축적으로 나타낸 말입니다. 사람을 대충 보고 뽑다가는 한마디로 '큰코다치는' 일을 겪게 된다는 겁니다. 실제 채용에 많은 시간과 노력을 기울일수록 그만큼 좋은 인재를 뽑을 확률이 높아진다는 것은 주변에서도 쉽게 확인할 수 있습니다. 특히 고용 유연성이 약한 환경에 있는 우리나라 기업들은 사람을 잘못 뽑고 나서 곤란을 겪는 경우가 허다합니다.

직원의 퇴사로 조직에 빈자리가 생기면 관리자들은 마음이 급해

인재 선발 방법이 진화하고 있다

집니다. 얼른 충원을 해야 업무가 정상적으로 돌아갈 수 있기 때문이지요. 그래서 최대한 빨리 사람을 구하려고 합니다. 저 역시 그 심정을 충분히 이해합니다.

하지만 서두르는 것이 능사가 아닙니다. 사람을 채용할 때는 더더욱 그렇습니다. 회사에 꼭 필요한 인재, 직무에 알맞은 적임자를 뽑으려면 조급한 마음을 다스려야 합니다. 시간이 걸리더라도 여러 사람을 비교·평가해봐야 하며, 한 사람에 대해서도 다각도로 살펴봐야 합니다. '열 길 물속은 알아도 한 길 사람 속은 모른다'는 속담처럼, 사람을 헤아리기란 참으로 어렵습니다. 사람 한 명 한 명이 하나의 작은 우주인데, 우리가 어떻게 단박에 파악할 수 있겠습니까? 사람을 안다는 것은 그만큼 복잡하고 어려운 일입니다. 저도 직업상 사람을 많이 만나왔지만 처음 누군가를 봤을 때 들었던 생각이 나중에 틀린 것으로 결론이 났던 경우가 종종 있습니다. 짧은 기간에 사람을 제대로 평가하는 것은 정말 어려운 일입니다.

◆◆

인내심이 있어야 인재를 얻는다

기업에서 인재를 찾아 적임자를 뽑을 때 가장 필요한 덕목으로 저는 인내심을 꼽습니다. 오래 기다려야 하고, 오래 지켜봐야 합니다. 많은 직원을 공개채용 방식으로 선발하는 시절이 아닌 지금은 더욱 그렇습니다. 서류전형과 시험, 그리고 한 차례의 면접이 선발 절차의 전부이던 시절, 속도전은 당시 기업에게 불가피한 선택이었습니다. 대규모 인원을 한 명 한 명 차근차근 살피기에는 절대적인 시간이 부족했고, 여건도 이를 허락하지 않았습니다.

그러나 지금은 물량 공세로 사업을 진행하는 시대가 아닙니다. 동일한 업무를 여럿에게 동시에 맡기고 그 가운데 누군가 발군의 결과를 낼 것으로 기대하면서 기다릴 시간이 없습니다. 치열한 경쟁의 한복판에서 인재의 중요성은 이전과 비길 수 없을 정도로 커졌습니다. 이런 상황에서 직원을 옛날 방식으로 뽑을 수 있을까요?

인내력을 가지고 인재를 본다는 것은 시간을 두고 지켜본다는 뜻도 있지만 면접 절차를 여러 단계에 걸쳐서 꼼꼼하게 진행한다는 뜻이기도 합니다. 저는 주변 경영자들에게 짧은 면접만으로 즉흥적 의사결정을 하는 것은 절대 피하라고 권합니다. 한 명의 단독 후보자만을 놓고 판단하는 것도 역시 마찬가지입니다. 후보자에 대한 판단이 잘 서지 않는다면 신뢰할 만한 주변 사람한테 평가를 부탁하는 것도 괜찮은 방법입니다.

언젠가 글로벌 화학회사의 의뢰를 받아 부사장급 후보자를 추천한 적이 있습니다. 그런데 후보자 면접 과정에만 무려 반년 넘는 시간을 투자하더군요. 국내법인의 인사 담당 임원과 사장 면접을 차례로 거친 후 아시아태평양 인사 담당 임원과 책임자 면접을 봅니다. 그런 뒤다시 본사 인사 담당 임원과 최고경영자 면접을 거칩니다. 이 과정에서서로 일정을 조율하고 면접을 보는 데 반년이 훨씬 넘게 소요됐습니다. 결국 이 후보자는 긴 일정에 지쳐서 중간에 포기해버렸습니다. 그만큼

인재 선발 방법이 진화하고 있다

이 회사는 채용 과정에서 후보자 검증에 엄청난 관심을 기울였습니다. 만약 정상적인 채용 절차를 다 거쳤다면 입사하기까지 1년 정도 걸렸을 것입니다.

제가 운영하는 회사 역시 채용을 위해 거쳐야 하는 단계가 많은 편입니다. 후보자는 서류 심사를 통과하면 채용 담당자의 프리 미팅을 거쳐 실무 책임자 면접, 임원 면접, 그리고 회장 면접까지 5단계를 통과해야 합니다. 여기에 평판조회가 덧붙여지니 사실상 6단계라고 할 수 있지요. 이렇게 많은 단계와 검증 과정을 거치는데도 부적합한 후보자를 채용하는 경우가 없지 않습니다. 다만 면접 과정을 오래 진행해보니 확실히 이전과 비교해 부적합자 채용이 크게 줄었습니다.

촘촘한 면접 단계가 가질 수 있는 최대 이점은 바로 다양한 시각으로 후보자를 살필 수 있다는 점입니다. 사람은 누구나 자기 관점과 성향이 있기에 타인을 평가할 때 특정 부분을 중점적으로 살핍니다. 예를 들어 한 면접관은 말투와 논리성을, 다른 면접관은 성장환경과 학력·경력을, 또 다른 면접관은 이직 과정과 지원 동기를 유심히 확인합니다. 이렇게 면접 과정에 다양한 사람이 참여해 각자의 시각으로 살피고 이를 종합하면 후보자 평가에 상당한 도움이 됩니다.

◆ ◆

확신이 없으면 채용하지 말라

이처럼 좋은 인재를 뽑으려면 검증 방법과 절차를 치밀하고 꼼꼼하게 설계할 필요가 있습니다. 한 사람을 두고 다양한 각도에서 살피는 것과 그의 드러난 모습만 살피는 것의 차이점은 시간이 지나면 반드시 드러납니다. 그것이 새로운 직원의 채용이든, 내부 직원의 승진이든 결과는 마찬가지입니다. 특히 채용은 현재의 조직에서 한 번도 경험한 적 없는, 이력서와 경력기술서상에만 존재하는 사람을 뽑는 일입니다. 기재된 내용의 사실 여부를 확인하는 과정과 면접을 통해 그가 어떤 성격과 능력의 소유자인지 밝혀야 합니다. 난이도가 높은 일입니다.

미국 항공사인 사우스웨스트항공은 직원 채용 때 전화면접과 집단면접에 이어 세 차례의 현업 담당자 면접까지 총 다섯 단계의 면접 절차를 두고 있다고 합니다. 특히 면접관 전원이 합의해야 직원을 뽑을 수 있습니다. 매우 엄격한 면접 절차를 거치는 것이지요. 외국에서는 기업들이 경력사원 채용을 하는 풍토가 정착돼 있기 때문에 채용에 매우 긴 시간과 많은 비용을 들이는 걸 당연하게 여깁니다.

면접 단계와 기간이 길어지면 후보자의 행동과 반응, 태도를 자세히 관찰할 수 있습니다. 특히 회사에 대한 후보자의 애정과 충성도, 입사하려는 이유와 동기를 확인할 수 있어 여러모로 의미가 있습니다. 이 과정에서 회사에 대한 애정이 크지 않은 사람들은 떨어져나가기도 합니다. '얼마나 대단한 회사라고 이렇게 사람을 자주 오라 가라 하나' 하는 마음에 자존심이 상하거나 지쳐서 중간에 포기해버리는 경우가 생깁니다. 어떤 후보자는 동시에 다른 회사에도 지원한 경우도 있습니다. 따라서 길고 복잡한 채용 절차는 '양다리를 걸친' 사람을 걸러내는 장치로 작동하기도 합니다.

'오래 지켜본다'는 것은 말 그대로 긴 시간 동안 후보자를 관찰한다는 뜻입니다. 면접을 꼼꼼하고 철저하게 하더라도 걸러내지 못하는 부분이 있을 수 있습니다. 하지만 사람을 오래 지켜보면 그의 행적을 통해 진면목을 파악하기가 한결 쉬워집니다.

글로벌 기업들은 대개 주요 직책의 경우 후임을 맡을 수 있는 세 명의 후보자가 지정돼 있습니다. 이들 후보자는 현재 직책을 맡고 있는 사람이 인사 담당자와 협의해 결정합니다. 당사자들은 모르고 있지만 인사 담당자는 평소에 후보로 지정된 세 명을 지켜보면서 평가합니다. 따라서 직책을 맡고 있는 사람이 어떤 이유로 자리를 떠나더라도 즉각적으로 최적의 후임자를 배치할 수 있습니다.

기업이 평소에 이렇게 각 직무와 직위별로 후보자 풀을 관리한다면 채용이나 발탁 때 효율적으로 대응할 수 있습니다. 특히 중요한 직책과 직위일수록 후보자 관리 시스템이 더욱 필요합니다. 경영자와 관리자는 평상시에 잠재 후보자들을 만나고 지켜보면서 향후 발생할 수 있는 인사 수요에 대비해야 합니다. 그래야 나중에 의사결정을 그르치지 않고 적임자를 채용할 수 있습니다.

물론 경영환경이 수시로 변하고 직원들의 이직이 잦은 상황에서 사람을 채용하는 데 많은 시간과 노력을 기울이는 것은 쉽지 않은 일임에는 틀림없습니다. "회사 상황에 여유가 있어야 사람을 뽑을 때도 여유롭게 할 수 있는 것이 아니냐"고 반문하는 사람도 있을 겁니다. 하지만 급하게 진행된 충원일수록 실패 가능성이 커집니다. 중요한 포지션일수록 사람을 절대 급하게 뽑아서는 안 됩니다. 그래서 후보자를 오래 지켜보라는 이야기를 되풀이해서 강조하는 것입니다.

회사에 필요한 인재와 적임자를 뽑으려면 확신이 들 때까지 신중한 태도로 사람을 찾고 기다려야 합니다. 인재를 얻으려면 회사의 역량을 채용 단계에 최대한 투입하는 것이 옳습니다. 채용한 뒤에 잘못 뽑았다고 후회해도 소용이 없으니까요. 교육과 훈련으로 사람을 바꾸는 것은 너무 어렵고 비효율적인 일입니다. 그런 점에서 앞서 언급한 피터 드러커의 말을 곱씹어봐야 합니다.

Chapter 5

우리 회사에 인재가
남지 않는 이유

Q

외부 인력만으로 새 사업을 시작해도 괜찮을까요?

#사모펀드 #CEO 교체 #구조조정전문가 #인재풀확대 #서치펌 #선승구전

중견기업의 경영기획 임원입니다. 대표로부터 사모펀드 사업을 적극 검토해 보라는 지시를 받았습니다. 우리 회사는 오랫동안 여러 분야를 대상으로 신규 사업 가능성을 검토해왔습니다. 그런데 최근 대표의 지인이 돕겠다며 사모펀드 사업 진출을 적극 권유함에 따라 본격적으로 사업 가능성을 타진하게 된 겁니다.

대표의 지인은 바이아웃 펀드 회사에 몸담은 지 10년이 넘었고, 그동안 인수한 회사를 잘 키워서 성공적으로 매각한 경험도 꽤 갖고 있습니다. 또 네트워크가 탄탄해 투자 전문 인력도 확보할 수 있다고 합니다. 그러나 이런 경험과 지식은 기본적으로 그의 것이지 우리 회사의 것이 아닙니다. 우리 회사는 사업을 검토하기는 했지만, 실질적인 경험이 전무하고 내부에 전문인력도 없습니다. 저희가 이 상태로 사모펀드 사업을 추진할 수 있을까요? 사모펀드 사업에서 성공하기 위해 가장 필요한 조건이 있다면 어떤 걸까요?

"성공하기 위해 반드시 갖춰야 할 것은
돈이 아니라 사람입니다."

국내 사모펀드 시장이 상당한 규모로 성장하고 있습니다. 특히 기업을 인수해 가치를 높인 뒤 되팔아서 고수익을 올리는 바이아웃 펀드buy-out fund의 움직임이 활발합니다. 자본시장에서 활약하는 전문가들도 사모펀드에 많은 관심을 기울이고 있습니다.

바이아웃 펀드는 기업을 인수해서 짧으면 2~3년, 길면 5~6년 안에 기업가치를 극대화한 뒤 재매각해 수익을 올리는 전략을 구사합니다. 바이아웃 펀드가 인수한 기업의 가치를 단기간에 끌어올리기 위해 최우선적으로 하는 일은 유능한 경영진을 확보하는 겁니다. 바이아웃 펀드는 기업을 인수하면 일단 경영진의 양대 축이라고 할 수 있는 CEO와 CFO를 대부분 교체합니다. 당연히 '최고 중에서도 최고'로 꼽힐 만한 전문가를 새로운 경영진에 앉히려고 합니다.

기업의 가치는 매출, 영업이익 같은 실적으로 결정됩니다. 주식시장에서 주가가 높은 기업들은 대부분 실적과 시장점유율 면에서 동

우리 회사에 인재가 남지 않는 이유

종업계의 경쟁사들보다 우수합니다. 이런 실적을 만들어내는 가장 큰 원동력은 최고경영자를 비롯한 경영진의 능력입니다.

물론 기업가치를 높이기 위해 여러 가지 방법을 활용할 수 있습니다. 대규모 설비투자나 첨단기술 개발도 기업가치에 상당한 영향을 미칩니다. 하지만 바이아웃 펀드는 투자 확대보다 구조조정을 통해 빠른 시간 내에 기업가치를 키우는 전략을 선호하기 때문에 이 일을 해낼 수 있는 경영진의 능력이 가장 중요합니다.

바이아웃 펀드는 인수 대상 기업을 물색하는 단계부터 나중에 경영진으로 영입할 인물들을 염두에 둡니다. 기업 인수에 성공한다고 하더라도 기업가치 제고를 보장할 수 있는 경영자를 확보하지 못하면 차질이 빚어지기 때문입니다. 단기간에 조직과 사업의 구조조정을 실시하고 수익성을 강화해 기업가치를 제고하는 일은 아무나 잘하기 어렵습니다. 바이아웃 펀드가 해당 분야에서 풍부한 실전 경험을 가진 탁월한 구조조정 전문가를 찾고 또 찾는 이유입니다.

◆ ◆

사모펀드 성공의 비결은 돈보다 사람

문제는 이 같은 전문가들이 부족하다는 겁니다. 압축성장 전략을 펼칠 수 있는 프로페셔널한 경영자는 그리 많지 않습니다. 회사의 상황을 빠르게 점검하고 기존 임직원들을 평가해 조직 구조와 사업구조를 재편할 수 있는 CEO와 CFO, COO는 결코 흔하지 않습니다.

그렇다면 바이아웃 펀드는 성공에 지대한 영향을 미칠 유능한 경영자를 어떻게 확보할까요? 어느 정도 업력을 갖춘 바이아웃 펀드는 내부에 일정한 규모의 경영자 후보를 보유하고 있습니다. 여러 차례 기업 인수 프로젝트를 수행하면서 자신들과 호흡을 맞춰본 경영자들이 그들입니다. 이전에 성공의 경험을 공유한 경영자들이라면 다른 프로젝트에서도 좋은 성과를 기대할 수 있습니다.

그럼에도 불구하고 바이아웃 펀드들은 대개 헤드헌팅 회사로부터 적임자를 추천받습니다. 누가 경영을 맡느냐에 따라 성과가 너무나 달라지기 때문에 내부 후보만 가지고 경영자를 성급하게 결정하지 않는 것이죠. 더구나 모든 분야에서 통하는 경영자는 사실상 없다고 봐도 무방합니다. 이 때문에 아무리 경험이 많은 바이아웃 펀드라고 해도 인수한 기업에 적합한 경영자를 모두 확보하고 있는 경우는 드뭅니다. 따라서 광범위한 후보를 확보하고 있고 인재 발굴과 평가 경험이 풍부한 헤드헌팅 회사의 도움을 받게 됩니다.

제가 경영하는 커리어케어에도 바이아웃 펀드들의 수요에 맞춰 인재를 추천해주는 전담본부가 있습니다. 이 본부에 8개 팀 20여 명의 헤드헌터들이 소속돼 있는데, 국내외 주요 바이아웃 펀드들과 긴밀한 관계를 맺고 경영자 후보를 추천하고 있습니다.

일부 바이아웃 펀드는 기업 인수를 검토하는 단계부터 헤드헌팅 회사에 경영진 후보자 추천을 의뢰하기도 합니다. 기업 경영자를 사실상 확정해놓은 뒤 인수계약이 성사되면 즉각적으로 투입하기 위함입니다. 인수계약을 맺고 나서부터 후보자를 찾기 시작하면, 회사의 주인이 바뀌는 매우 중요한 시기에 회사에 경영자가 없는 상태가 상당 기간 계속될 수 있습니다. 게다가 이런 상황을 피하기 위해 서둘러 경영자를 선정하다 보면 '최선'을 선택하지 못하기 십상입니다.

그래서 일반적으로 바이아웃 펀드들은 헤드헌팅 회사의 도움을 받아가며 인수한 회사를 이끌 경영자를 찾습니다. 자체적으로 확보하고 있는 경영자 후보와 헤드헌팅 회사가 추천하는 경영자 후보를 비교해가며 인수한 기업의 가치를 단기간에 끌어올릴 수 있는 최적의 경영진을 구성하려고 노력합니다.

바이아웃 펀드들은 기업을 인수한 뒤 일단 CEO와 CFO를 교체하고, 바뀐 경영자와 손발을 맞출 임원들을 대거 영입하기도 합니다. CEO와 CFO는 인수한 기업의 기존 임원들을 정밀하게 평가한 뒤 자신들의 경영전략에 적합한 사람만 남기고 나머지를 교체하는데, 이 과정에서 대규모 물갈이 인사가 이뤄질 수도 있습니다.

바이아웃 펀드는 기업을 인수해 단기간에 차익을 남기고 되파는 전략을 취하기 때문에 인재들에 대한 보상도 여느 기업들과 차원이 다릅니다. 바이아웃 펀드가 애초 계획대로 기업가치를 높여 매각하는 데 성공하면 경영진에게 파격적으로 보상합니다. 이렇게 최고의 인재를 뽑아 강력한 동기를 부여하고, 결과에 대해 충분한 보상을 해주는 것이 바이아웃 펀드의 인재 전략입니다.

바이아웃 펀드를 비롯한 사모펀드의 성공 비결에 대해 흔히 돈을 떠올리는 경우가 많습니다. 투자자들로부터 충분한 자금을 모아야 사업을 진행할 수 있기 때문에 틀린 얘기는 아닙니다. 돈이 없으면 사모펀드가 움직일 수 없으니까요. 하지만 사모펀드가 궁극적으로 사업에 성공하는 열쇠는 바로 사람입니다. 인수한 기업의 가치를 최대로 끌어올릴 수 있는 역량을 가진 인재가 성패를 좌우합니다. 이 때문에 사모펀드 업계는 가장 뜨거운 인재 전쟁이 벌어지는 곳입니다.

어느 누구도, 어떤 조직도 승산 없는 게임을 하고 싶어 하지 않습니다.『손자병법』은 전쟁에서 이기는 군대를 이렇게 설명합니다.

"이기는 군대는 먼저 이길 수 있는 상황을 만들어놓고 싸운다[先勝以後求戰]."

한 조직이 성과를 내려면 성과가 날 수 있는 조건을 미리 만들어야 한다는 의미입니다. 이와 반대되는 모습은 무엇일까요? '일단 싸우고 승리의 방법을 찾는 군대[先戰以後求勝]'입니다.

사모펀드 사업은 사실상 인재 사업이라고 해도 과언이 아닙니다. 만약 질문하신 분의 회사가 사모펀드 사업에 진출하려 한다면 인재를 보는 눈을 가진 경영자와 간부들로 팀을 짤 수 있어야 합니다. 돈을 모으는 것이 중요하긴 하지만, 돈도 결국 사람이 모으는 것입니다. 따라서 최적의 인재, 최고의 인재를 불러모아 조직화할 수 있는 사업추진팀을 제대로 짤 수 있느냐가 관건입니다.

Q

뛰어난 인재를
놓쳐서 속상합니다.

#인재전쟁 #연공서열제타파 #삼고초려

대기업에 자동차부품을 납품하는 중견기업의 사장입니다. 우리 회사는 꽤 오랫동안 흔들림 없이 자동차 대기업의 1차 벤더 자리를 지킬 만큼 매출 규모도 크고 재무구조도 탄탄한 편입니다. 근무 조건이나 기업 문화 역시 남들이 부러워할 만하다고 자부하고 있습니다.

그런데 최근 직원 채용 과정에서 큰 충격을 받았습니다. 업무 역량과 열정이 뛰어난 부장급 후보자였는데, 면접 과정에서 우리 회사에 상무 직급으로 입사를 희망했습니다. 이 후보자는 현재 회사에서 조기 승진을 거듭해왔기 때문에 우리 회사 부장들에 비해 나이가 한참 젊었습니다. 임원들과 논의를 거듭한 결과, 상무로 영입할 만큼 업무 역량과 성과가 탁월한지 확인되지 않았고 기존 직원들의 반발도 예상되기 때문에 채용하지 않기로 결론을 내렸습니다.

그런데 얼마 지나지 않아 이 후보자가 우리 회사가 납품하는 대기업에 상무로 채용됐다는 소식이 들려왔습니다. 좋은 인재를 놓쳤다고 생각하니 속이 무척 상합니다. 우리 회사가 인재를 보는 눈이 부족한 걸까요?

"핵심인재는 갈 곳이 많습니다.
평가하지 말고 구애하십시오."

면접은 채용 후보자가 어떤 자질과 능력을 갖추고 있는지, 회사에 적합한 인재인지를 평가하고 심사하는 절차입니다. 말하자면 회사가 우월한 위치에서 내려다보면서 후보자를 저울질하는 과정입니다. 그런데 만약 후보자가 경력으로 볼 때 이미 검증된 자질과 능력을 갖춘 뛰어난 인재라면 어떻게 해야 할까요? 회사는 그를 손에 올려놓고 이리저리 따져볼 수 있는 입장이 아닙니다. 그런 인재는 스스로 여러 회사를 놓고 선택할 수 있습니다. 오히려 후보자가 회사를 저울질할 수 있는 위치에 서 있는 것입니다.

이 정도 능력을 가진 인재라면 "우리 회사에 제발 와주세요"라고 사정해서라도 데리고 와야 합니다. 물론 회사가 운영하는 인사제도의 원칙이라는 게 있겠지만, 뛰어난 인재의 경우 예외적 절차나 방법을 통해서라도 무조건 영입해야 할 때도 있습니다.

질문하신 분의 회사가 상무 직급으로 입사를 희망하는 부장급 후보자를 놓고 내부 논의 끝에 채용하지 않기로 한 것은 안타깝게도 잘못된 결정 같습니다. 그 후보자를 채용한 대기업은 질문하신 분의 회사보다 훨씬 규모가 크고 시스템이 갖춰져 있을 뿐만 아니라 인재를 보는 눈도 정확할 겁니다. 그런 대기업이, 질문하신 분의 회사가 상무 직급으로 부족하다고 평가한 후보자를 상무로 영입했다는 것은 많은 것을 시사합니다. 우선 그 후보자가 대기업도 탐낼 만한 우수 인재라는 사실입니다. 이런 인재를 놓친 것은 아쉽고 안타까운 일입니다. 어떤 사람은 결정적 실수를 했다고 이야기할지도 모릅니다.

◆ ◆

"괜찮은 사람은 다 짝이 있더라"

기업의 실적과 성과를 좌우할 수 있는 인재를 영입하는 것은 쉬운 일이 아닙니다. 그런 인재가 바로 눈앞에 있는데도 알아보지 못했다는 것은 당혹스럽기 짝이 없는 일입니다. 회사의 인사제도와 인재 전략을 전면적으로 점검해봐야 할 정도의 사안이라고 봅니다.

글로벌 컨설팅업체 맥킨지는 '인재 전쟁'이라는 개념을 처음 제시하면서 인재를 유인하고 보유할 수 있는 능력이 기업의 경쟁우위를 결정하는 핵심 요인이라고 강조했습니다. 시스코 회장 존 체임버스John Chambers는 "세계적 수준의 기술자 다섯 명이 평범한 기술자 200명을 능가할 수 있다"며 핵심인재의 중요성을 역설했습니다. 탁월한 인재가 기업에 미치는 영향이 그만큼 크다는 얘기입니다.

전문가들은 인재 전쟁에서 권력은 이미 기업이 아니라 개인에게 가 있다고 주장합니다. 뛰어난 인재는 기업과 협상 과정에서 우위를 차지하고 있기 때문에 기업들이 탁월한 인재를 얻으려면 과거보다 훨씬 더 적극적으로 나서야 한다는 겁니다.

『삼국지』에서 유비는 초야에 은거하던 젊고 재능이 출중한 제갈량을 책사로 모시기 위해 세 번이나 그의 초가집을 찾아갑니다. 마찬가지로 기업도 뛰어난 인재를 얻으려면 삼고초려의 노력을 해야 합니다. 그런데도 일부 기업들은 여전히 "우리 회사에서 일하고 싶으면 지원하라"는 자세를 취하고 있습니다. 지원하면 평가해보고 결정하겠다는 일종의 '똥배짱'을 부리고 있는 겁니다. 갈 곳이 널린 사람 입장에서 이런 자세를 취하고 있는 기업을 왜 선택하겠습니까?

그런 점에서 우수한 인재를 확보하려면 이제부터라도 접근 방식을 바꿔야 합니다. 평범한 인력을 대하듯 면접하고 심사하겠다는 자세로는 인재를 구할 수 없습니다. 과거 신입사원 공채 시대처럼 채용 창구를 열면 우수한 인재의 지원서가 쌓이는 시절이 아닙니다. 그렇게 해서 들어오는 지원서에 진주 같은 인재가 들어 있기를 기대하는 것은 무리입니다. 왜 내로라하는 글로벌 기업의 최고경영자가 인재를 찾으러 세계 곳곳을 다니겠습니까?

게다가 유능한 인재는 대개 실업 상태에 있지 않습니다. 대부분이 현직에서 잘 지내고 있습니다. "괜찮은 사람은 다 짝이 있더라"는 말처럼, 능력 있는 사람은 어딘가에 소속되어 있습니다. 그런 유능한 인재들을 얻으려면, 만나달라고 하고 지원해달라고 요청해야 합니다.

우리 회사에 인재가 남지 않는 이유

심사하고 평가하는 게 아니라 구애해야 하고 마음을 사려고 노력해야 합니다. 고급인재를 데려오고 싶다면서 회사가 채용 결정권을 갖고 있다고 생각하는 것은 착각입니다.

질문하신 분의 회사가 놓친 후보자는 부장급이지만 기존 부장들보다 나이가 한참 젊었다고 하셨죠? 뛰어난 인재들은 연공서열 문화가 강한 기업에서 일하고 싶어 하지 않습니다. 기본적으로 '나이와 경력에 따라 직급과 급여가 결정되는 구조에서 내 능력과 성과가 제대로 보상받을 수 있을까?'라는 의구심을 갖고 있습니다. 그런 점에서 이번 일을 계기로 연공서열 중심의 인사제도와 조직 운영 논리를 재고해보았으면 합니다. 우수한 인재를 영입하려면 인재를 알아볼 수 있는 안목이 필요하지만, 그런 인재를 품에 안을 수 있는 조직적 유연성과 시스템도 갖춰야 합니다.

인재 전쟁 시대에 인재를 놓치는 것은 치명적인 결과를 낳을 수 있습니다. 우수 인재들이 다른 경쟁기업으로 간다고 생각해보십시오. 회사가 경쟁에서 뒤처지는 것은 시간문제가 될 수 있습니다. 반대로 적극적인 태도로 우수 인재들을 영입하는 데 성공한다면 그들이 회사의 성장과 발전에 날개를 달아줄 것입니다. 뛰어난 인재라면 결정권이 결코 기업에 있지 않다는 점을 꼭 유념하셨으면 합니다.

Q

경력 입사자의 장기근속은
기대하지 말아야 하나요?

#업무능력VS조직적응력 #활착 #채용비용 #사내멘토

중견 가구 회사의 경영 총괄 임원입니다. 우리 회사는 몇 년 전부터 사무직 대졸 신입사원 공채를 중단하고 경력사원 수시채용으로 직원 채용 방식을 전환했습니다. 경력사원 채용으로 인력 충원 시스템을 바꾸고 나니 좋은 점이 많습니다. 가장 크게는 교육훈련에 들어가는 시간과 비용이 대폭 줄었습니다. 기초 교육만 시키면 업무에 바로 투입해서 성과를 만들어낼 수 있으니까요. 또 공을 좀 들이면 역량이 검증된 인력을 채용할 수 있어 신규 사업도 어렵지 않게 추진할 수 있었습니다.

그런데 모든 면에서 좋은 것은 아니었습니다. 가장 큰 문제는 경력사원으로 들어온 직원들의 퇴사가 많다는 겁니다. 자신의 희망대로 되지 않거나 더 좋은 조건을 제시하는 곳이 나타나면 뒤도 안 돌아보고 떠납니다. 이렇게 장기근속을 기대하기 어렵다 보니 일부 임원들은 신입사원 공채로 되돌아가거나 신입과 경력을 둘 다 채용해야 한다고 주장합니다. 경력사원들의 퇴사를 줄이는 방법이 있을까요?

"당신의 회사에는 이직자의 안착을
돕는 프로그램이 있습니까?"

직장생활이 처음인 신입사원들은 모든 면에서 미숙할 수밖에 없습니다. 업무 경험이 전무하니 곧장 일을 시킬 수도 없지요. 그래서 신입사원이 어느 정도 제 몫을 해낼 수 있을 때까지 회사 차원의 육성 과정이 필요합니다.

반면 경력사원들은 자기 역할을 충분히 해낼 것이라는 기대를 받고 입사합니다. 요즘 기업들이 신입사원 공채를 줄이고 경력사원 채용을 늘려나가는 것도 즉각적 활용에 큰 비중을 두기 때문입니다. 이전 직장에서 업무를 수행하면서 쌓은 경험과 지식, 노하우가 있어 입사하자마자 회사에 기여할 수 있다는 기대가 크게 작용하는 겁니다.

하지만 경력사원이라 하더라도 새롭고 낯선 조직에서 곧장 자신의 능력을 발휘하는 것은 쉽지 않습니다. 무엇보다 새 직장에 적응하는 과정이 필요하기 때문입니다. 새로운 상사와 동료들과 안면을 익히고 편안하게 소통하기까지는 상당한 시간과 노력이 필요합니다. 기업은 근본적으로 사람들이 모여서 공동의 목표를 위해 일하는 조직이어서 구성원들의 관계가 절대적으로 중요합니다.

그런데 많은 기업들이 경력사원을 채용할 때 이런 점을 망각하곤 합니다. 대부분 '경력사원은 업무 경험도 있고 직장생활도 많이 해봤으니 알아서 잘 해내겠지'라고 생각합니다. 그래서 경력사원의 조직 적응에 대해 별다른 고민을 하지 않는 경우가 많습니다.

문제는 회사가 생각하는 것처럼 경력사원들의 '자생력'이 높지 않을 수 있다는 겁니다. 업무 능력과 조직 적응은 사실 별개의 문제입니다. 경력사원의 경우 업무 능력은 검증되었다고 할 수 있지만, 조직 적응은 개인마다 성격이나 성향의 편차가 있기 때문에 속단할 수 없습니다. 역량이 검증됐다고 보고 채용한 경력사원이 오래지 않아 회사를 그만두는 경우가 나오는 것도 이런 이유 때문입니다. 조직 적응에 실패한 겁니다.

◆ ◆

경력 입사자가 우리 조직에 뿌리를 내리려면

경력사원의 조직 적응 문제를 개인의 탓으로만 돌리는 것은 문제해결에 아무런 도움이 되지 않습니다. 경력사원을 채용하려면 적지 않은 비용과 시간을 써야 합니다. 그렇기 때문에 경력사원이 조직에 안착할 수 있도록 세심한 후속 조치를 취해야 합니다. 인사부서를 중심으로 경력사원이 회사에 잘 적응할 수 있는 방안이나 제도를 운영해야

우리 회사에 인재가 남지 않는 이유

한다는 뜻입니다. 또한 경력사원을 채용하는 경우 소속 부서장의 역할도 매우 중요합니다. 만약 고위 간부를 경력직으로 채용한다면 최고경영자와 인사 담당 임원 차원에서 그의 적응을 돕는 노력이 필요합니다.

경력사원을 채용하는 것은 화초나 나무를 옮겨 심는 것과 비슷합니다. 신입사원 채용이 씨앗을 뿌리는 것이라면, 경력사원 채용은 어느 정도 자란 묘목이나 꽃이 핀 화초를 이식하는 것과 같습니다. 나아가 부장급이나 임원급 간부를 영입하는 것은 커다란 나무를 옮겨 심는 것으로 봐야 합니다.

경험해본 분들은 아시겠지만, 화초나 나무를 옮겨 심는 건 상당한 주의가 필요한 일입니다. 옮겨 심은 뒤 뿌리를 잘 내리고 새로운 환경에서 살아남도록 하려면 매우 세심하게 준비하고 보살펴야 합니다. 그냥 뽑아서 다른 곳에 옮겨 심는다고 해서 뿌리를 내릴 수 있는 것이 아닙니다. 나무를 옮겨 심을 때 '적지적수適地適樹'라는 원칙이 있습니다. 알맞은 땅에 알맞은 나무를 골라 심는다는 뜻입니다. 옮겨 심는 나무와 옮겨 심는 곳의 토양 조건이 잘 맞아야 하며, 아무 곳에나 심어서는 안 된다는 것이죠.

특히 꽃이 피어 있는 화초를 이식할 때는 아주 세심하게 다뤄야 합니다. 옮기는 과정에서 수분이 증발하거나 뿌리가 다치면 이식하더라도 금세 꽃이 시들어버리고 죽을 수도 있습니다. 조경수 같은 커다란 나무를 옮겨 심을 때 역시 아주 많은 노력을 투입해야 합니다. 우선 나무를 가져올 때 나무가 뿌리를 내리고 있는 흙도 같이 가져와야 합니다. 또 뿌리가 충분히 들어갈 수 있도록 구덩이를 넓고 깊게 파야 할 뿐만 아니라, 불필요한 뿌리 일부를 잘라내 잔뿌리의 발육을 돕는 작업도 선행돼야 합니다. 토양이 척박한 경우 구덩이에 비토^{肥土}를 넣어 영양분을 보충해줄 필요도 있습니다. 심은 뒤 수분 증발을 최소화하기 위해 낙엽이나 풀 등으로 덮어주고 물도 부족하지 않게 줘야 합니다. 이렇게 세심한 주의를 기울여도 옮겨 심는 과정에서 나무는 잎이 다 떨어질 정도로 상당한 고통을 겪습니다.

◆ ◆

경력직에게 더 어려운 새 조직 적응

경력사원을 채용하는 것도 식물을 옮겨 심는 것과 다르지 않습니다. 매우 조심스럽고 세심하게 신경을 쓰지 않으면 활착하기가 쉽지 않습니다. 경력사원이 입사한다고 해서 그냥 알아서 뿌리를 내리고 적응할 수 있는 게 아니라는 것이지요. 그냥 내버려둬도 적응할 수는 있겠지만, 많은 시간이 소요되고 여러 가지 어려움도 겪을 가능성이 큽니다. 주변 동료들과 어울리는 것도 그렇습니다.

따라서 기업들은 경력사원을 채용할 때 섬세하고 꼼꼼하게 적응 과정을 보살피는 노력을 기울여야 합니다. 조직에서 신망이 높은 구성원이 멘토 역할을 하면서 적응을 이끌어주거나 코칭을 하면 좋은 효과를 거둘 수 있습니다.

그런데 이렇게 하는 기업들이 의외로 많지 않습니다. 사내 멘토

우리 회사에 인재가 남지 않는 이유

제도를 운영하더라도 형식적인 수준에 그치는 경우가 대부분입니다.

신입사원보다 경력사원이 조직 적응에 더 어려움을 겪을 수도 있습니다. 백지에 그림을 그리는 것보다 이미 그려진 그림을 지우고 새로 그리는 게 더 어렵고, 리모델링이 신축보다 더 어려운 것과 비슷한 이치입니다.

기업의 경영자와 간부들은 이런 점을 고려해 경력사원을 채용할 때 조직에 안착할 수 있도록 돕는 프로그램을 적극적으로 검토하고 운영할 필요가 있습니다.

사람은 누구나 환경이 바뀌면 적응하는 데 어려움을 겪기 마련입니다. 정도의 차이만 있을 뿐이지요. 새로운 회사에서 처음 보는 사람들과 함께 일한다는 것은 결코 쉬운 일이 아닙니다. 경력사원을 채용할 때 업무 능력만 따지는 것은 단견입니다. 그것보다 더 중요한 것이 조직 적응의 문제입니다. 업무 능력이 아무리 뛰어나도 조직 적응에 실패하면 모든 게 공염불이 되고 맙니다. 어렵게 뽑은 경력사원을 제대로 활용하지 못한다면 회사는 큰 손실을 입을 수밖에 없습니다.

경력사원들의 퇴사가 많다면 퇴사하는 이유를 꼼꼼히 파악해볼 필요가 있습니다. 섣불리 단정하기는 어렵지만 아마도 회사 차원에서 경력사원들이 조직에 안착할 수 있도록 돕는 노력이 부족했을 수도 있습니다. 만약 진단 결과가 그렇게 나온다면 경력사원들의 조직 적응을 좀 더 세심하고 꼼꼼하게 챙겨야 합니다.

Q

개발자가 승진 기회를 마다하고
회사를 떠났습니다.

#개발자 #보상 #전문성고양기회 # #이중경력경로제도 #테크리쿠르터

IT 서비스 회사의 대표입니다. 경기가 꺾이고 채용시장에 찬바람이 불고 있기 때문인지 한바탕 몰아치던 직원들의 퇴사가 요즘 좀 줄었습니다. 그러나 마음 한구석에 '퇴사 사태가 재발하진 않을까' 하는 걱정이 계속 남아 있습니다.

직원 퇴사가 줄을 잇던 당시 겪은 일 가운데 아직까지도 이해가 안 되는 것이 하나 있습니다. IT 개발자 한 명을 팀장으로 승진 발령을 냈더니 사표를 낸 경우입니다. 일을 워낙 잘하고 동료들의 평도 좋아서 더 많은 기회를 주려고 했습니다. 팀장 경험을 쌓게 한 다음 임원으로 키울 요량이었죠.

퇴사 이유를 물어보니 그냥 개발만 하고 싶답니다. 직원이나 프로젝트를 책임져야 하는 일은 피하고 싶다는 겁니다. 나중에 알아보니 옮겨 간 곳에서도 실제로 개발만 하고 있다고 합니다. 도대체 이런 상황을 어떻게 받아들여야 할지 모르겠습니다. 성장 기회를 마다하는 직원들을 어떻게 이해해야 할까요?

"기술인재는 다른 관리 방식을
적용해야 합니다."

업종과 분야를 불문하고 기술을 가진 인재를 확보하기 위한 경쟁은 어제오늘의 일이 아닙니다. 기술은 기업 경쟁력의 근원입니다. 사업의 성패를 가르는 요인은 여러 가지일 수 있지만, 기술이 없으면 아예 사업 자체가 성립되지 않기 때문에 기업에서 기술은 늘 최우선 관심사입니다.

질문하신 분은 요즘 인재 시장에서 가장 뜨거운 전쟁이 벌어지는 전장의 한복판에 계시는군요. 아시는 것처럼 이 분야에서 핵심 개발자를 둘러싼 치열한 쟁탈전이 일어나는 이유는 IT 기술이 세계를 움직이는 시대가 됐기 때문입니다. 빅테크라 불리는 기업들의 시장 지배력이 커진 것은 단적인 사례입니다. 그런데 이런 상황은 특별히 IT 업종에서만 벌어지는 게 아닙니다.

기술 기반 사업을 영위하는 기업 대부분이 연구개발 인재의 관리 문제로 골머리를 앓고 있습니다. 개발과 기술인재 가운데 관리자가 되는 것을 부담스럽게 생각하는 경우가 많기 때문입니다. '개발자의 3분의 2 이상이 관리자가 되기를 원치 않는다'는 조사 결과를 본 기억도 있습니다. 다소 놀랍기는 하지만 기술인재들의 특성을 감안하면 이해할 만도 합니다. 실제 개발자들의 온라인 커뮤니티에는 이런 내용의 글들이 심심찮게 올라옵니다.

"조용히 개발 업무만 하고 싶은데 회사가 자꾸 다른 일을 시킨다."
"나는 연구개발하는 재미로 일하는데 왜 자꾸 귀찮게 하는지 모르겠다."

개발자들의 생각이 이런데도 기업 경영자 상당수는 이런 상황을 잘 모릅니다. 기술인재들의 성향이 일반 직원들과 많이 다르다는 사실을 모르거나, 알고는 있지만 심각성을 간과하고 있는 겁니다. 그러다 보니 일반 직원들과 비슷한 방식으로 접근합니다.

경영자들은 대체로 업무 능력이 뛰어난 직원이 있으면 중요한 직책을 맡기거나 승진시키려고 합니다. 직원들도 주요 보직을 맡거나 승진하면 대부분 능력을 인정받았다고 여겨서 기쁘게 받아들입니다. 그러나 기술인재들은 이 같은 조치를 전혀 다르게 받아들일 수 있습니다. 기술인재 가운데 상당수는 팀장 직책을 부여하고 조직관리 업무를 맡기면 싫은 기색을 보입니다. 어떤 사람들은 화를 내고, 심지어 회사를 떠납니다. 질문하신 분이 경험한 것처럼 능력이 뛰어나서 중용했더니 회사를 나가버리는 당황스러운 사태가 벌어지는 것이죠. 기술인재는 또 급여 인상 같은 보상 정책에 대해서도 일반 직원들과 다른 반응을 보이곤 합니다.

◆◆

보상보다 전문성 높이는 기회가 더 중요한 기술인재

컨설팅회사 베인앤드컴퍼니는 기술인재들이 직장에 남거나 혹은 이직을 선택하는 이유를 알아내기 위해 500여 명의 기술 분야 직원들과 230개 기업의 기술 조직을 대상으로 조사를 한 적이 있습니다. 이 조사에 따르면, 기술인재들은 학습과 성장 기회의 부족을 가장 큰 이직 사유로 꼽았습니다. 두 번째는 조직의 업무 유연성 부족이었고, 세 번째가 업무에 대한 불충분한 보상과 인식이었습니다. 이 밖에 다양성과 포용성을 중시하는 문화를 가지고 있는지, 포용적 업무 환경을 제공하고 있는지, 업무에 최신 기술과 방법론을 사용하고 있는지도 중요한 이직 사유라고 답변했습니다.

기업이 기술인재들을 끌어들이고 유지하려면 그들의 특성을 감안하고 그들이 중시하는 요소들을 깊이 고려해야 합니다. 베인앤드컴퍼니의 조사 결과는 기술인재들이 기술을 갈고닦아 전문성을 키울 수 있는 기회를 매우 중요하게 여긴다는 점을 확인해줬습니다.

따라서 회사는 기술인재들의 성장 욕구를 적절하게 충족시켜주는 환경을 제공해야 합니다. 최신 기술과 방법론을 업무에 적용할 수 있도록 여건을 마련하거나, 새로운 프로젝트를 부여해 충분한 업무 경험을 쌓아나갈 수 있도록 해줘야 한다는 겁니다.

기술인재는 업무를 배정할 때도 일반 직원들과 다르게 접근해야합니다. 만약 어떤 기술인재가 회사에 반드시 필요한 핵심인재라면 그에게 관리 업무를 맡기기보다 기술개발 업무를 맡기는 게 좋습니다. 기술개발에만 전념할 수 있는 환경을 제공하는 것이 회사 입장에서 훨씬 이득이 됩니다. 사람은 자신이 잘하고 좋아하는 일을 할 때 몰입하게 되고 높은 성과를 내기 때문입니다. 원하지 않는 일을 하게 된다면 당연히 반대의 결과가 나오겠지요.

개발자들은 프로젝트를 맡게 되면 오로지 그 일에만 집중하는 성향을 갖고 있습니다. 그래서 사람들과 접촉하는 것도 최소화하면서 밤낮없이 개발에만 몰두합니다. 일하는 데 간섭이나 방해를 받는 것을 매우 싫어합니다. 이런 성향은 비단 IT 개발자뿐만 아니라 기술개발 계통의 엔지니어들이 공통적으로 갖고 있습니다.

◆ ◆

관리자와 전문가 둘 중 선택하도록 하라

그렇다면 회사는 기술인재들의 경력관리를 어떻게 해야 할까요? 결론부터 이야기하자면 '이중경력경로dual career path' 제도를 도입하는 게 좋습니다. 이중경력경로는 일반(관리)직과 기술(전문)직으로 경력의 경로를 나누는 것입니다. 연구개발이나 기술직 종사자들 가운데 관리자나 경영자로 성장하는 것을 원치 않는 경우가 많기 때문에 그들의 전문성을 강화할 수 있는 경력경로를 별도로 만드는 겁니다.

이중경력경로 제도를 채택하면 기술인재들이 자신의 성향과 목표에 따라 전문가와 관리자 가운데 하나를 성장경로로 선택할 수 있습니다. 기술인재에게 경력개발의 선택권을 부여하는 것입니다. 이렇게 하면 조직에서 핵심인재로 활약하는 기술인재들의 만족도를 높이는 한편 조직 이탈도 줄일 수 있습니다.

기업이 쟁탈전을 벌여가며 기술인재를 영입하는 이유는 다시 설명할 필요가 없을 겁니다. 그렇다면 경영자는 어렵사리 뽑은 인재들이 어떻게 하면 제 몫을 해낼 수 있는지, 동기부여 방식과 인사관리 시스템을 어떻게 만들지 고민해야 합니다. 채용 단계부터 기술인재들의 특성과 요구를 감안해 접근할 필요가 있습니다. 일부 기업들은 기술인재 채용 전담자를 활용하기도 합니다. 특히 기술직 직원들의 비중이 큰 기업의 경우에는 기술인재를 잘 이해하고 있는 기술인재 채용 전담자 배치가 꼭 필요합니다.

Q

요즘은 연봉보다 유연근무제를
더 중요하게 본다고 합니다.

#재택근무 #원격근무 #생산성 #효율성 #코로나19

#워라밸 #사내커뮤니케이션 #하이브리드근무제

패션 관련 중소기업을 운영하고 있습니다. 코로나19가 대유행하던 시기에 직원을 줄였습니다. 코로나19의 기세가 꺾이고 경기가 회복되면 다시 뽑을 요량이었죠. 지난해 하반기부터 충원을 시작했는데, 반년이 넘도록 직원을 제대로 뽑지 못하고 있습니다. 아예 지원자가 없었던 것은 아닙니다. 구인구직 플랫폼에 여러 번 채용공고를 내고 직원들이 나서서 일일이 전화한 덕분에 일부 지원자를 찾아내긴 했습니다.

그런데 면접을 마치고 합격 통보를 했더니 지원을 취소하겠다고 하거나 아예 연락 두절 상태인 후보자들이 많았습니다. 이유를 파악해보고 깜짝 놀랐습니다. 상당수가 연봉이 아니라 유연근무제에 관한 것이었습니다. 출퇴근 시간을 선택할 수 있는 탄력근무제나 재택근무제, 원격근무제를 시행하지 않고 있다고 불만을 표시한 겁니다. 팬데믹 이후 재택근무에 대한 직장인들의 선호도가 높아졌다는 이야기를 듣기는 했지만, 유연근무제가 채용에 이 정도 영향을 미칠 거라고는 생각하지 못했습니다. 우리 회사 같은 중소 의류 회사만의 특별한 이야기인가요?

"유연근무제는 선택이 아니라
필수사항으로 바뀌었습니다."

모두 알다시피 유연근무제가 우리 사회에서 본격 논의된 것은 전적으로 코로나19의 영향입니다. 물론 이전에도 일부 선발 기업들은 이 근무제도를 진작에 도입했습니다. 정보기술을 이용해 직원들이 언제 어디서나 업무를 볼 수 있는 여건이 마련되면서 '스마트워크' 같은 이름으로 유연근무제가 조금씩 퍼지기 시작했습니다. 하지만 코로나 이전까지 이 근무 형태가 대세를 이룬 건 아닙니다. 불시에 지구촌을 강타한 코로나19가 재택근무나 원격근무 같은 유연근무제를 극적으로 확산시킨 겁니다.

반강제로 유연근무제를 실행한 초기에 기업들은 업무 효율성과 생산성이 저하될 것으로 예상했습니다. 하지만 결과적으로 코로나19가 유행하던 몇 년 동안 유연근무제가 기업의 실적과 성과에 그다지 부정적 영향을 미치지 않는 것으로 확인됐습니다. 유연근무제가 장점이 많고 효율적 근무제도라는 인식이 널리 안착된 이유도 여기에 있습니다.

직원들이 꼽는 유연근무제의 장점은 출퇴근에 따른 시간 낭비와 불필요한 활동을 줄이고 편안한 환경에서 업무에 집중할 수 있다는 겁니다. 말하자면 일과 삶의 균형을 좀 더 누릴 수 있다는 것이죠. 비즈니스 네트워크 SNS인 링크드인이 조사한 바에 따르면 근무 시간과 근무 장소의 유연성을 갖춘 기업의 직원들은 그렇지 않은 기업의 직원들에 비해 만족도가 2.6배 높은 것으로 나타났습니다. 유연근무제가 직장인들의 만족도에 결정적 영향을 미친다는 게 확인되고 있는 겁니다.

◆ ◆

유연근무제는 '대세'

코로나19 팬데믹이 제법 물러간 상황이지만 유연근무제에 대한 근로자들의 요구는 여전히 큽니다. 유연근무제를 시행하지 않아 입사하지 않기로 했다는 후보자의 결정은 유별나거나 이상하다고 볼 문제만은 아닙니다. 오히려 그만큼 전반적으로 근로자들의 유연근무제에 대한 욕구가 강해졌다는 사실을 보여주고 있습니다.

유연근무제에 대한 근로자들의 선호도가 크게 높아진 것은 여러 조사 결과에서 나타납니다. 슬랙테크놀로지가 운영하는 퓨처포럼은 2021년 1만 명의 지식근로자들을 대상으로 유연근무제에 대한 조사를 실시했습니다. 그 결과 응답자의 95%가 근무 시간의 유연성을 원

우리 회사에 인재가 남지 않는 이유

했고, 78%는 근무 장소의 유연성을 원했습니다. 또 응답자의 72%는 근무 시간이나 근무 장소의 유연성이 보장되지 않으면 이직을 추진하겠다고 밝혔습니다.

유연근무제에 대한 높은 선호도는 팬데믹 기간이 끝난 뒤에도 이어지고 있습니다. 「워싱턴포스트」와 여론조사회사 입소스가 2023년 3월 미국의 18~64세 노동자를 대상으로 조사한 결과, 팬데믹 이후 40%가 전면 재택근무를 하고 있는 것으로 나타났습니다. 부분 재택근무(38%)까지 포함하면 재택근무 비율은 무려 78%나 됩니다. 팬데믹 이전에는 19%만이 전면 재택근무를 했고, 절대다수인 60%가 전면 사무실 근무를 했습니다. 또 현재 재택근무 중인 노동자에게 '얼마나 자주 재택근무를 하고 싶으냐'고 물었더니 전체의 37%가 '항상'이라고 밝혔고 '대부분의 시간'이라는 응답자도 35%나 됐습니다. '어느 정도'라는 답변은 23%였고 '거의 하지 않겠다'는 의견은 5%에 불과했습니다.

재택근무를 선호하는 흐름은 국내에서도 강하게 나타나고 있습니다. 전경련이 2022년 실시한 조사에서 유연근무제를 활용하는 근로자의 70% 이상이 만족한다고 답변했습니다. 또 유연근무제가 업무 성과와 생산성 향상에 긍정적이며, 일과 가정생활의 균형을 개선하는 데도 효과적이라고 평가한 근로자도 80%나 됐습니다.

이처럼 국내외를 막론하고 유연근무제가 대부분 노동자들의 강한 요구사항으로 떠오르고 있습니다. 근무제도에 대한 결정은 기본적으로 기업이 하는 것이지만, 노동자들의 요구와 희망을 마냥 외면할 수도 없는 노릇입니다. 유연근무제를 도입하지 않으면 우수한 인재를 확보하기가 어렵고 기존 직원들의 만족도를 높이기가 쉽지 않습니다.

사정이 이렇다면 논의의 중심축은 어떤 근무 제도를 시행할 것인가가 아니라 도입된 제도가 기업에 어떤 도움을 줄 것인가로 이동해야 합니다. 기업에게 가장 중요한 것은 성과입니다. 직원들이 업무 성과를 잘 낼 수만 있다면 근무 방식이나 장소, 시간을 제한할 이유는 없습니다. 단지 오랜 세월 동안 직원들이 사무실이나 공장에 모여서 일하는 관행에 익숙해져 있기 때문에 유연근무제를 도입하는 것이 어색하거나 부담스러운 것일 뿐입니다. 게다가 코로나19가 유행하는 동안 많은 기업들이 재택근무를 시행했음에도 큰 탈이 없다는 사실이 확인됐기 때문에 유연근무제에 대해 부정적 시각을 가질 이유가 없습니다.

◆ ◆

제도 도입에 맞춰 시스템 손봐야

다만 기업마다 사업이나 업무의 특성이 다르기 때문에 일률적인 방식으로 유연근무제를 도입하기는 어렵습니다. 일의 특성상 어떤 직무는 재택근무제가 가능하고 효율적일 수도 있지만, 어떤 직무는 그렇지 않을 수도 있습니다. 중요한 결정을 해야 하고 소통 업무가 많은 임원이나 사업장의 필수 인력의 경우라면 재택근무를 하기가 곤란하겠지요.

기업들이 유연근무제를 도입하려면 전체 시스템을 손봐야 할 필요도 있습니다. 조직 구조, 조직관리 방식, 일하는 방식, 커뮤니케이션

우리 회사에 인재가 남지 않는 이유

방식, 채용, 보상 체계 등 손봐야 할 것들이 꽤 많습니다. 그래서 기업 입장에서 유연근무제는 상당히 번거롭고 복잡한 과정을 거쳐야 도입이 가능합니다.

유연근무제는 완벽한 제도가 아닙니다. 직원 입장에서 재택근무는 일과 삶의 구분이 모호해질 수 있고, 회사 동료나 상사와 소통에 문제가 발생할 수 있습니다. 경영자와 관리자 입장에서는 조직을 운영하고 성과를 관리하는 데 여러 가지 어려움을 겪을 수도 있겠지요.

물론 이런 이유 때문에 유연근무제가 가진 장점이 사라지는 것은 아닙니다. 단점을 최소화하는 방식으로 접근하면 됩니다. 가령 재택근무제의 경우 일주일에 며칠은 사무실에 출근하는 '하이브리드 근무제' 방식으로 단점을 보완할 수 있습니다. 실제 미국에서는 코로나19가 종식된 뒤에도 재택근무제를 유지하는 기업들이 많은데, 그중 상당수가 하이브리드 근무제를 채택하고 있습니다.

이제 유연근무제가 직장 선택의 기준이 되고 직장인의 만족도에 큰 영향을 미치는 시대가 되었습니다. 특히 우수한 인재들이 유연근무제를 많이 선호합니다. 따라서 유연근무제는 도입하느냐 마느냐 하는 선택의 문제를 넘어 필수사항으로 바뀌었습니다.

모든 제도는 운영하는 사람에게 달려 있는 법입니다. 유연근무제를 잘만 운영한다면 '실'보다 '득'이 훨씬 큽니다. 무엇보다 기업을 지탱하는 가장 중요한 자원인 인재들이 유연근무제를 원하고 있다는 점을 잊지 않았으면 합니다.

Q

성과 때문에 팀장을 시켰는데
팀원들이 버티지 못합니다.

#리더십유형 #켄블랜차드 #상황적리더십모델

#동기부여능력 #조직유연성 #읍참마속 #조직황폐화

중견기업으로 도약을 꿈꾸고 있는 제조업체 대표입니다. 몇 년 전 성과가 탁월해서 발탁한 팀장이 있습니다. 그런데 이 직원이 팀장이 된 뒤부터 해당 팀에서 퇴사자가 눈에 띄게 늘고 있습니다. 팀 분위기도 좋지 않습니다.

무슨 일이 있는지 알아봤더니 팀장의 거칠고 모욕적인 언행과 독단적인 의사결정, 강한 실적 압박 때문에 팀원들이 힘들어하고 있었습니다. 직원들 사이에서 "팀장이 되더니 사람이 달라졌다"는 얘기까지 나돌고 있다고 합니다. 일욕심이나 업무 성과, 조직 충성도 면에서 나무랄 데 없는데, 직원들을 관리하는 역량은 생각보다 부족해 보입니다. 일단 다양한 방법으로 조직관리 방식과 리더십에 관해 이야기를 나눠보려고 합니다. 그러나 동료나 부하직원들의 의견은 그가 자신의 스타일을 바꾸기가 쉽지 않을 것 같다고 합니다. 성과를 잘내서 발탁했는데, 교체를 검토해야 할까요?

"자기 확신이 과도한 간부의
독성 리더십을 걸러내십시오."

경영자들은 업무 지식과 기술이 뛰어나고 높은 성과를 내는 사람을 간부로 발탁합니다. 그 간부가 자신의 역량을 발휘하면서 조직에서 중추적 역할을 할 것으로 기대하기 때문입니다.

그런데 직원 시절에 뛰어났던 사람이 부서를 책임지는 간부가 되고 난 뒤 돌변하는 경우가 종종 있습니다. 그가 관리하는 조직의 사기가 떨어지고 성과가 나빠지면서 이탈자가 생겨나기도 합니다. 이런 경우 원인을 들여다보면 십중팔구 리더십에 문제가 있습니다.

질문하신 분에게 고민거리를 던져준 임원도 이와 같은 경우라고 생각합니다. 거친 언행을 일삼고 모든 결정을 독단적으로 처리하고 무조건 실적을 내라면서 팀원을 몰아붙이는 것은 전형적인 '독성毒性 리더십'의 소유자에게서 볼 수 있는 모습입니다.

경영관리와 리더십 분야의 권위자인 켄 블랜차드Ken Blanchard는 리더십 유형을 지시형 리더십, 코치형 리더십, 지원형 리더십, 위임형 리더

섭의 네 가지로 나눴습니다. 이 네 가지 유형의 리더십은 조직 상황이나 구성원 특성에 따라 적절하게 사용할 수 있습니다. 경우에 따라서 리더십의 효과를 높이기 위해 혼용할 수도 있습니다. 그래서 '상황적 리더십 모델'이라고 불리기도 합니다.

이 가운데 지시형 리더십이 궤도를 벗어나면 구성원들의 불만과 반발을 사게 될 가능성이 많습니다. 또 구성원들의 자발성과 창의성을 억누를 위험도 큽니다. 모든 일을 일일이 지시하고 감독하면서 "내가 시키는 대로 해"라고 다그치는 스타일이기 때문입니다. 말하자면 자기만 옳다는 식의 독불장군 리더십인 것이지요. 그래서 지시형 리더십에 치중하면 대부분 조직의 유연성이 떨어지고 구성원들의 사기와 의욕도 꺾이게 됩니다.

◆ ◆

독성 리더 아래에는 예스맨만 남는다

독성 리더십은 지시형 리더십이 극단적으로 변질된 것입니다. 미국 육군 리더십센터의 독성 리더십 연구결과에 따르면, 독성 리더들은 자기중심적 태도로 부하들을 모욕하거나 차별하고 공격적 행동을 하며, 자신의 문제를 갖고 타인을 비난하는 행태를 보입니다. 영관급 장교들을 대상으로 조사한 결과 독성 리더들은 단기적인 임무 완수에 초점을 맞추고 상급자에게 잘 보이면서 참모나 병사들의 사기에 전혀 관심이 없습니다. 이런 조사 결과를 토대로 미국 육군은 장교들이 독

우리 회사에 인재가 남지 않는 이유

성 리더십에 물들지 않도록 하는 것을 주요 정책 목표의 하나로 삼고 있습니다.

리더십에 정답은 없습니다. 상황에 따라 천차만별의 형태를 띱니다. 1,000명의 리더에게 "리더십이 무엇이냐"고 묻는다면 1,000가지 답이 나오겠지만, 어느 것이 옳다고 말할 수 없습니다. 하지만 독성 리더십은 무조건 '가위표(×)'를 칠 수밖에 없습니다. 구성원들의 업무 의욕을 없애고 조직을 마비시키는 독성 리더십은 폐해가 너무 크기 때문에 어떻게든 걸러내야 합니다.

독성 리더십의 소유자 가운데 상당수는 직원 시절에 뛰어난 성과를 거둔 경우가 많습니다. 그러다 보니 자기의 업무 방식이 옳다는 믿음이 강합니다. 이런 믿음은 대체로 간부가 된 뒤에도 이어집니다. 그래서 직원들에게 자기 방식대로 일하라고 요구하게 됩니다. 자신이 성과를 냈던 방식이 옳다는 믿음이 과도하기 때문에 다른 방식을 용납하지 않게 되는 것이죠.

그 결과는 매우 부정직일 수밖에 없습니다. 간부가 시키는 대로 일하고 비위를 맞추기에 급급한 '예스맨'만 조직에 남게 됩니다. 뛰어난 인재들은 서서히 조직을 떠나고 남아 있는 구성원들은 입을 꾹 다물고 맙니다. 이런 조직에서 성과를 기대하는 것은 불가능합니다. 결국 조직이 황폐화하는 수순을 밟게 되는 셈이죠.

동기부여 능력 없으면 조직 맡기지 말아야

조직의 리더에게 요구되는 덕목은 업무의 전문성이 전부가 아닙니다. 구성원들에 대한 동기부여 능력이 있어야 합니다. 기업은 팀으로 일하기 때문입니다. 그런데 독성 리더는 개인적으로 전문성을 갖추고 있을지는 몰라도 동기부여 능력은 현저하게 떨어집니다. 자기 혼자 일을 잘할 수는 있어도 사람들을 이끌어가는 능력은 모자랍니다. 그래서 독성 리더는 리더 자격이 부족한 사람입니다. 동기부여는 고사하고 오히려 동기를 갉아먹기 때문입니다.

그런데 독성 리더들을 방치하거나 묵인하는 회사들을 드물지 않게 볼 수 있습니다. 왜 이런 일이 생기는 것일까요? 사장을 비롯한 경영진이 독성 리더십의 폐해를 잘 몰라서 그런 것일까요?

아닙니다. 경영진도 독성 리더십의 문제점은 잘 알고 있습니다. 그렇지만 독성 리더의 상당수는 과거에 성과와 실적을 잘 낸 사람들입니다. 경영진은 그것 때문에 그 리더를 발탁한 것입니다. 그래서 독성 리더들에게 관대하고, 계속 신뢰를 보냅니다. 일종의 '편향성'이 생기는 것입니다. 그러다 보니 직원들이 불만의 목소리를 내도 오히려 해당 리더를 두둔하기도 합니다. 심지어 직원들에게 "너희들이 그 사람을 뒷받침하지 못하는 게 문제야"라고 말합니다.

하지만 독성 리더가 계속 '독을 내뿜는' 상황이 지속되면 회사는 점차 망가질 수밖에 없습니다. 따라서 우선 경영자나 인사 담당 임원,

또는 상사가 나서서 해당 간부가 구성원을 대하는 방식과 태도를 개선하도록 설득해야 합니다. 뛰어난 성과를 내서 발탁한 인물이기 때문에 먼저 스스로 교정할 수 있도록 독려하는 겁니다. 그렇게 해도 상황이 개선되지 않는다면 다른 길이 없습니다. 경영자가 읍참마속의 심정으로 결단을 내려야 합니다. 사람을 아끼는 마음은 이해할 수 있지만, 그 사람으로 인해 회사가 망가지는 것을 두고 볼 수는 없으니까요.

Q

장기근속에 대한 보상을
강화하고 싶습니다.

#커리어맵 #비전제시 #회사브랜드강화 #GE #세션C
#리더육성프로그램 #경력계발 #맞춤형비전제공 #성장욕구자극

코스닥 상장회사의 경영기획실장으로 일하고 있습니다. 최근 몇 년 사이 경쟁사로 직원들이 많이 빠져나가고 있습니다. 우리 회사의 사업 내용이 좋고 인력이 우수하다는 소문이 난 탓인지 경쟁사들이 적극적으로 손짓을 하는 바람에 퇴사가 늘고 있는 것 같습니다. 아직 조직의 핵심 인력들은 건재하고 입사희망자들도 적지 않아 직원들의 퇴사가 큰 문제가 되고 있지는 않습니다. 그러나 계속 지켜만 봐도 될지, 이러다가 조직이 흔들리는 것은 아닌지 걱정이됩니다.

그래서 직원들의 추가 이탈을 막고 사기를 높이기 위해 장기근속자에 대한 보상을 강화하려고 합니다. 그런데 대책을 세우려다 보니 조금 막막합니다. 금전적 보상은 재원이 충분치 않을 뿐만 아니라 부작용이 우려됩니다. 안식년같은 특별휴가도 검토해보고 있는데, 과연 이런 것이 직원들의 장기근속에 얼마나 도움이 될까 회의적인 생각이 듭니다. 좋은 방법이 없을까요?

"동기부여는 금전적 보상으로만
하는 게 아닙니다."

요즘 많은 기업 경영자들이 직원들의 퇴사에 시달리고 있습니다. 코로나19를 거치면서 직장인들의 이직이 너무 많아졌기 때문입니다. 이러다 보니 경영자들 사이에서 어떻게 하면 직원들을 유지할 수 있는지가 최대 관심사 중 하나가 됐습니다. 이른바 '대이직 시대'에 직원들이 오랫동안 제자리를 지켜준다면 경영자들은 더할 나위 없이 행복할 겁니다.

질문하신 분의 회사가 직원들의 퇴사를 막고 장기근속을 유도하기 위해 특별 방안을 모색하는 것은 충분히 이해할 수 있습니다. 장기근속자들에 대한 보상을 강화하는 것은 결국 회사에 오래 있으면 득이 된다는 것을 보여주고 싶기 때문일 겁니다.

그런데 장기근속자에 대해 금전적 보상을 확대하는 것이나 안식년을 주는 것은 근본적인 해법이 될 수 없습니다. 금전적 보상은 재원이 필요합니다. 그러나 돈으로 보상하는 정책은 어느 순간 재원의 한계에 봉착할 수 있기 때문에 지속하기가 어렵습니다. 안식년의 경우도 해당 직원들에게 일시적 만족감을 줄 수 있겠지만 이것 역시 장기근속을 강하게 유인할 만한 대책은 아닙니다.

특히 이런 방안들은 장기근속자들에게는 선물이 될 수 있겠지만, 그렇지 않은 직원들에게는 피부에 별로 와닿지 않습니다. 장기근속을 유도하는 정책은 최종적으로 재직기간이 길지 않은 직원들이 오랫동안 근무하도록 하는 데 초점이 맞춰져야 합니다.

◆ ◆

글로벌 기업의 내부 인재 육성 프로그램에서 배워야 할 것들

직장인들이 어떤 회사에서 오래 근무하는 것은 대체로 비전이 있다고 판단할 때입니다. 반대로 회사를 떠나는 이유는 비전을 찾기 어렵기 때문입니다. 따라서 회사가 장기근속을 유도하려면 먼저 직원들에게 "우리 회사에 이런 미래가 있다"라고 설득력 있는 비전을 제시할 필요가 있습니다.

회사의 브랜드 가치를 높이는 것도 직원들의 충성도와 유지율을 높이는 방법 중 하나입니다. 업계에서 이름이 알려진 기업의 경우 인재들이 몰려들 뿐 아니라 오래 머무를 확률도 높습니다. 직원들이 자부심을 갖게 되니까요. 회사가 갖는 평판과 이미지는 직원들에게 상당히 만족스러운 후광효과를 가져다줍니다. 이 때문에 기업들은 브랜드를 확대하고 강화하기 위해 애를 씁니다.

그런데 중소기업이나 중견기업처럼 유명하지 않은 기업들은 브랜드 가치를 높이는 게 쉽지 않습니다. 이런 기업들에게 브랜드 파워를 통한 직원 유지라는 건 다소 비현실적인 방법으로 들릴 수 있습니다. 따라서 경영자들은 직원들의 마음을 오랫동안 붙들어두기 위해 좀 더 본질적인 해법을 고민하고 연구할 필요가 있습니다.

해법 중 하나는 직원들에게 커리어맵을 설계해주고 그것을 관리해주는 것입니다. 직원 개인에게 장기적으로 경력계발 경로를 설정하고 이끌어주라는 말입니다. 말하자면 개인 맞춤형 비전을 제공하는 겁니다.

"이 회사에서 어떤 직무를 맡아 전문성을 쌓으면 몇 년 뒤에는 어떤 자리에 가게 됩니다. 그 자리에서 직무 능력과 리더십 역량을 키우면 팀장이 될 수 있습니다. 팀장으로 좋은 성과를 거두면 임원으로 승진할 수 있습니다."

이런 식으로 직원들에게 구체적이고 실현 가능한 미래를 제시하는 겁니다.

직원 개개인의 커리어맵을 설계해주는 과정은 입사 시점부터 이뤄지는 게 바람직합니다. 그래야 첫걸음부터 회사에 대한 신뢰와 미래에 대한 희망을 갖게 됩니다. 그 역할은 인사부서와 직속 상사가 맡는 게 좋습니다. 가능하면 정기적으로 커리어맵을 점검하면서 지속적으로 관리해줄 필요가 있습니다. 이 같은 직원 맞춤형 커리어맵 설계는 자발적 동기를 부여하고, 나아가 장기근속으로 이어지는 동력이 될 수 있습니다.

과거 평생직장 시대에는 직장인들이 회사의 발전과 자신의 발전을 동일시하는 경향이 강했습니다. 실제로 회사의 시스템에 순응하면 일정 기간마다 과장, 차장, 부장으로 승진하고 나아가 임원이 될 수 있었습니다. 그 시절에 직장인들은 조직과 자신을 동일시했기 때문에 개인의 전문성을 키운다는 개념은 조금 희박했습니다.

하지만 요즘 MZ세대 직장인은 전문성을 상당히 중시합니다. 직장생활에 발을 들여놓기 전부터 자신의 커리어 계발을 고민합니다. 그렇기 때문에 어느 회사에 들어가게 되면 자신이 계획한 대로 경력 계발이 실현될 수 있을지를 요모조모 따집니다. 만약 자기의 꿈을 실현하는 것이 어렵다고 판단되면 금세 짐을 싸서 떠납니다. MZ세대 직장인들의 이직률이 높은 것도 이 때문입니다. 길게 보고 오래 참지 않는 것이 그들의 특성입니다.

인재 육성 시스템이 견고하기로 유명한 글로벌 기업 GE는 이른바 '세션 C^Session C'라는 이름의 프로그램을 오랫동안 운영하고 있습니다. 세션 C는 조직에서 인재를 발굴하고 육성해 장래의 리더로 키워내는 체계적 프로세스로, 직원 개개인의 업무 실적과 교육, 승진, 보상에 대한 종합적 평가를 바탕으로 장기적이고 연속적인 인재 육성 프로그램을 가동합니다. 잭 웰치 전 GE 회장도 세션 C를 거쳐 최고경영자로 성장했습니다.

비단 GE뿐만 아니라 모토로라, 필립스, HP, 3M 같은 글로벌 기

우리 회사에 인재가 남지 않는 이유

업들은 저마다 체계적인 내부 인재 육성 시스템을 갖추고 있습니다. 이를 통해 젊은 직원들에게 동기를 부여하면서 차세대 경영자를 비롯한 주요 리더들을 키워나가고 있지요.

직장인은 회사에서 자신의 미래가 보이면 업무에 더욱 몰입하게 되고 소속감과 충성도도 높아집니다. 물론 그 미래는 구체적이고 실현 가능한 모습이어야 합니다. 그렇게 된다면 직원들이 현재 업무에 충실해져서 다른 회사를 곁눈질할 이유가 없습니다. 이직할 가능성이 낮아지는 겁니다.

따라서 직원들의 장기근속을 유도하려면 회사가 직원 개개인에게 경력계발을 통한 성장경로를 명확하게 제시하고 이끌어주는 것이 근본적인 해법이 될 수 있습니다. 성장 욕구를 효과적으로 자극하면 직원들은 자발적으로 노력합니다. 그리고 그런 회사를 굳이 떠나려는 마음을 먹지도 않게 될 겁니다.

Q

특정 부서에서만
퇴사자가 속출하고 있습니다.

#퇴사자 #조직진단 #감사팀 #터줏대감 #오피스빌런

100여 명의 직원과 함께 일하면서 더 좋은 회사를 꿈꾸고 있는 중소 의류 회사의 사장입니다. 요즘 퇴사자가 많이 늘어 고민입니다. 과거에도 퇴사자가 없었던 것은 아닙니다만, 이상하게 요즘은 입사 연차가 오래지 않은 퇴사자가 속출하고 있습니다. 간부들 사이에서 "예전엔 직원들이 업무를 익혀 쓸 만하면 퇴사했는데, 이제는 얼굴이 익을 만하면 벌써 회사를 떠난다"는 말이 나돌 정도입니다. 너무 속이 상해서 직원들의 퇴사 상황을 꼼꼼히 살펴봤습니다. 그런데 유독 한두 부서에서 퇴사자가 많이 나오고 있다는 사실을 발견했습니다. 부서마다 직원 복지에 차등을 두는 것도 아니고, 해당 부서가 다른 부서에 비해 문제가 발생할 만큼 특별히 업무가 과중하거나 난이도가 높은 것도 아닙니다. 해당 부서를 관리하는 간부도 딱히 원인을 모르겠다고 합니다. 이 현상의 원인을 어떻게 하면 찾아낼 수 있을까요?

"정밀하고 객관적인 조직 진단으로
정확한 원인을 파악하십시오."

이직이 일상화한 요즘 어떤 기업이든 퇴사자 문제로 인해 골머리를 앓고 있습니다. 직원을 채용하고 육성하는 데 들어가는 비용과 시간이 허망하게 날아갈 뿐 아니라, 조직 전체의 분위기가 가라앉고 업무 추진에 차질이 빚어지기 때문이지요. 퇴사자는 어느 회사든, 언제든 발생할 수 있습니다. 따라서 기업은 퇴사자 문제를 상시적인 리스크로 여깁니다. 그러나 질문하신 분의 회사처럼 직원의 이탈이 단기간에 눈에 띄게 많아지는 것은 상당히 심각한 문제로 보입니다.

일반적으로 직장인의 퇴사는 여러 가지 요소가 결부되어 발생합니다. 급여 불만, 인사 문제, 상사의 리더십이 자주 거론됩니다. 그러나 직장인이 그저 단 하나의 요인으로 퇴사하는 경우는 그렇게 많지 않습니다. 여러 가지 문제가 누적되다가 어떤 결정적 사건이 '방아쇠' 역할을 하면서 퇴사를 결심하는 경우가 많습니다.

질문하신 분은 퇴사자가 자주 발생하는 부서의 경우 특별히 업무량이 많거나 업무 난이도가 높지 않다고 했는데, 업무량이나 난이도 외에도 여러 가지 요소가 퇴사를 결정하는 요인으로 작용합니다. 보상에 대한 불만이나 부서 구성원 간의 갈등도 요인이 될 수 있습니다. 이러한 문제는 피상적으로 보면 정확한 원인을 찾아내기가 어렵습니다. 따라서 직원들의 퇴사가 잦은 부서에 대해서는 본격적인 '조직진단'을 실시할 필요가 있습니다. 다른 부서에 비해 유독 퇴사자가 많다면 분명히 그 부서 안에 어떤 문제 요소가 똬리를 틀고 있다는 뜻입니다.

◆ ◆

정밀하고 객관적인 조직진단을 실시하라

퇴사자가 잇달아 발생하고 있다면 문제의 원인을 파악하기 위해 먼저 부서 구성원의 이야기를 들어봐야 합니다. 부서장은 물론이고 부서 직원들도 한 명씩 면담해야 합니다.

조직의 문제는 대개 사람에게서 비롯됩니다. 기업은 '사람이 전부'인 만큼, 성과도 문제도 사람에게서 원인을 찾을 수 있는 경우가 많습니다.

어느 조직이든 이른바 '터줏대감'이 있기 마련입니다. 이들 중 일부는 경력이 길지만 승진을 못 해서 불만이 가득한 고참 직원일 가능성이 큽니다. 이런 터줏대감이 부서 안에서 많은 문제를 야기합니다. 고참이다 보니 부서장도 어떻게 손쓰지 못한 채 방치하게 되고, 결국 부하직원이 부조리한 일을 겪는 상황이 벌어집니다. 그래서 견디다 못한 직원들이 퇴사하거나 다른 부서로 전출을 희망하는 경우도 발생합니다.

또 요즘 직장인들 사이에 자주 회자되는 이른바 '오피스 빌런'도 퇴사의 원인으로 작용할 수 있습니다. 오피스 빌런은 회사에서 지속적으로 동료들에게 피해를 주는 언행을 일삼으며 업무에 부정적 영향을 끼치는 직장인을 지칭합니다. 이런 오피스 빌런이 존재하면 선량하고 성실한 직원들이 피해를 입게 됩니다.

일반적으로 대기업은 계열사나 사업부 등 일정 단위조직에 문제가 생기면 감사팀을 투입해 철저하게 조직을 진단합니다. 가령 적자가 지속되거나, 조직 이탈자가 평균 이상으로 발생하거나, 윤리 문제가 지속 대두되면 그 원인을 색출합니다. 원인이 확인되면 당연히 적절한 해결책을 통해 문제를 처리합니다.

조직진단이 아닌 개인 차원에서 문제를 진단하면 선입관을 갖고 접근할 가능성이 큽니다. 자칫하면 엉뚱한 것을 원인으로 판단해 잘못된 처방을 내릴 가능성도 있습니다. 마치 의사가 통증을 호소하는 환자를 보고 진단 없이 원인을 예단해 오진을 내리는 경우와 비슷합니다. 우리는 종종 소화불량 같은 가벼운 질환으로 진단을 받은 사람들이 나중에 정밀검사 결과 암으로 판정을 받았다는 이야기를 접합니다. 만약 처음부터 제대로 진단했다면 병이 커지는 것을 막을 수 있었겠지요. 회사의 조직진단도 마찬가지입니다.

질문하신 분은 회사의 간부가 퇴사자가 집중적으로 발생하는 부서를 살펴봤지만 구체적 원인을 파악하지 못했다고 하셨습니다. 그 사람이 부서의 윗사람 말만 듣고 피상적으로 살핀 것은 아닌지 점검해보세요. 조직진단의 대상은 해당 부서 구성원 전체가 되어야 합니다. 또 객관적 시각에서 조직진단을 할 수 있는 별도의 팀을 투입해야 합니다. 회사에 감사팀이 있다면 그 팀을 투입하면 되겠죠. 만약 회사 내부에서 조직진단을 하기가 어렵다면 경험이 풍부하고 업무 지식을 갖춘 외부 전문가에게 의뢰할 수도 있습니다.

진단이 정확하면 치료는 오히려 쉬울 수 있습니다. 잘못된 진단은 문제를 해결할 수 없을 뿐만 아니라 상황을 더 나쁘게 만들 수도 있다는 점을 유의해야 합니다.

Q

오피스 빌런 때문에
직원들이 힘들어하고 있습니다.

#오피스빌런 #썩은사과 #직장만족도 #노무사 #공동체의식

얼마 전 직원들과 저녁식사를 하는 자리에서 '직장생활에서 피하고 싶은 사람'이 대화의 주제로 올랐습니다. 예상했던 것처럼 꼰대 사장이나 임원, 갑질 상사가 차례로 도마 위에 올랐습니다. 그런데 제가 예상하지 못했던 유형도 이야기의 한 부분을 차지했습니다. 저에겐 용어조차 생경한 '빌런'이 직장생활을 힘들게 만드는 요인 가운데 하나로 꼽힌 겁니다. 불쾌한 언행을 일삼는 직원도 직장생활의 만족도를 떨어뜨리는 주요 요인이 되고 있더군요. 심한 경우 퇴사의 요인이 되고 있는 것 같습니다. 특히 조직 규모가 작을수록 이런 빌런들의 존재는 회사 분위기에 큰 영향을 미치면서 업무 효율을 낮추는 요인으로 작용하고 있습니다. 더 큰 문제는 이들을 어떻게 다뤄야 할지 모른다는 겁니다. 혹시 이런 유형의 문제 직원을 다루는 비법이 있을까요?

"썩은 과일을 골라내는 건
경영자의 매우 중요한 의무입니다."

사람들이 많이 모이는 곳에는 문제적 인물이 섞여 있기 마련입니다. 직장에서도 마찬가지죠. 직장생활을 해본 사람이라면 '오피스 빌런'을 직·간접적으로 경험하지 않은 경우가 드물 것입니다.

동료나 부하직원에게 아무렇지도 않게 불쾌한 언행을 일삼는 직원, 욕설이나 성희롱 발언을 하는 직원, 동료들에 대한 험담과 뒷담화가 일상인 직원, 자기 일은 제대로 하지 않으면서 동료의 업무를 방해하는 직원, 폭언이나 폭행으로 동료를 괴롭히는 직원 등 빌런의 유형은 매우 다양한데, 이들에게는 공통점이 하나 있습니다. 바로 조직을 망가뜨린다는 점입니다. 빌런들은 여러 가지 방식과 유형의 못된 짓을 일삼으면서 조직 구성원들을 못살게 굽니다. 그들에게 영향을 받은 직원들이 업무에 몰입할 수 없는 것은 당연합니다. 그 결과 조직 전체의 생산성이 떨어지게 됩니다. 기업이 빌런을 그대로 두면 안 되는 이유도 여기에 있습니다.

경영학자인 미첼 쿠지Mitchell Kusy와 심리학자인 엘리자베스 홀로웨이Elizabeth Holloway는 기업 조직을 망가뜨리는 문제적 인물을 '썩은 사과'로 지칭했습니다. 빌런과 거의 같은 개념으로 볼 수 있습니다.

사과를 상자에 가득 담아 보관하면 썩은 사과 한 개가 주변 사과까지 썩게 만드는 모습을 볼 수 있습니다. 사과는 식물의 숙성과 노화를 촉진하는 식물 호르몬인 '에틸렌'을 다량으로 내뿜는 대표적인 과일입니다. 이 때문에 여러 개의 사과를 한 상자에 보관하는 것은 좋지 않은 방법입니다. 만약 사과 상자에서 썩은 사과를 발견했다면 즉시 꺼내 격리해야 모든 사과가 썩는 불상사를 막을 수 있습니다. 회사 조직도 마찬가지입니다. 썩은 사과나 빌런을 그대로 두면 조직 전체를 오염시키기 때문에 반드시 제거해야 합니다.

기업 조직에는 썩은 사과나 빌런 같은 존재들이 의외로 많습니다. 미첼 쿠지와 엘리자베스 홀로웨이가 「포춘」이 선정하는 500대 기업에 근무하는 리더 400명을 대상으로 조사해보니, 응답자의 64%가 현재 썩은 사과와 함께 일하고 있다고 답했습니다. 또 무려 94%의 응답자들이 썩은 사과와 일해본 경험을 갖고 있었습니다.

문제적 인물들은 지금 이 순간에도 수많은 기업에서 강한 독을 뿜으며 조직을 오염시키거나 마비시키고 있을지도 모릅니다. 따라서 기업의 경영자와 관리자는 오피스 빌런 문제에 높은 수준의 경각심을 가져야 합니다. 특히 빌런의 존재가 파악되면 조직 보호를 위해 즉각적이고 단호한 조치를 취해야 합니다.

◆◆

좋은 직장의 조건은 보상만이 아니다

빌런을 퇴치할 수 있는 주체는 당연히 경영자와 관리자입니다. 피해를 입는 직원들이 스스로를 구제하는 것은 쉽지 않습니다. 빌런 문제를 해결하는 것은 생각보다 어렵다는 뜻입니다. 따라서 조직의 건강을 유지하려면 누군가 악역을 맡아야 합니다. 우선 인사 담당자나 관리자가 나서서 빌런과 면담할 필요가 있습니다. 본인이 조직에서 야기하는 문제를 지적하면서 반성을 촉구하는 것이죠. 그렇게 해서 태도를 고친다면 다행스러운 일입니다. 하지만 대체로 빌런은 태도에 문제를 가진 경우가 많기 때문에 자기 잘못을 인정하지 않으려고 합니다.

기업들마다 빌런 문제로 고민하는 경우가 늘어나다 보니 요즘에는 노무법인들이 기업들을 대상으로 빌런 퇴치법을 컨설팅하기도 합니다. 빌런에 대한 징계나 해고 같은 조처가 합법적인 테두리 안에서 이뤄져야 하기 때문에 노무사가 기업에 각종 조언과 해법을 제시하고 있는 겁니다.

기업이 조직을 건강하게 운영하려면 빌런 문제에 적극적으로 대처해야 합니다. 어떤 방식으로든 빌런 퇴출 프로그램을 가동할 필요가 있습니다. '기록'은 그 방법 중 하나입니다. 평소에 조직 구성원들을 유심히 살펴보면서 문제가 인지되면 크든 작든 기록을 남겨야 합니다. 추후 문제가 대두되면 인사 자료로 활용해야 하기 때문입니다.

빌런에 대해 징계나 해고 같은 적극적인 인사조치를 취하려면 충분한 법적 근거를 확보해야 합니다.

빌런이 조직에 나타나지 않게 하려면 애초부터 조직을 건전하게 구성할 필요가 있습니다. 양질의 구성원으로 조직을 만드는 것입니다. 물론 쉽지 않은 일입니다. 직원을 채용할 때 몇 차례씩 면접을 실시하고 평판조회 같은 추가 검증 절차를 거치더라도 문제적 직원을 완전히 걸러내기가 어렵습니다.

하지만 양질의 구성원을 확보하는 데 많은 노력을 기울이면 조직 전체가 건강해질 가능성은 확실히 커집니다. 좋은 인재가 있는 조직은 또 다른 좋은 인재를 부릅니다. 이렇게 차곡차곡 양질의 인재들로 조직을 채워나간다면 빌런이 발을 붙일 곳은 점차 사라지게 됩니다.

넷플릭스에서 최고인사책임자로 활약했던 패티 매코드[Patty McCord]는 "회사가 직원에게 해줄 수 있는 최고의 보상은 탁월한 동료와 함께 일하도록 하는 것"이라고 주장했습니다. 직장인들에게 좋은 동료가 얼마나 소중한 존재인지를 잘 나타내는 이야기입니다. 우수한 직원이 있으면 기본적으로 회사에 도움이 되지만 동료 직원들에게도 도움이 된다는 뜻입니다.

미국 경제매체 「포춘」과 함께 '일하기 좋은 100대 기업'을 선정하는 GWP[Great Work Place] 연구소는 최고의 직장이 가지는 다섯 가지 특성으로 신용, 존중, 공정성, 자긍심, 동료애를 꼽고 있습니다. 동료애가 하나의 중요한 특성으로 언급된다는 것은 그만큼 직장인들이 동료로부터 많은 영향을 받는다는 사실을 의미합니다. 요컨대 서로 친밀감을 느끼며 상호신뢰하면서 공동체 의식을 형성하는 동료 집단이 있는 기업이 일하기 좋은 직장이라는 것입니다.

직장인들은 직장을 선택할 때 물론 연봉이나 복리후생 같은 조건을 우선적으로 따집니다. 그래서 기업들도 우수 인재를 확보하기 위해 높은 연봉과 충분한 복리후생을 전면에 내세웁니다. 하지만 그것만으로 일하기 좋은 직장이 되는 것은 아닙니다. 무엇보다 함께 일하는 상사와 동료들이 어떤 사람들이냐가 직장인의 만족도에 결정적 요인으로 작용합니다.

이런 점을 감안하면 기업들은 평소에 직원을 채용할 때 실력과 함께 품성을 좀 더 세밀하게 검증해 양질의 인재들로 조직을 구성할 필요가 있습니다. 그런 노력들이 점차 쌓이면서 구성원들이 서로를 배려하고 존중하는 조직 문화가 형성되는 겁니다. 당연한 이야기지만, 조직 문화는 하루아침에 뚝딱 만들어지거나 개선할 수 있는 것이 아닙니다.

우리 회사에 인재가 남지 않는 이유

Q

퇴사자 면담을
꼭 해야 하나요?

 # 포커스그룹인터뷰 #면담기록 #조직문제진단

퇴사자 인터뷰에 관한 이야기를 많이 들었지만, 그동안 시늉만 하고 있었습니다. 별로 중요하다고 생각하지 않았기 때문입니다. 가끔 오래 근무했던 간부들이 퇴사 인사를 하고 가는 경우도 있긴 했지만, 대개는 조용히 회사를 떠났습니다. 퇴사자에 대해 사내 분위기가 그리 우호적이지 않았고, 헤어지는 마당에 떠나는 사람이나 남는 사람 모두 딱히 할 말도 없었기 때문입니다. 특히 요즘 퇴사자가 많아지면서 이런 분위기는 더 강해졌습니다.

그런데 최근 부득부득 인사를 하고 가겠다는 직원과 이야기를 나누는 과정에서 미처 몰랐던 직원들의 심정을 알게 됐습니다. 큰 문제가 아니려니 생각했던 것들인데 직원들은 꽤 심각하게 받아들이는 것들이 적지 않았습니다. 제가 알고 있던 것과 정반대로 인식하고 있는 것들도 더러 있었습니다. 그래서 앞으로 퇴직자 면담을 해야겠다고 생각하고 있는데, 어떤 방식으로 무엇을 물으면 도움이 될까요?

"떠나는 사람의 이야기는
언제나 경청할 가치가 있습니다."

기업 경영자는 평소에 직원들의 모습을 유심히 살펴보거나 종종 직원들과 대화를 나누며 그들의 의견을 들어야 합니다. 그래야 조직이 어떻게 돌아가는지, 직원들은 조직에 대해 무슨 생각을 하고 있는지 알 수 있습니다.

하지만 경영자와 관리자가 이런 노력을 하더라도 조직의 실상을 제대로 파악하기는 쉽지 않습니다. 왜냐하면 직원들이 자기 속마음을 흔쾌히 드러내는 경우가 별로 많지 않기 때문입니다. 대부분 직장인들은 상사나 사장을 어려워합니다. 그들 앞에서 자기 생각이나 감정을 솔직하게 말하는 경우는 드뭅니다.

그런데 회사를 떠나는 직원들을 대상으로 실시하는 퇴사자 인터뷰를 잘 활용하면 조직의 장단점이나 문제점을 보다 객관적으로 파악할 수 있습니다. 퇴사자들이 재직 중에 말하기 어려웠던 마음속 이야기를 비교적 솔직하게 털어놓을 수 있기 때문입니다. 그래서 퇴사자

인터뷰는 경영자가 직원들의 생각을 읽어낼 수 있는 매우 유용한 방법입니다.

인사관리 시스템이 잘 갖춰진 대기업 중에는 퇴사자 인터뷰를 제도적으로 운영하는 곳들이 꽤 있습니다. 보통 인사부서에서 퇴사자 인터뷰를 실시합니다. 제가 운영하는 회사에서도 직원이 퇴사하게 되면 경영기획실장이 면담 시간을 갖습니다.

"왜 퇴사하려고 합니까?"

"그동안 회사 생활은 어땠습니까?"

"불편하거나 힘든 일은 없었습니까?"

이런 질문을 하면서 퇴사자가 편한 마음으로 이야기를 꺼내도록 이끌어갑니다.

◆ ◆

퇴사자는 조직을 되돌아보게 하는 거울

퇴사자 인터뷰의 핵심은 직원이 퇴사를 결정하게 된 '진짜 사유'를 듣는 것입니다. 퇴사를 결심하는 것은 대부분 회사에 대한 불만이 있기 때문입니다. 문제는 퇴사자들이 떠나면서 나쁜 이미지를 남기게 될지도 모른다는 생각에 속이야기를 털어놓지 않으려 한다는 겁니다. 그래서 퇴사자 인터뷰가 생각만큼 쉬운 일은 아닙니다.

특히 퇴사의 이유가 사람과의 관계 문제라면 괜한 잡음을 일으키지 않으려고 말하지 않을 수 있습니다. 일단 입 밖으로 내뱉은 이야기는 돌고 돌아 누군가의 귀에 들어가기 마련이니까요. 가령 퇴사자가 특정 상사를 강하게 비난하면서 나갔을 경우, 그가 이직을 시도할 때 평판조회를 하게 되면 그 상사가 좋은 말을 해줄 가능성이 거의 없겠지요. 그런 이유 때문에 퇴사자들은 '나가는 마당에 뭐 하러 싫은 소리를 해'라고 생각하면서 조용히 짐을 싸서 떠나는 경우가 대부분입니다.

따라서 퇴사자 인터뷰가 실질적 효과를 얻으려면 면담자의 역할이 매우 중요합니다. 누가 면담자로 나서서 무엇을 어떻게 물어볼 것이냐가 퇴사자 인터뷰의 성패를 가릅니다. 그렇기 때문에 면담자는 퇴사자가 편하게 대하고 신뢰할 수 있는 사람, 객관적 시각에서 판단할 수 있는 사람을 선택해야 합니다.

또 퇴사자 인터뷰를 진행할 때는 편안한 분위기를 조성할 필요가 있습니다. 퇴사자가 편안함을 느껴야 솔직하게 자기 이야기를 할 수 있기 때문입니다. 면담자가 섬세하고 노련한 인터뷰 기술을 발휘할 필요가 있다는 것이죠.

퇴사자 인터뷰의 질문은 대개 이런 것들입니다.

"재직기간에 어떻게 지냈습니까?"

"회사에 대한 만족도는 어땠습니까?"

"맡았던 직무는 잘 맞았습니까?"

우리 회사에 인재가 남지 않는 이유

"근무 여건은 만족스러웠습니까?"

"회사에 있는 동안 성장했다고 느끼시는지요?"

"본인의 성과에 대해서 어떻게 생각하십니까?"

"퇴사하려는 주된 이유가 무엇입니까?"

"연봉에 불만족스러운 부분이 있으셨습니까?"

위와 같은 일반적 질문 외에 특정한 질문을 사전에 설계하는 경우도 있습니다. 가령 어떤 부서에서 직원들이 자주 퇴사한다면, 그 부서 직원이 퇴사할 때 퇴사의 근본적 사유를 좀 더 깊이 캐묻는 식입니다. 예를 들어 회사가 최근에 연봉체계를 바꿨다고 한다면, 직원들의 솔직한 생각을 퇴사자에게 물어보고 확인할 수도 있습니다. 조직 내부에 직원들이 불만을 가질 것 같은 사안이 있다면 퇴사자 인터뷰를 통해 그 부분을 살펴볼 수도 있습니다.

퇴사자 인터뷰를 해보면 어떤 사안에 대해 경영자나 관리자가 두루뭉술하게 추측한 것과 전혀 다른 결과가 나오는 경우가 적지 않습니다. 그런 경우 경영자나 관리자들이 인터뷰 내용을 귀담아 듣고 직원과 시각 차이를 좁히려는 노력을 기울여야 합니다.

이처럼 퇴사자 인터뷰는 객관적 시각에서 조직을 들여다보고 점검할 수 있는 매우 중요한 정보를 제공하기 때문에 반드시 실시할 필요가 있습니다. 퇴사자 인터뷰를 통해 솔직하고 깊은 이야기를 끌어내면 조직의 장점과 단점을 두루 확인할 수 있습니다. 또 각 부서가 어떻게 운영되고 있고 각 부서의 직원들은 어떤 생각을 하는지도 파악할 수 있습니다. 요컨대 조직 내부를 훤히 들여다볼 수 있는 투시경 같은 역할을 하는 겁니다.

소비재를 판매하는 기업들은 종종 마케팅 전략에 참고하기 위해 소수의 소비자들을 모아놓고 '포커스 그룹 인터뷰Focus Group Interview'나 '포커스 그룹 디스커션Focus Group Discussion'을 실시합니다. 이런 프로그램을 통해 소비자들이 회사의 제품을 어떻게 생각하는지 객관적으로 파악하려는 것이죠. 기업이 보는 관점과 전혀 다른 관점에서 제품을 평가하는 결과가 나오게 되면 상당히 중요한 자료로 활용할 수 있습니다. 퇴사자 인터뷰도 이와 비슷한 역할을 하는 셈입니다.

퇴사자 인터뷰를 실시한 뒤에는 면담 기록을 남겨야 합니다. 인사 부서에서 인사자료로 활용할 필요가 있을 뿐만 아니라, 회사 전체 차원에서 조직 개선 방안을 만드는 데 참고자료로 활용해야 하기 때문입니다. 또 면담 기록을 바탕으로 필요한 경우 퇴사자가 소속되어 있던 부서 책임자에게 조언이나 주의를 주기도 합니다.

퇴사자 인터뷰는 조직을 비춰볼 수 있는 거울과도 같습니다. 사람이 거울에 비친 자기 모습을 보고 외모를 다듬듯, 기업은 퇴사자 인터뷰를 거울처럼 활용해 조직의 문제를 파악하고 개선할 수 있습니다. 질문하신 분 회사에서 퇴사자 인터뷰를 실시하기로 한 것은 아주 바람직한 결정입니다. 앞으로 퇴사자 인터뷰를 진행하면 점차 유용한 정보가 쌓여서 조직관리에 큰 도움을 받게 될 겁니다.

Q

기업 평판 사이트에 올라오는
악평에 시달리고 있습니다.

#기업평판사이트 #직장인커뮤니티 #익명성 #조직 문화
#퇴사자관리 #퇴사인터뷰 #인사관리범위 #아웃플레이스먼트

수도권에 본사가 있는 중견 부품 회사의 인사부장입니다. 기업 평판 사이트를 비롯한 인터넷에 떠다니는 악담들이 참 성가십니다. 대부분 회사에 불만을 갖고 있는 재직자나 퇴직자들이 써놓은 글들로 추정됩니다. 회사에 적응하지 못했거나, 실적이 부진했거나, 능력이 부족한 사람들이 억하심정으로 쓴 글들이어서 사실과 다르거나 침소봉대한 것들이 많습니다. 회사와 경영진, 상사나 동료에 대해 불만을 가질 수는 있겠지만 너무 왜곡과 과장이 심하고 명예를 훼손하는 것들도 있어서 경찰에 수사를 의뢰할까도 생각해본 적이 있습니다. 이제 아예 보지 않고 있고, 무슨 얘기가 들려도 요즘 세대의 성향이려니 생각하고 넘어갑니다. 우리 회사는 동종업계와 비교해 연봉 수준이 낮지 않고 일반적인 근무 조건도 좋은 편입니다. 그렇다고 경영진이나 간부를 비롯한 조직 구성원들에게 특별히 문제가 있는 것도 아닙니다. 그런데 면접 때 인터넷에 떠다니는 글을 언급하며 "사실이냐"고 질문하는 후보자들도 있어 헛웃음이 나올 때도 있습니다. 어떻게 대처해야 할까요?

"퇴사자와 잘 헤어지면
악평의 절반 이상이 사라집니다."

요즘 온라인 직장인 커뮤니티나 기업 평판 사이트가 직장인들에게 정보를 얻는 창구가 되고 있습니다. 그런데 많은 직장인들이 이용하는 온라인 플랫폼이 순기능만 있는 것은 아닙니다. 특히 일부 이용자들은 익명성을 이용해 사실과 다르거나 왜곡된 이야기, 또는 지극히 주관적인 이야기를 올리는 경우가 적지 않습니다. 이러다 보니 직장인 플랫폼에 올라오는 글들의 진위를 두고 갑론을박이 벌어지기도 합니다. 이용자들은 실상을 모르니 무엇이 사실이고 무엇이 거짓인지 알수 없습니다. 그저 각자의 상식과 가치관에 따라 해석할 따름입니다.

온라인 직장인 사이트가 활성화하면서 기업들도 종종 난처하거나 곤혹스러운 상황에 처할 때가 많습니다. 특히 사실과 다른 내용으로 회사의 평판과 이미지를 훼손하는 글들이 올라오면 당혹스러움을 금할 수 없습니다. 누가 그런 글들을 올렸는지 알 수 없으니 냉가슴만 앓는 경우가 많습니다.

기업들이 이미지 관리를 하기가 참 어려운 시대가 되었다는 생각이 듭니다. 물론 시대 상황만 탓하면서 이미지 관리에 손을 놓고 있을 수는 없겠지요. 일차적으로 조직 문화에 관심을 기울이면서 내부 구성원들이 불만을 가질 수 있는 요소들을 제거해나갈 수밖에 없습니다.

◆ ◆

퇴사자와 잘 헤어지고 싶다면

한 가지 더 유념할 것이 있습니다. 퇴사자들에 대한 관리 문제입니다. 일반적으로 기업들은 퇴사자들에 대해 신경을 많이 쓰지 않습니다. 기업의 경영자와 관리자들은 대개 직원을 채용하고 육성하고 유지하는 것까지가 인사관리의 범위라고 생각합니다. 사실 그렇게 생각하는 것이 잘못되었다고 할 수는 없습니다.

하지만 기업의 이미지 관리라는 측면을 고려할 때 조금 다른 관점을 가질 필요가 있습니다. 퇴사자는 회사를 떠나면서 공식적으로 외부인이 되지만 한때 함께 일하던 동료였습니다. 재직 당시의 직급이나 직무에 따라 차이가 있겠지만, 회사 내부 사정을 누구보다 잘 압니다. 경우에 따라 중요한 비밀을 알고 있는 사람도 있을 겁니다. 만약 이런 사람들이 회사에 대해 악감정이나 증오심을 품고 있다면 어떻게 될까요? 물론 특별히 적대적 행위를 하는 경우는 드물 겁니다. 하지만 최소한 다른 곳에서 회사에 대한 비난과 악평을 쏟아낼 가능성은 완전히 배제할 수 없습니다.

한때 어떤 회사에 근무했던 퇴사자가 그 회사에 대해 언급하는 내용은 사람들에게 상당히 신빙성 있게 들립니다. 퇴사자의 발언이 그 회사에 대한 이미지를 형성하게 한다는 것입니다. 기업이 퇴사자들을 적절하게 관리해야 하는 이유입니다.

사람의 감정이라는 것은 참 미묘한 데가 있습니다. 직장을 떠나는 사람은 왠지 서운하고 섭섭합니다. 한때 정을 붙이고 일하던 곳이니까 그런 감정이 생길 수밖에 없습니다. 대기업에서 고위 임원을 지낸 사람들도 회사를 떠날 때 아주 섭섭한 감정이 생기더라는 이야기를 하더군요.

반면 회사에 남아 있는 사람들은 떠나는 사람에 대해 그리 호의적이지 않습니다. '우리를 두고 떠나는 배신자' 프레임으로 바라보기 때문입니다. 이런 이유로 누군가 퇴사할 때 사무실 풍경을 보면 좀 냉랭하고 서먹서먹한 분위기가 형성됩니다.

그렇지만 퇴사자와 헤어질 때는 잘 헤어질 필요가 있습니다. 퇴사자가 회사에 대해 좋은 기억과 우호적 감정을 갖고 떠나도록 해야 합니다. 퇴사자에게 이렇게 이야기를 건넬 수도 있지 않을까요?

"떠나게 되어 무척 아쉽습니다. 회사에 있는 동안 기여를 많이 해줘서 고맙습니다. 기회가 된다면 다시 함께 일하고 싶습니다."

이런 말을 들은 퇴사자는 어떤 감정이 들까요? 아마도 가슴이 뭉클하고 마음이 따뜻해질 겁니다. 퇴사자가 그런 느낌을 가진 채로 회

우리 회사에 인재가 남지 않는 이유

사를 떠나게 하는 것이 필요합니다.

'배달의민족'을 운영하는 회사인 우아한형제들은 퇴사자들이 회사를 떠날 때 특별한 이벤트를 열어준다고 합니다. 회사는 재직기간에 열심히 일해준 퇴사자에게 감사의 마음을 전하고, 퇴사자가 한때 몸담았던 회사에 대해 좋은 추억을 갖고 떠날 수 있도록 하기 위해 마련한 제도입니다. 퇴사자를 배려하는 섬세한 접근 방식이 돋보이는 아이디어라고 생각합니다.

◆ ◆

있을 때는 직원, 나가면 고객

퇴사자는 직원 신분에서 고객 신분으로 전환됩니다. 이 관점에 따른다면 기업은 퇴사자를 좀 더 적극적으로 대우할 필요가 있습니다. 물론 어떤 경우에는 퇴사자가 회사에서 불편한 경험을 했거나 부당한 대우를 받았나고 여겨서 퇴직을 결심했을 수도 있겠지요. 이런 경우라면 더욱더 그의 마음을 어루만지고 진정시킬 필요가 있습니다. 만약 서로 오해가 있었다면 푸는 시간도 가져야 합니다. 그렇지 않으면 회사 밖에 우리를 잘 아는 잠재적인 적이 한 명 더 생기는 꼴이 되니까요.

퇴사자를 적으로 만드는 것은 어리석은 행동입니다. 설령 우호적 태도를 갖도록 하지는 못하더라도 최소한 중립적 태도는 갖게끔 해야 합니다. 적대적 태도를 취하게 하는 것은 회사 입장에서 아무런 득이 되지 않습니다.

기업이 구조조정 차원에서 정리해고나 명예퇴직을 실시하는 경우에도 퇴사자가 발생합니다. 이때 발생하는 비자발적 퇴사자들은 더욱 섬세하고 꼼꼼한 관리가 필요합니다. 갑작스럽게 퇴사에 직면해서 회사에 대한 불만이 클 수 있기 때문입니다.

이런 경우 기업이 나서서 퇴사자가 새로운 일자리를 찾도록 일정하게 지원해주는 게 좋습니다. 그런 제도를 '아웃플레이스먼트 Outplacement'라고 합니다. 아웃플레이스먼트는 퇴사자가 겪는 실직의 충격을 줄이고 재취업 가능성을 높인다는 점에서 유용한 제도입니다. 회사 입장에서도 도덕적 책임이나 부담을 덜 수 있기 때문에 이익이 됩니다.

퇴사자 관리는 기업 이미지와 브랜드 관리에 상당한 영향을 미칩니다. 특히 요즘 직장인들의 이직이 워낙 활발하기 때문에 퇴사자들을 통해 기업의 이미지가 좌우될 수도 있습니다. 퇴사자들이 나쁜 이야기를 하고 다니면 직원 채용은 물론 영업활동에도 타격을 입을 수 있습니다. 기왕이면 퇴사자들이 회사를 떠난 뒤에도 홍보대사로서 기여하게 하는 것이 득이 되는 일입니다. 그러니 퇴사자들이 회사를 떠난 뒤에도 회사에 대해 우호적인 태도를 품을 수 있도록 세심하게 관리할 필요가 있습니다.

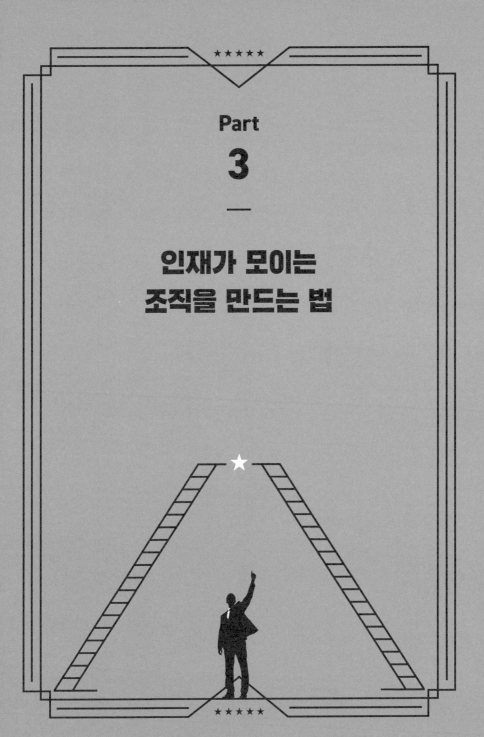

Part

3

—

**인재가 모이는
조직을 만드는 법**

Chapter 6

평가와 보상의 원칙

Q

직원들이 회사에 애정을
가지게 하고 싶습니다.

#직원경험분석 #직원만족도 #직원감동경영

#기업아이덴티티 #브랜드 #소속감 #기업 문화

제품이 아니라 경험을 파는 시대라는 이야기를 많이 들었습니다. 그래서 요즘은 영업사원들에게 "소비자들에게 경험을 팔아야 하고 소비자들이 경험을 사도록 해야 한다"고 교육한다더군요. 최근 직원들이 퇴사하는 것을 보면 '저들도 제품이나 서비스가 만족스럽지 않아 떠나가는 고객들처럼 이런저런 이유로 회사에 실망해 다른 직장을 찾아 떠나는구나'라는 생각이 듭니다.

그래서 제품이나 서비스에 대한 고객만족도를 높이듯 회사에 대한 직원만족도를 높이는 노력을 해보려고 합니다. 고객경험을 체계적으로 분석해서 해법을 찾는 것처럼, 직원경험을 취합해서 직원만족도를 높이고 퇴사를 줄여보고 싶습니다. 고객감동경영 못지않게 직원감동경영도 중요하고 그 효과도 클 테니까요. 그런데 직원경험을 어떻게 수집하고 분석해야 할까요? 작은 것부터 시작해보고 싶습니다. 효과적인 방법이 있으면 조언을 부탁드립니다.

"조직의 강점을 파악하고
이를 더욱 강화하십시오."

고객만족에 중점을 두는 기업들은 흔히 고객경험^{Customer Experience}을 분석하고 관리하는 활동을 합니다. 기업이 제공하는 제품이나 서비스에 대해 고객들이 어떤 생각과 느낌을 갖고 있는지 체계적으로 밝혀내서 마케팅과 브랜드 전략에 활용하기 위한 겁니다.

고객경험 분석은 단순히 제품과 서비스에 대한 고객의 만족도를 조사하는 데 그치지 않습니다. 구매 전 단계에서 구매, 사용, 사용 후 평가 단계에 이르기까지 고객이 브랜드와 직간접적으로 만나는 모든 접점을 분석합니다. 그렇게 함으로써 특정 기업과 브랜드, 제품에 대한 고객의 총체적 경험에 대해 이해도를 높일 수 있습니다.

직원경험^{Employee Experience} 분석도 기본적으로 고객경험 분석과 비슷한 방법을 적용합니다. '기업의 첫 번째 고객은 직원'이라는 말이 있습니다. 그런 점에서 본다면 직원경험 분석이 고객경험 분석보다 더 우선적이고 중요할 수도 있습니다. 직원들이 만족하지 못하는 기업은 장기적으로 존속하기가 어렵기 때문입니다.

직원경험은 간단히 말하면 직원들이 회사와의 관계에서 경험하는 모든 것입니다. 입사를 고려하는 시점부터 입사, 재직기간을 거쳐 퇴사하는 시점까지 이어지는 전 기간 동안 직원이 회사와 구성원, 고객과 상호작용을 통해 경험하는 것들이 모두 직원경험에 포함됩니다.

어떤 브랜드에 대해 만족스러운 경험을 한 고객이 그 브랜드의 충성고객이 되는 것처럼, 회사에서 정서적으로나 물질적으로나 만족스러운 경험을 한 직원은 회사에 대한 충성도가 높아집니다. 충성도가 강해지면 자연히 업무 몰입도와 생산성도 올라갑니다.

◆ ◆

직원경험 분석과 적절한 피드백으로 직원을 만족시키라

앞서 언급했듯이 직원경험은 입사에서 퇴사에 이르는 전체 기간에서 형성됩니다. 따라서 직원경험 분석도 입사자들에 대한 분석부터 시작됩니다. 입사 지원자들은 각자 자신만의 동기를 갖고 있습니다. 어떤 사람은 연봉 조건이 좋아서 지원할 수도 있고, 어떤 사람은 회사 이미지가 좋아서 입사를 희망합니다. 또 어떤 사람은 기업 문화가 자신과 잘 맞을 것 같아서 지원할 수도 있습니다. 입사 지원자들의 지원 동기를 파악하면 기업은 외부에 비치는 기업의 모습에 대해 객관적이고 종합적인 정보를 얻을 수 있습니다.

가장 중심이 되는 것은 재직자를 대상으로 한 직원경험 분석입니다. 인사관리를 체계적으로 하는 기업들은 종종 직원들을 대상으로 이런저런 조사를 합니다. 특히 특정한 경영 이슈가 있거나 직원들의 여론을 들어볼 필요가 있을 때 이런 방식을 이용해 재직자들을 대상으로 직원경험을 분석할 수 있습니다.

이때 직원들의 의견을 수집하고 분석한 다음에는 적절한 피드백을 하는 것이 필요합니다. 직원들이 만족스럽게 생각하는 요소는 더 강화하고, 불만스럽게 생각하는 요소는 개선해야 한다는 겁니다.

장기근속자들을 대상으로 직원경험을 분석하는 경우 이런 질문을 던질 수 있습니다.

"우리 회사에 오래 근무하는 이유가 무엇인가?"
"우리 회사에 근무하면서 긍정적이거나 만족스럽다고 생각하는 요소는 무엇인가?"

장기근속자들의 경험을 통해 회사가 가지는 강점과 장점을 구체적으로 확인할 수 있습니다. 강점과 장점이 확인되면 그 부분을 집중적으로 강화하는 노력을 기울임으로써 전체적인 직원 만족도를 더욱 높일 수 있습니다.

직원경험 분석을 너무 어렵고 거창하게 생각할 필요는 없습니다. 경영자와 관리자가 직원들의 근무환경과 업무 방식을 세심하게 관찰한다면 직원경험을 개선할 수 있는 여러 가지 단서들을 찾을 수 있습니다.

소소한 것이지만 의외로 만족도에 영향을 주는 요소들도 많습니다. 예를 들어 직원들이 출근하는 시간대의 행동 패턴을 유심히 살펴보십시오. 상당수 직원들이 외부에서 커피를 사서 손에 쥐고 들어오는 모습을 볼 수 있을 겁니다. 그렇다면 회사 차원에서 품질 좋고 맛있는 커피를 제공하는 것을 고려할 수 있습니다.

또 다른 예로 회사들이 밀집한 오피스타운에서 직장인들은 점심시간마다 한 끼를 해결하기 위해 번잡한 식당에서 불편을 겪는 사례가 많습니다. 만약 이런 지역에 회사가 위치해 있다면 직원들이 점심시간을 자율적으로 선택해서 사용할 수 있도록 하는 것도 괜찮습니다. 대단한 일이 아닌 것 같지만, 직원들이 느끼는 편리함과 만족감은 상당히 클 수 있습니다.

직원경험을 분석하는 것은 궁극적으로 조직 문화를 개선하기 위한 것입니다. 긍정적이고 만족스러운 직원경험을 통해 기업의 생산성과 경쟁력을 강화할 수 있습니다. 특히 요즘 같은 대이직 시대에 직원경험의 개선은 이식률을 낮추는 데 큰 역할을 합니다.

아울러 직원 개개인의 경험은 총체적으로 볼 때 기업 문화로 나타납니다. 따라서 기업들은 직원경험 분석을 통해 회사의 장점과 특징을 포착해 더욱 강화하는 노력을 기울일 필요가 있습니다. 단점을 보완하고 개선하는 활동도 해야 하지만, 장점을 더욱 부각하는 것이 기업의 아이덴티티를 확립하는 데 훨씬 효과적이기 때문입니다. 그것을 통해 회사에 대한 직원들의 소속감과 애정이 더욱 커질 수 있습니다.

Q

임금 격차를 해소했는데도
연봉 불만이 끊이지 않습니다.

#연봉 #보상 #임금격차 #동일연차동일임금 #하후상박 #상후하박 #간부우대 #삼성

설립된 지 20여 년 된 전자부품 회사에서 경영을 총괄하고 있습니다. 코로나 19 팬데믹 이후 생산 인력들의 퇴사가 늘어나 조직과 성과 관리 시스템을 다시 들여다보고 있습니다. 인사팀에서 파악한 퇴사 사유를 보니 연봉 이슈가 가장 많았습니다. 그런데 사실 업계 내에서 우리 회사가 생산 인력에게 지급하는 연봉은 낮은 편이 아닙니다. 같은 연차인 직원들은 차별 없이 같은 연봉을 지급하고 있고, 간부들과의 임금 격차 역시 크게 나지 않습니다. 하후상박으로 저연차 직원들을 우대하고 있는데도 연봉 불만으로 퇴사자가 많이 생기니 이 문제를 어떻게 해결해야 할지 모르겠습니다.

“직원이 원하는 건
평등한 보상이 아닙니다.”

전통적인 연공서열 방식으로 조직을 운영하는 기업 중 일부는 하후
상박의 보상 문화를 갖고 있습니다. 하위 직급의 경우 해마다 연봉 인
상이 제법 이뤄지는 데 반해 상위 직급으로 갈수록 연봉 인상 폭이 줄
어듭니다. 특히 사업이 비교적 안정적으로 운영되고 직무별로 회사에
대한 성과 기여도의 차이가 크지 않은 제조회사들이 이러한 보상 방
식을 많이 채택합니다. 회사의 매출과 수익이 전체 구성원의 고른 기
여로 이뤄진다고 판단하기 때문입니다.

질문하신 분의 회사처럼 하후상박의 보상 문화 때문에 저연차 직
원들의 연봉 수준이 높은 편인데도 이직이 많아진다면 경영진이 걱정
하는 게 당연합니다. 그렇다고 해서 그들의 연봉 수준을 더 높이는 것
은 전반적인 인건비 증가로 이어지기 때문에 현실적으로 선택하기가
쉽지 않을 것 같습니다.

질문하신 분은 지금까지 저연차 직원을 우대하는 취지에서 하후

상박의 보상 체계를 운영해왔다고 설명했습니다. 그런데 여기에서 한 가지 생각해볼 점이 있습니다.

◆◆

MZ세대가 원하는 보상 정책

언뜻 생각하면 젊은 직원들이야말로 하후상박을 환영할 것 같아 보입니다. 그런데 요즘 MZ세대 직장인들을 조사해보면 꼭 그렇지만은 않은 것으로 나타납니다.

MZ세대는 직장생활을 길게 보지 않는 경향이 두드러집니다. 다시 말해 '나는 이 회사에서 꾸준히 성장해 팀장과 임원을 거쳐 사장 자리에 올라갈 거야'라고 생각하지 않는다는 겁니다. 이런 점은 이전 세대와 크게 다릅니다. 실제로 국내의 한 구인구직 플랫폼이 MZ세대 직장인들을 대상으로 직장생활 목표를 조사했더니 응답자의 절반 이상이 '임원까지 승진할 생각이 없다'고 답했습니다. 그 이유로는 '책임을 져야 하는 위치가 부담스러워서'를 가장 많이 꼽았습니다.

대신 MZ세대 직장인들은 현재를 중시합니다. 이른바 워라밸을 추구하는 성향이 강한 것도 그 때문입니다. 특히 직장에서 받는 보상도 지금의 역량과 성과를 기준으로 삼는 것이 공정하다고 생각합니다. 가령 같은 일을 하는 A 대리의 성과가 B 과장보다 높다면, A 대리의 직급이 낮더라도 B 과장보다 더 많은 보상을 받아야 한다고 생각합니다.

평가와 보상의 원칙

요컨대 젊은 직장인들은 하후상박이나 상후하박 같은 개념에 대해 별 관심이 없습니다. 그보다는 직무와 성과 중심으로 보상하는 게 좋다고 생각합니다. 따라서 MZ세대 직원들의 비중이 커진 상황에서 조직 구조를 직무와 성과 중심으로 전환하는 것은 불가피합니다. 직무와 성과 중심의 보상 체계를 운영하면 우수한 젊은 인재들은 회사에 대한 충성도와 업무 몰입도가 더 높아질 수 있습니다.

젊은 직원들을 위한다는 취지에서 하후상박의 보상 체계를 운영하고 있다면, 오히려 직무와 성과 중심의 보상 체계를 운영하는 것이 그들의 만족도를 높이고 장기근속을 유도하는 방안이 될 수 있다는 점을 염두에 둬야 합니다.

◆ ◆

상사의 지금은 젊은 직원의 미래다

젊은 직원을 우대하는 대신 간부 직원들에 대한 보상을 높이는 것도 고려할 만합니다. 하위 직급 직원들이 퇴사와 입사를 반복하는 상황에서 간부들의 업무 부담은 가중될 수밖에 없습니다. 업무 공백이 발생할 때 이를 보완하는 것도 간부들의 역할이고, 새로 충원한 직원이 조직에 안착하도록 이끄는 것도 간부들의 몫이기 때문입니다.

간부들은 기본적으로 조직관리는 물론이고 성과 관리에 대한 책임도 져야 합니다. 퇴사자가 늘어나면 그만큼 간부들의 부담과 스트레스도 커집니다. 그런데도 그들이 현재 성과를 나름대로 유지하고 있다면 당연히 합당한 보상을 하는 것이 옳습니다. 간부들에게도 동기부여가 필요하니까요.

여러 기업이 '간부니까 조직을 관리하고 성과를 내는 것은 당연하다'는 관점에서 간부에 대한 보상에 인색합니다. 그렇지만 삼성전자의 경우를 한번 볼까요? 삼성전자가 세계적 기업으로 도약한 요인을 두고 여러 분석이 나오고 있지만, 저는 주요 직무를 맡고 있는 간부들에게 과감한 보상을 한 것이 큰 영향을 미쳤다고 생각합니다.

다른 기업들에 비해 삼성의 임원들이 받는 연봉은 월등히 많습니다. 특히 각 사업부에서 중추적 역할을 하는 고위 임원들은 직원 연봉의 수십 배를 받습니다. 이렇게 고위직 간부들에게 파격적으로 보상한 것이 조직 구성원들에게 강한 동기를 심어줬습니다. 삼성의 경우 다른 기업에 비해 임원이 되기 위한 경쟁이 훨씬 치열합니다. 이것이 회사 전체 경쟁력 강화의 기반이 되고 있습니다.

물론 큰 폭의 연봉 격차가 구성원들 사이에 위화감을 조성할 수 있고, 지나친 내부 경쟁이 조직력을 약하게 만드는 요인이 되기도 합니다. 그러나 삼성의 경영진들은 이런 부정적 현상보다 긍정적 영향에 주목하면서 과감하게 간부들의 보상 수준을 끌어올렸습니다.

젊은 직원들은 상사에게서 자기의 미래를 봅니다. 상사가 충분한 보상을 받는 모습을 보면 젊은 직원들도 지금 직장에서의 미래를 예상하고 최선을 다합니다. 반대로 상사가 넉넉지 않은 연봉을 받고 불만이 가득한 표정으로 일한다면 직원들은 현재 직장에서 미래를 기대하지 않게 됩니다. 이처럼 간부들에 대한 보상 문제가 조직 전체에 미치는 영향이 크다는 점도 유념해야 합니다.

　하후상박이나 상후하박은 과거의 연공서열 방식 보상 체계에서 중요한 이슈였지만, 이제 연공서열 문화가 점차 사라져가는 상황에서 의미가 많이 퇴색했습니다. 직무 중심, 성과 중심의 조직 문화가 대세로 되어가는 시대입니다. 그에 맞게 변화를 도모해보시기 바랍니다. 회사에 대한 기여도가 높은 간부들에게 합당한 보상을 하십시오. 동시에 역량과 성과가 높은 젊은 직원들에게도 적절한 보상을 한다면 조직의 활력과 생산성이 훨씬 높아질 것입니다.

Q

한정된 보상 재원을 어떻게 배분해야 할까요?

#보상 #자원분배 #핵심인재 #핵심직무

#성과평가 #기준 #공정성 #경영철학

20년째 의류 회사를 경영하고 있습니다. 최근 직원들의 잦은 퇴사로 인재 확보와 유지가 회사의 주요 경영 현안이 되고 있습니다. 경쟁회사들이 슬금슬금 직원 급여를 인상하다 보니 어느새 우리 회사의 연봉 수준이 낮은 축으로 밀려났고, 그래서 좋은 인재가 경쟁사로 몰리는 한편 인재 유출까지 일어나고 있었습니다.

결국 우리 회사도 직원의 급여 수준을 높이기로 했는데, 문제는 회사가 쓸 수 있는 재원이 한정돼 있다는 점입니다. 재원을 전 직원에게 골고루 쓰면 급여 인상 효과가 크지 않을 것 같습니다. 그렇다고 신입사원이나 외부에서 영입할 사람의 급여만 높게 책정하면 기존 직원들의 반발이 있을 것 같습니다. 재원을 어디에 어떻게 써야 신규 채용에 도움이 되면서 기존 직원의 반발과 이탈을 줄일 수 있을까요?

"책임을 많이 저야 하는 간부들을
더 배려하십시오."

기업이 직원들에게 쓸 보상 재원을 확보하는 것만큼이나 재원을 쓰는 것도 상당히 난이도가 높은 문제입니다. 사실 보상 문제로 골머리를 앓는 경영자들이 많습니다. 회사가 넉넉한 유보금을 갖고 있다면 보상 정책을 한결 수월하게 결정할 수 있겠지만, 아무래도 빠듯한 여건에서 어렵사리 재원을 확보해 보상을 확대해야 하는 상황에서 최적의 방안을 찾는 것이 쉽지는 않습니다.

우선 기업에서 조직과 사업을 유지할 수 있는 힘의 원천이 어디에 있는지를 곰곰이 생각해볼 필요가 있습니다. 한때 "소는 누가 키워"라는 유행어가 인기를 끈 적이 있습니다. 질문하신 분의 회사를 키워가는 주역은 어떤 사람들인가요? 물론 모든 직원일 것입니다. 하지만 냉정하게 역할과 책임, 성과, 기여도를 따져본다면 '간부'들이 회사를 이끌어가는 중추적 역할을 하고 있을 가능성이 클 겁니다. 사람마다, 처한 환경에 따라 다른 생각을 갖고 있겠지만 저는 단연코 간부들이라고 봅니다.

　대이직 시대에 기업은 조직의 하부구조가 취약할 수밖에 없습니다. 젊은 직원들이 들락날락하면서 하위직 직원들의 변동성이 너무 커진 것입니다. 이런 상황에서 기업이 누구를 믿고 사업을 영위하겠습니까? 결국 간부들입니다. 따라서 재원이 한정돼 있다면 간부들에 대한 보상 수준을 높이는 방향으로 가는 게 타당하다고 봅니다.

◆ ◆

역할과 성과 다르면 보상도 달라져야

요즘 기업이 직무와 성과 중심으로 조직 구조를 전환하고 있는 이유도 이 부분과 닿아 있습니다.

　직무 중심 구조에서는 각각의 직무별로 역할과 책임의 수준이 다릅니다. 어떤 직무는 핵심적일 수 있고, 어떤 직무는 보조적일 수 있습니다. 그런데 각각의 직무를 맡고 있는 직원이 같은 직급이라고 해서 보상도 같은 수준으로 지급하는 게 맞을까요? 그렇지 않습니다. 핵심 직무를 맡고 있는 직원에게 더 많은 보상을 하는 것이 옳습니다.

　특히 최근에는 경력사원 채용이 많아지고 있습니다. 외부에서 핵심인재를 영입할 때는 그 사람이 맡을 직무에 맞게 보상을 해줘야 합니다. 역량을 가진 인재라면 시장에서 통용되는 '몸값'이 있습니다. 그런데 연공서열 방식처럼 보수적이고 경직된 보상 체계를 운영하는 회사라면 인재시장에서 통하는 가격이 아니라 회사 내규에 맞춘 금액을

평가와 보상의 원칙

제시하게 될 테니 핵심인재 영입이 쉽지 않을 겁니다.

직무 중심 구조는 성과 중심 구조와도 긴밀한 관계가 있습니다. 직무가 명확해지면 성과 평가도 명확해지기 때문입니다. 조직 구조를 직무 중심으로 바꾸는 회사들은 자연스럽게 성과 중심으로 전환합니다. 성과 중심 구조에서는 당연히 성과가 높은 직원에게 보상을 많이 줍니다. 비슷한 연차의 직원이라도 성과에 따라 보상이 달라지는 겁니다. 성과에 연동되는 보상 체계는 구성원에게 강력한 동기를 부여합니다. 열심히 일해서 좋은 실적을 내면 그에 상응한 보상을 받을 수 있다는 믿음은 성취 욕구가 강한 직원들을 업무에 몰입하게 만듭니다.

만일 전체 직원을 대상으로 보상 재원을 균등하게 쓰면 직원들이 체감하는 급여 인상 효과는 미미할 겁니다. 물론 대다수 임직원들이 균등 인상을 희망한다면 그렇게 하는 것도 방법이 될 수는 있습니다. 하지만 임직원들마다 각자 회사에 기여하는 정도에 대한 생각이 다를 수 있기 때문에 균등 인상은 바람직하지 않습니다.

대졸 신입사원이나 외부 영입 직원들에 대해서만 급여 인상을 하는 것도 전체 구성원들의 공감을 얻기가 어려울 것입니다. 급여 인상에서 소외된 나머지 직원들이 불만을 가질 것이 뻔합니다.

결국 회사 구성원들이 적극적으로든 소극적으로든 동의할 수밖에 없는 방식은 직무와 성과에 따른 보상 체계가 아닌가 생각합니다. 중요한 직무를 맡고 있고 많은 성과를 내고 있는 임직원에게 급여를 더 많이 지급하겠다는 회사의 방침은 합리적이어서 드러내놓고 거부하기가 어렵기 때문입니다.

물론 한 가지 단서가 있습니다. 직무와 성과 중심의 보상이 원하는 효과를 거두려면 직무의 중요도에 대한 객관적 분석과 성과에 대한 공정한 평가가 전제되어야 합니다. 그렇게 하지 않고 자의적인 기준으로 보상하면 구성원의 거센 반발에 부딪히게 됩니다.

　　보상 재원을 어떻게 배분하느냐 하는 문제는 기업마다 풀이가 다를 수 있습니다. 처한 안팎의 환경도 고려해야 하고, 조직의 인적자원 구성도 살펴봐야 합니다. 그러나 보상 정책의 최종 결정권자는 경영자입니다. "경영자는 무엇을 하는 사람인가"라고 물을 때 여러 가지 답이 나올 수 있겠지만, 만약 저에게 묻는다면 "경영자는 자원을 배분하는 사람"이라고 대답할 겁니다. 회사가 이용할 수 있는 한정된 자원을 어디에 어떻게 배분하느냐에 따라 조직의 효율성과 생산성이 달라집니다. 자원 배분에 경영자의 철학과 가치, 비전이 다 녹아 있습니다.

Q

'평가 따로, 보상 따로'
문화를 어떻게 바꿀 수 있을까요?

#성과관리시스템 #정량평가 #정성평가 #기준 #일관성 #공정성 #성장중심

대기업에서 중견기업으로 옮겨 인사 책임자로 근무한 지 반년이 조금 지났습니다. 성과 관리 시스템을 들여다본 결과 방식 변경이 불가피하다고 보고 현재 계획안을 마련하고 있습니다. 그동안 해왔던 평가 방식은 정량평가와 정성평가를 합산하는 구조였는데요. 정량평가는 성과를 기준으로, 정성평가는 상급자가 부하직원의 업무 태도를 살피는 식으로 진행됐습니다. 그런데 정량평가의 기준이 애매할 뿐만 아니라 정성평가도 추상적 기준만 제시되어 있어서 사실상 상급자의 마음 먹기에 따라 결과가 달라질 수 있습니다. 그러다 보니 '평가 따로, 보상 따로'가 되면서 평가의 정확성에 의구심이 제기되고 있었습니다. 대표는 저에게 강력한 성과지향적 문화를 정착시킬 수 있는 평가 방식을 요구했습니다. 어떻게 개선하면 좋을까요?

"일관성 있고 공정한 성과지표를
수립하는 것이 먼저입니다."

일본의 에도 막부 시대를 연 주인공은 도쿠가와 이에야스지만 오랫동안 이어진 전국시대를 끝내고 통일의 기반을 닦은 인물은 오다 노부나가입니다. 도쿠가와 이에야스는 오다 노부나가의 측근이자 동맹으로서 일본 통일에 큰 역할을 했습니다.

두 사람이 일본 천하를 거의 평정한 시기였습니다. 어느 날 두 사람이 편하게 담소를 나누던 중에 도쿠가와 이에야스가 오다 노부나가에게 한 가지 질문을 했습니다.

"적군이 느슨하게 휴식을 취하고 있다는 정보를 가져온 갑이 있습니다. 그리고 그것을 전해 듣고 곧바로 공격 명령을 내린 을이 있습니다. 마지막으로 적군과 싸움에서 적장의 목을 벤 병이 있습니다. 이 세 명 중에 누구의 공이 가장 큽니까?"

평가와 보상의 원칙

도쿠가와 이에야스의 질문을 들은 오다 노부나가는 "내가 그것을 자네에게 가르쳐준다면 나의 모든 것을 가르쳐주는 것이네"라면서 답을 했습니다. 오다 노부나가가 세 명에 대해 공을 평가한 순서는 갑-을-병이었습니다. 특급 정보를 가져온 사람의 공이 가장 크고, 신속하게 공격 명령을 내린 사람의 공이 두 번째로 크며, 적장을 벤 사람의 공이 세 번째라는 것입니다. 오다 노부나가는 전쟁에서 그 어느 것보다도 정보가 중요하다고 생각했습니다.

사람마다 세 명의 공을 따질 때 평가 기준이 다를 수 있습니다. 어떤 사람은 최종적으로 적장의 목을 베고 승전에 마침표를 찍은 사람의 공이 가장 크다고 생각합니다. 그렇다면 오다 노부나가와 정반대로 세 명의 공을 병-을-갑의 순서로 평가하겠지요.

두 사람의 일화처럼 기업에서 구성원에 대한 평가도 기준에 따라 완전히 달라질 수 있습니다. '갑-을-병'의 평가 방식을 가진 기업과 '병-을-갑'의 평가 방식을 가진 기업의 조직 문화는 전혀 다릅니다. 어떤 기업은 결과를 중시할 것이고, 어떤 기업은 과정에 무게를 둘 것입니다. 또 어떤 기업은 직무를 수행하는 사람 그 자체에 초점을 맞출 수도 있습니다.

◆ ◆

평가의 기준이 조직 문화를 만든다

어떤 기업은 성과가 조직의 시스템에서 비롯되는 것으로 여깁니다.

이런 기업은 정교한 업무 시스템에 큰 비중을 둡니다. 이와 달리 사람을 특히 중시하는 기업들은 우수한 인재의 영입과 보상에 자원을 집중 투입합니다. 이처럼 기업의 경영철학에 따라 기업 문화는 다양한 형태를 띠게 됩니다. 그리고 기업 문화를 구현하는 가장 구체적이고 강력한 요소는 바로 평가 기준입니다. 평가 기준에는 기업이 무엇을 중시하는지가 내포돼 있습니다.

흔히 기업들은 저마다 "우리의 기업 문화는 이런 것입니다"라고 선언합니다. 물론 이상적인 기업 문화를 지향하는 것은 바람직합니다. 하지만 말로만 기업 문화를 내세우는 것은 의미가 없습니다. 실제로 구성원들이 동의하고 공감하면서 자발적으로 실천해나가는 것이 기업 문화로 자리 잡게 되니까요.

> "우리 회사는 고객 만족을 최우선시합니다. 고객을 만족시키지 못하면 장기적으로 회사가 성장할 수 없습니다. 저는 고객 만족을 위해 필요하다면 매출과 영업이익이 줄어드는 것을 감수할 겁니다."

제가 아는 어떤 사장은 이렇게 입만 열면 고객 만족의 중요성을 강조하고 있습니다. 그런데 회사가 정작 직원을 평가할 때는 매출과 이익을 중점적으로 따집니다. 그러다 보니 직원들도 매출과 이익만 열심히 챙기고 있습니다. 사장이 내세우는 거창한 기업 문화에는 관심이 없고 실질적 평가 기준에 따라 움직이고 있는 겁니다.

질문하신 분의 회사에서도 제가 앞서 소개한 회사와 비슷한 현상이 나타나고 있는 것 같습니다. 만약 '평가 따로, 보상 따로'의 문제가 지속된다면 직원들은 회사를 신뢰하지 않을 겁니다. 따라서 평가 방식 개선 작업을 서둘러야 합니다.

◆ ◆

일관성 있고 공정한 성과 지표와 평가 기준

강력한 성과 지향적 기업 문화를 만들려면 무엇보다 성과에 대한 평가 방식이 객관적이고 공정해야 합니다. 그래야만 직원들이 성과 지향적 기업 문화를 수용하고 더 나은 평가를 받기 위해 최선을 다할 겁니다.

성과에 대한 평가를 제대로 하려면 먼저 성과지표를 명확하게 제시할 필요가 있습니다. 그럼으로써 직원들에게 역할과 책임을 분명하게 부여해야 합니다.

"올해 당신이 이뤄야 하는 성과는 이것입니다. 평가도 이것을 기준으로 진행될 것입니다."

이렇게 구체적으로 성과 목표와 평가 기준을 제시해야 합니다. 물론 직원을 평가할 때도 공표한 성과 목표와 평가 기준을 토대로 해야 합니다. 그렇게만 한다면 거창하게 기업 문화를 운운하지 않아도 성과 지향적인 방향으로 조직이 움직이게 됩니다. 평가 시스템이 제대로 작동한다면 경영진이 굳이 말하지 않아도 구성원들은 알아서 따라옵니다. 일부 시행착오가 있겠지만 그런 과정을 거치면서 점차 성과 중심의 조직 문화가 자리 잡게 됩니다.

한 가지 유념할 것이 있습니다. 성과 중심의 조직 문화를 만드는 과정에서 자칫하면 구성원들이 단기성과에 매몰될 수 있다는 점입니다. 이런 경우 구성원들은 자신의 성과에만 관심을 두고 동료들과 협업에 소홀할 수도 있습니다. 조직에 이기주의가 싹트는 부작용이 생길 수 있다는 겁니다. 이 때문에 일부에서는 성과 중심의 조직 문화가 아니라 성장 중심의 조직 문화가 더 바람직하다는 주장도 나오고 있습니다. 성과 중심 문화가 단기성과에 치중하는 방향으로 흐르다 보면 장기성장, 지속성장에 문제가 생긴다는 겁니다.

따라서 경영자는 성과 중심 조직 문화를 지향하더라도 지나치게 단기성과에 매몰되지 않도록 세심하게 관리할 필요가 있습니다. 조직과 직원들의 지속적인 성장에도 상당한 관심을 기울이도록 제도를 정비하고 여건을 조성해야 합니다.

Chapter 7

탄탄한 조직을 만드는 법

Q

과·차장급이 부족한
인력 구조 때문에 힘듭니다.

#조직구조 #표주박형 #항아리형 #직급단계축소 #조기승진 #동기부여 #보상

인테리어 회사에서 영업을 총괄하고 있습니다. 인력 충원 문제로 고민 중입니다. 업계에서는 제법 인지도가 있는 편이기 때문에 신입사원은 어렵지 않게 뽑을 수 있습니다. 고위직급 역시 대표가 인맥을 동원해 나름대로 유능한 분들을 영입했습니다. 외부에서 보면 꽤 조직이 탄탄한 느낌을 줍니다. 그러나 실제 조직을 가동해 수주를 지휘하고 있는 제 입장에서 보면 매우 취약합니다. 고객과의 접점에서 프로젝트를 수주하고 진행하는 핵심 인력은 과장 및 차장급인데, 우리 회사에는 이 그룹에 속한 직원들이 절대적으로 부족합니다. 이들의 업무 역량 역시 충분하다고 보기 어렵습니다.

대표에게 이 문제를 몇 차례 이야기했지만 아직 이렇다 할 보완이 이뤄지지 않고 있습니다. 인력구조를 개선하지 않으면 영업 성과 개선은커녕 머지않아 유지도 어려울 것 같아 걱정입니다. 이 문제를 어떻게 해결해야 할까요?

"직급 단계를 축소하고
역량 중심으로 조직을 운영하세요."

과·차장급 직원들이 적은데 역량까지 부족하다니 무척 답답하시겠습니다. 어디 중요하지 않은 인재가 있겠습니까마는, 그중에서도 특히 과·차장급 직원들이라면 기업에서 '허리' 역할을 담당하는 핵심 인력이므로 그 마음 충분히 이해합니다.

과·차장급 인력은 자신의 업무 분야에서 상당히 훈련된 사람들입니다. 아직 실무 경험과 역량을 충분히 갖추지 못한 사원이나 대리급 직원들과 달리 그들은 어디에 있어도 제 몫을 해냅니다. 그렇지만 인건비가 아직 그리 높지 않기 때문에 이른바 '가성비가 제일 높은' 인력이기도 합니다. 인건비가 늘어나더라도 그 이상의 이익을 가져오기 때문에 남는 장사라는 거지요. 그렇다 보니 직원들의 이직이 활발한 요즘 영입 전쟁이 가장 치열하게 벌어지는 직급입니다.

과·차장급이 탄탄한 기업은 조직이 안정적이고 생산성도 높습니다. 반대로 이 직급이 부실한 기업은 언제라도 조직이 흔들리고 생산성이 떨어질 위험을 안고 있습니다. 경영자들이 허리 계층을 보강하려고 애를 쓰는 이유도 여기에 있습니다.

◆◆

직급 단계 축소가 가져오는 효과

질문하신 분의 회사는 허리급 직원들이 상대적으로 적어 인력구조가 표주박을 닮아 있습니다. 탄탄한 조직을 원한다면 허리급 인력이 충분한 항아리형 구조로 바꿔야 합니다. 과·차장급 부족 문제를 심각하게 느낄 정도라면 보강이 시급한 상태일 겁니다. 회사의 최고경영자가 어떤 판단을 하고 있는지는 알 수 없지만, 좀 더 강력하게 인력 충원을 건의할 필요가 있어 보입니다. 특히 대이직 시대를 맞아 인재 전쟁에서 뒤처지지 않으려면 과감하게 영입을 추진할 필요가 있습니다.

다만 조직의 허리 보강 작업은 단시간에 이뤄내기 어렵습니다. 앞서 말했듯이 과·차장급 인력들에 대한 기업들의 수요는 매우 많으므로 원하는 인력을 제때 확보하기가 쉽지 않습니다. 그래서 선택할 수 있는 수단 가운데 하나가 직급 단계의 축소입니다.

과·차장급을 이야기하는 것으로 보아 질문하신 분의 회사는 '사원-대리-과장-차장-부장-임원'으로 이어지는 전통적인 조직 구성을 가지고 있을 것으로 예상됩니다. 그런데 요즘 많은 기업이 성과와 역량 중심의 조직 구조로 전환하고 있습니다. 직급 단계 축소는 이런 흐름과 긴밀하게 연관돼 있습니다. 전통적 조직 구조에서는 연공서열에 따라 직급을 부여하는 동시에 그 직급에 맞는 직무를 부여하는 방식을 취합니다. 부장과 과장은 직무가 다른 것은 물론이고 권한과 책임도 다릅니다. 이런 조직 구조에서는 낮은 직급의 직원이 중요한 직무를 수행할 수 없습니다. 가령 어떤 젊은 직원이 수준 높은 학력과 탄탄한 전문성을 갖추고 회사에 상당히 기여하고 있더라도, 그를 임원으로 발탁하는 것은 관례상 쉽지 않을 것입니다.

하지만 직급 단계를 대폭 축소하면 젊고 유능한 인재들을 중요한 직책에 발탁할 수 있습니다. 팀장 직책을 부여해 하나의 팀을 이끌게 할 수도 있고, 임원으로 기용해 사업본부를 책임지게 할 수도 있습니다. 직급 단계 축소에 나선 대기업들은 실력이 우수하고 높은 성과를 내는 젊은 인재를 발탁해 적극적으로 활용하는 한편, 차세대 관리자로 조기 육성하려는 목적을 가진 경우가 많습니다. 결과적으로 직급 단계 축소는 기존 직급의 파괴를 통해 인재 등용의 활로를 열어주는 효과를 기대한 결정입니다.

직급 단계 축소는 능력이 있고 성취 욕구가 높은 직원들에게 강력한 동기부여가 됩니다. 성과를 꾸준히 잘 만들어낸다면 30대에 팀장이 될 수도 있고 40대 초반에 임원이 될 수도 있으니 마다할 이유가 없습니다. 직급 단계를 축소하면 젊고 유능한 과·차장급 직원들이 승진과 보상의 기회를 찾아 몰려들 것입니다.

또 직급이 단순화되면 하나의 직급 안에서 구성원들끼리 경쟁하게 됩니다. 예를 들어 임원 직급을 하나로 통일하면 나이나 경력에 관계없이 서로의 역할에 따라 경쟁 구도가 생길 수밖에 없습니다. 경쟁에서 이긴 사람들은 더 중요한 역할을 맡게 되고 뒤처진 사람들은 자연스럽게 도태될 테니, 자연스럽게 내부 경쟁을 통한 조직 전체의 역량 강화를 도모할 수 있게 됩니다.

질문하신 분의 회사도 당장은 과·차장급 인력을 외부에서 수혈하는 노력을 기울여야 하겠지만, 중장기적 관점으로는 조직 구조를 근본적으로 개편하는 것을 고려하시길 바랍니다.

Q

직급 단계 축소로
직원들 의욕이 떨어졌습니다.

#수평적조직문화 #직급단계축소 #의사결정 #효율성

#팀제 #팀장 #경쟁 #불화 #리더십

중견 건자재 회사의 대표를 맡고 있습니다. 몇 해 전 여러 대기업이 시행하는 직급 단순화 흐름을 따라 회사의 직제를 '팀원–팀장–임원'으로 단순화시켰습니다. 물론 시행 초기 일부 중간관리자들이 불만을 표시하면서 소란이 있긴 했지만 제도 도입 자체를 번복할 수준은 아니었습니다. 직제 개편으로 팀장 자리가 늘어났으니까요.

그런데 요즘 들어 다시 옛날로 돌아가야 할지 고민할 정도로 문제가 불거지고 있습니다. 직원들 사이에서 "승진 기회가 줄어 업무 의욕이 안 생긴다"거나 "팀이 늘고 경쟁이 심해지면서 팀 간 불통과 불화가 심각하다"는 식의 불만이 터져 나오고 있는 겁니다. 제가 판단을 잘못 내린 것일까요? 뱁새가 황새 따라가다 낭패를 본 것은 아닐까요?

"중요한 제도를 바꿀 때는
반드시 이해와 동의를 구해야 합니다."

직급 단계 축소 혹은 단순화는 최근 경영계의 큰 흐름이라 할 수 있습니다. 실제 굴지의 대기업들이 잇달아 직급 단계를 축소하고 있습니다. 예를 들어 SK그룹의 경우 기존의 상무, 전무, 부사장으로 나뉘어 있던 임원 직급을 없애고 부사장 하나로 통일한 지도 꽤 됩니다. 본부장이나 그룹장 등과 같은 직책 중심으로 조직 구조를 전환한 겁니다. 여러 기업이 수십 년 넘게 이어온 직급 제도를 바꾸는 가장 큰 이유는 수평적 조직 문화를 구축함으로써 효율성을 높이기 위한 것입니다.

직급 단계를 축소하면 무엇보다 조직의 의사결정이 빨라집니다. 과거에는 기업 대다수가 '사원-대리-과장-차장-부장-상무-전무-부사장-사장'으로 올라가는 수직적 조직 구조를 채택했습니다. 수직적 조직 구조는 관료제에서 비롯된 것이기 때문에 상명하복의 원칙이 작용합니다. 따라서 모든 결정에는 상부의 승인이 필요합니다. 예를 들어 사원이 어떤 기안을 작성했다고 가정해보죠. 만약 사장의 결재를 받아야 하는 사안이라면 최종 의사결정까지 무려 여덟 단계를 거쳐야합니다. 직급 단계가 많다는 것은 그만큼 의사결정에 긴 시간이 걸린다는 뜻입니다.

전문가들은 의사결정 단계는 3단계를 넘지 말아야 한다고 말합니다. 한 구인구직 플랫폼이 직장인을 대상으로 실시한 설문조사에따르면, 직장인이 가장 선호하는 직급 단계는 3단계 이하라고 합니다. 의사결정 단계를 3단계로 축소하면 바로 '팀원-팀장-임원' 구조가 됩니다. 즉 조직의 가장 효율적인 의사결정 구조가 바로 팀제인 것입니다.

◆ ◆

'인간미 넘치는 회사'에 담긴 성과 딜레마

수직적 피라미드 구조는 조직의 안정성이라는 측면에서 분명 장점이있습니다. 하지만 위계에 따라 수많은 단계가 존재해 업무 처리의 효율성이 떨어지기 쉽고, 연공서열에 따라 승진과 연봉 인상이 이뤄지기 때문에 구성원에게 무사안일주의가 생길 가능성이 큽니다.

또 연공서열 조직에서는 선후배 문화가 발달합니다. 선배와 후배가, 또는 상사와 부하직원이 서로 '형님, 동생' 하면서 친밀하게 지내는 경우가 적지 않습니다. 인간미 넘치고 따뜻한 직장 문화일 수도 있지만, 여기에는 커다란 단점이 있습니다. 업무 결과에 대한 책임 소재가 불분명해지는 경우가 자주 발생한다는 것입니다. 어떤 일에 대해

서로 책임을 떠넘기거나 대충 무마하고 넘어가는 일이 빈번해질 수 있습니다. 선후배 문화가 조직의 결속력을 높일 수도 있지만, 자칫하면 "우리가 남이가" 하는 빗나간 문화로 변질될 수도 있습니다.

바로 이러한 문제를 해소하는 한편 업무 책임을 분명히 하고 성과와 보상을 정확하게 책정하기 위해 여러 기업이 수평적이고 분권적인 팀제로 조직 구조를 바꾸고 있는 것입니다.

◆ ◆

팀제를 운영하려면

수평적 조직 구조를 도입하는 것은 기업의 의사결정에 효율을 높이기 위한 선택입니다. 이는 직급 단계 축소라는 방침으로 실현되며 그 결과 나타나는 조직 형태가 팀제입니다.

팀제에서는 팀장의 역할과 책임이 상당히 커집니다. 보통 한 기업의 성과는 전체 임직원 각자가 낸 성과의 합이라는 인식이 있습니다. 아주 틀린 이야기는 아닙니다. 하지만 성과에 대한 기여도의 측면을 따져보면 팀장의 비중이 매우 큽니다. 팀의 목표와 전략을 세우는 것은 물론이고, 팀원들에게 역할을 배분하고 동기부여를 통해 최종적인 결과물을 이끌어내는 주역이 바로 팀장이기 때문입니다. 팀장이 누구냐에 따라 팀의 성과가 크게 달라집니다. 그래서 경영자들은 팀장 인사를 할 때 누구를 발탁할 것이냐를 두고 심사숙고하게 됩니다.

또 팀제를 운영할 때 가장 신경 써야 하는 부분 역시 팀장에 대한 보상입니다. 팀제에서는 팀장에게 많은 책임을 요구하는 만큼 팀장의 권한을 확대하고 보상 역시 충분해야 합니다. 글로벌 기업에서는 기업 내 직원과 간부의 급여 격차가 상당히 큽니다. 간부가 성과를 책임지는 만큼 확실하게 대가를 지급하는 것입니다.

일부 직원들은 직급 단계를 축소하고 팀제를 운영하는 것을 달갑지 않게 여길 수 있습니다. 무엇보다 승진 기회가 대폭 줄어드는 것이 못마땅할 수 있습니다. 직급 단계가 '팀원-팀장-임원'의 3단계뿐이라면 팀원은 이 회사에 다니는 한 승진은 두 차례밖에 하지 못합니다. 임원이 되는 확률은 아주 낮으므로 대개 한 번 승진하고 끝날 수도 있습니다. 또 직급이 많은 경우 한 단계 승진할 때마다 급여가 오르는데, 직급 단계가 축소되면 그런 혜택도 누릴 수 없게 됩니다. 질문하신 분의 회사에서 직원들의 불만이 터져 나오고 있는 것도 그럴 만한 이유가 있는 셈입니다.

그렇지만 어떤 일이든 명과 암이 있습니다. 이미 시대적 흐름은 수평적 조직 문화에 성과와 역량 중심의 조직 구조로 방향이 정해져 있습니다. 이를 위해 직급 단계 축소는 불가피한 일입니다.

◆ ◆

큰 변화에는 구성원의 이해와 동의가 필요하다

다만 직급 단계를 축소하더라도 다른 기업들의 방식을 무조건 추종하기보다는 기업 문화에 맞는 최적의 방식을 만드는 것이 바람직합니다.

이를 위해서는 직원들의 이해와 동의가 필요합니다. 질문하신 분의 회사에서 뒤늦게 직원들의 불만이 제기된 것은 사전에 직원들을 대상으로 충분한 이해와 동의를 구하는 과정이 없었기 때문일 겁니다. 기존의 익숙한 체계를 버리고 낯선 체계를 도입하려면 그 영향을 직접적으로 받는 직원들을 이해시키는 것이 먼저입니다. 조직관리, 의사결정, 채용, 평가와 보상 시스템은 물론, 조직 문화와 직원들의 의식구조까지 바꿔야 하므로 하루아침에 뚝딱 해치울 수 있는 성질의 일이 결코 아닙니다.

직제를 이전으로 되돌리려 한다면 이 역시 직원들의 이해와 동의가 필요합니다. 이를 위해 우선 직급 단계 축소 이후 어떤 변화가 있었고 어떤 문제점들이 나타났는지를 꼼꼼하게 조사해야 합니다. 또 직원들의 의견도 정확하게 파악해야 합니다. 그런 다음 조사 결과를 토대로 개선 방향을 결정하고 실행계획을 세우는 게 좋겠습니다.

만약 현재의 직제를 유지하려 한다면 직원들과 소통하는 한편으로 당장 발생하고 있는 문제를 해결해야 합니다. 직원들이 업무 의욕을 잃고 있다면 현재 팀장들의 리더십을 점검해보는 편이 좋겠습니다. 팀장은 팀원에게 동기부여를 함으로써 업무 의욕을 고취시키는 존재입니다. 팀장 리더십을 잘 발휘할 수 있는 이를 팀장으로 발탁하고, 그 사람에게 권한과 책임을 부여한 뒤 걸맞은 보상을 지급하십시오. 그리고 팀 사이에 불화가 발생하고 있다면 이를 원만히 해소하고 팀 간의 경쟁을 기업의 경쟁력으로 전환시키는 것이 경영자가 발휘해야 할 리더십일 것입니다.

Q

신규 입사자의 조직 적응을
어떻게 도와야 할까요?

#신규입사자 #교육 #관리의삼성 #업무매뉴얼 #표준화 #업데이트

중소 화장품 회사의 대표입니다. 임원 회의에서, 요즘 면담을 신청한 직원들이 "새로 입사한 직원을 매번 교육하기가 너무 힘들다"는 말을 반복적으로 하고 있다는 얘기가 나왔습니다. 근래 직원들의 이직이 잦아지면서 신규 직원이 수시로 충원되고 있는데, 이들을 일일이 교육하려다 보니 선임인 직원들이 정작 자기 업무를 할 시간이 부족하다며 고충을 토로하고 있다는 것입니다. 심지어는 선임이 교육을 기피하면서 내부 적응에 어려움을 겪은 신규 직원이 일주일 만에 퇴사한 경우도 발생했다고 합니다. 이 문제를 어떻게 해결하면 좋을까요?

"제대로 된 업무 매뉴얼을
민들고 활용하십시오."

직장인들의 퇴사가 잦아지면서 기업들마다 빈자리를 채우기 위한 수시채용을 많이 하고 있습니다. 새로 직원을 충원하는 것도 쉽지 않지만, 그 직원이 업무에 곧장 투입될 수 있도록 하는 것도 간단치 않은 일입니다. 신입사원이 아닌 경력사원이라 하더라도 새로운 회사, 낯선 업무환경에서 일을 시작하려면 적응할 시간과 준비가 필요합니다. 특히 본인이 맡은 업무를 앞으로는 어떤 방식으로 처리해야 하느냐가 고민스럽겠지요.

이때 기존 직원 가운데 업무 경험과 지식이 많은 사람이 새로 들어온 직원에게 업무 관련 교육이나 조언을 하게 됩니다. 그런데 요즘처럼 인력 충원이 자주 발생하는 시기에는 업무교육을 한 번에 몰아서 할 수 없어 수시로 진행하게 됩니다. 문제는 그러다 보면 업무교육을 맡은 직원들의 부담이 커질 수밖에 없다는 점입니다.

이것은 인력 충원이 잦아져서 생기는 불가피한 상황일까요? 엄밀히 말해 그건 아닙니다. 회사에 제대로 된 업무 매뉴얼이 마련돼 있다면 별도로 많은 시간을 들여 교육하지 않더라도 신규 입사자들의 업무 적응에 큰 문제가 없을 겁니다.

그러나 중소기업들의 경우 업무 매뉴얼을 잘 갖추고 있는 경우가 그리 많지 않습니다. 업무 매뉴얼을 만들어두기가 쉽지 않은 데다, 평소에 직원들이 업무를 잘 처리하고 있으면 업무 매뉴얼의 필요성을 잘 느끼지 못하기 때문입니다. 그렇지만 직원들의 이직률이 높아지면 업무 매뉴얼이 없어 생기는 불편함과 곤란함을 직면하게 될 겁니다.

◆ ◆

효율성과 생산성을 끌어올리는 업무 매뉴얼

일반적으로 규모가 크고 직원이 많은 기업은 대개 업무 매뉴얼을 갖추고 있습니다. 대기업은 업무 매뉴얼이 없으면 거대한 조직과 인원이 표준화된 방식에 따라 효율적으로 일할 수가 없습니다. 그래서 업무 매뉴얼을 갖추고 있느냐가 대기업과 중소기업을 가르는 기준 중 하나라는 얘기까지 있습니다. 글로벌 기업들은 고객과 통화 방식까지 매뉴얼로 만들어놓습니다. 업무 매뉴얼이 워낙 구체적이고 체계적이다 보니 신입사원들도 그것만 숙지하면 따로 교육을 받지 않고도 기본적인 업무를 수행할 수 있습니다.

물론 중소기업의 경우 여건상 업무 매뉴얼을 갖추기가 쉽지 않습니다. 우선 업무의 표준모델을 정립하려면 내부 토론과 합의를 거쳐야 하는데, 여기에는 오랜 시간과 많은 노력이 투입돼야 합니다. 첫 단계부터 적지 않은 어려움에 봉착하는 셈입니다. 업무 매뉴얼을 대강 만들었다고 하더라도 회사 상황이나 업무환경의 변화에 맞춰 꾸준히 업데이트하지 않으면 쓸모가 없어집니다. 이 때문에 여러 기업이 업무 매뉴얼의 필요성을 알고 있으면서도 평소 업무 진행에 큰 문제가 없으면 당장 필요하지 않다는 이유로 손을 놓게 됩니다.

하지만 조직의 효율적 운영과 업무 공백 최소화를 위해서 업무 매뉴얼은 꼭 필요합니다. 당장 눈앞에 보이는 필요성이 적게 느껴져도 회사의 발전을 위해서 업무 매뉴얼은 반드시 만들어야 합니다. 앞서 말했듯이 업무 매뉴얼은 퇴사가 일상적인 시대를 맞아 퇴사자와 입사자의 교체 시기에 업무 연속성을 원활하게 유지하는 데 큰 역할을 합니다. 새로 입사한 직원에게 잘 만들어진 업무 매뉴얼만 주어진다면 별도의 교육을 하지 않아도 됩니다. 신규 입사자와 기존 직원 모두의 시간과 노력을 불필요하게 낭비하지 않아도 되는 셈이죠.

노 회사 전체의 업무 표준화를 위해서도 업무 매뉴얼은 필수적입니다. 예를 들어 특정한 업무를 놓고 직원들이 각기 다른 방식으로 일을 처리하거나 상황에 따라 주먹구구식으로 대응한다면 어떻게 되겠습니까? 소통과 협력, 평가가 쉽지 않을 겁니다. 따라서 업무 시스템과 프로세스의 표준모델을 정립하는 일은 매우 중요합니다. 업무 표준화가 이뤄지면 업무 효율성도 자연스레 높아집니다. 결국 회사 전체의 생산성 향상으로 이어지겠지요.

'관리의 삼성'이 일하는 법

초일류 기업으로 성장한 삼성그룹의 경우 예전부터 '관리의 삼성'이라는 수식어가 따라붙었습니다. 이 말은 경영 전반에 걸쳐 관리 시스템이 잘 작동하고 있다는 뜻입니다.

오래전 전직 삼성전자 직원이 쓴 '관리의 삼성이 일하는 방법'이라는 글을 본 적이 있습니다. 이 글을 읽고 삼성의 업무 시스템이 얼마나 정밀하고 체계적인지를 간접적으로 확인할 수 있었습니다. 이 글의 필자는 '관리의 삼성을 있게 만든 세 가지 시스템'을 꼽았습니다. '완벽하게 정의된 워크 플로우Work Flow', '제품 개발 단계마다 점검을 위한 체크리스트', '생산관리의 완벽한 트래킹Tracking 시스템'이 그것입니다.

제품개발을 위한 표준적 업무절차가 정립돼 있고, 개발 단계마다 필수적으로 점검할 사항들이 목록으로 정리돼 있으며, 제품이 출시된 뒤에도 모든 생산 절차를 추적하고 확인할 수 있는 시스템을 갖추고 있다는 것입니다. 이 글을 쓴 사람은 삼성의 경우 업무 시스템이 고도로 표준화되어 있으므로 직원이 교체되더라도 인수인계가 원활한 것은 물론, 새로 들어온 직원이 10년 전의 프로젝트를 재현하는 것도 가능하다고 주장했습니다. 삼성전자의 업무 시스템은 기업의 성장과 발전에서 업무 매뉴얼이 얼마나 중요한지 잘 보여주고 있습니다.

그렇다면 업무 매뉴얼은 어떻게 구축해야 할까요?

첫째, 먼저 최고경영자가 앞장서서 업무 매뉴얼 구축에 대한 강한 의지를 나타내야 합니다. CEO가 나서지 않으면 전사적인 추진 동력이 생기지 않기 때문입니다.

둘째, 사용하는 사람의 입장에서 만들어야 합니다. 새로 입사하거나 배치된 직원이 특정 업무를 수행할 때 매뉴얼만 봐도 척척 이해될 정도로 제작해야 한다는 뜻입니다. 표준화의 근거이자 그 실행 방법이 담겨 있어야 매뉴얼로서 의미가 있으니까요. 누구나 공통적으로 이용할 수 없는 매뉴얼이라면 존재 의미가 없습니다.

셋째, 업무 매뉴얼을 만든 후에도 업데이트를 지속해야 합니다. 해당 업무에 연관된 임직원들이 변경이나 개선이 필요한 사항을 꾸준히 제시하면서 수시로 업데이트해야 매뉴얼의 적합성과 효율성이 유지된다는 겁니다.

그래서 업무 매뉴얼은 '완성'이라는 게 없습니다. '완벽한 매뉴얼'을 만드는 것은 애초부터 불가능합니다. 기업의 경영환경과 시장 상황, 업무 방식이 계속 변할 수 있기 때문입니다. 하지만 업무 매뉴얼을 갖추고 꾸준히 업데이트하면 회사 전반의 효율성과 생산성이 크게 높아집니다. CEO를 비롯한 경영진은 업무 매뉴얼 구축에 관심을 기울일 필요가 있습니다.

Q

퇴사자와 함께
업무 자료도 사라졌습니다.

#업무기록 #지식 #정보 #데이터베이스 #정보기술 #맥킨지

#보스턴컨설팅그룹 #나가오가즈히로 #경영의가시화 #신사업

식품 관련 중소기업의 마케팅 담당 임원입니다. 기존의 마케팅 팀장이 퇴사해 외부에서 새로운 팀장을 데려왔습니다. 그런데 신입 팀장이 이전 자료를 찾을 수 없어서 곤란하다고 합니다. 몇 가지 프로젝트들이 대강의 계획서만 있고 실제 집행에 관한 실행계획서가 보이지 않는다는 것이었습니다. 이 때문에 어떤 목표를 위해 어떻게 마케팅을 했고 그 효과는 어땠는지, 보완하거나 수정할 내용은 무엇인지 세부 내용을 알 수가 없다고 하소연합니다. 팀원들에게 확인한 결과 자료를 팀장이 관리해서 자신들은 잘 모른답니다. 퇴사한 팀장에게 연락해 자료를 어디에 보관했는지 물으니 "어딘가 있을 텐데…"라며 말을 흐립니다.

이번 사태를 겪으며 느낀 점이 많습니다. 일차적으로 자료 점검을 소홀히 한 제 잘못입니다. 다만 이런 일이 다시 되풀이되지 않아야 할 텐데요. 직원들이 업무 내용과 지식을 빠짐없이 자료로 정리하고 꼼꼼히 관리하게 하려면 어떻게 해야 할까요?

이야기를 들어보니 신임 마케팅 팀장이 참으로 난감했을 것 같습니다. 전임자가 어떤 목표와 전략으로 마케팅 계획을 수립하고 실행했는지를 알아야만 후속 업무를 제대로 수행할 수 있을 텐데, 자료가 없어 처음부터 다시 계획을 짜야 한다면 참으로 황당했을 것입니다. 그런데 문제는 마케팅 자료의 행방에만 국한되지 않을 듯합니다. 사내에서 생산되는 각종 문서뿐만 아니라 내부의 업무 관련 기록과 기억이 중구난방으로 흩어져 있을 가능성이 커 보입니다.

실은 이와 비슷한 상황이 요즘 왕왕 벌어지고 있습니다. 이직자의 수와 이직 빈도가 크게 늘어나면서 전임자의 자료가 사라지거나 자료가 있는 위치를 찾을 수 없는 경우가 다반사입니다. 이처럼 퇴사자가 업무 자료를 꼼꼼하게 인계하지 않고 떠나면 후임자나 동료들이 업무 진행에 곤란을 겪을 수밖에 없습니다.

물론 꼼꼼하지 못했던 퇴사자를 탓할 수도 있지만, 근본적인 원인은 직원들이 업무를 수행하면서 작성하거나 획득한 자료와 정보들을 체계적으로 관리하고 축적하지 않았기 때문입니다. 그래서 일은 했지만 기록은 남지 않는 어이없는 상황이 벌어지고 있는 겁니다.

'기록이 기억을 지배한다'는 말이 있습니다. 사람의 기억은 믿을 것이 못 됩니다. 원래부터 인간의 기억은 불완전하고 부정확합니다. 기억력의 한계 때문이기도 하고 기억 자체의 편향성 때문이기도 합니다. 그래서 구체적이고 객관적인 기록을 남기는 일이 중요합니다. 기록하지 않은 것은 휘발되기 마련입니다. 반면 기록한 것은 오랫동안 우리 곁에 남아 유용한 자료로 활용될 수 있습니다. 개인이나 조직의 성과에도 결정적인 영향을 미칩니다.

우리는 21세기 지식정보사회에 살고 있습니다. 창의적 지식과 수많은 정보를 어떻게 활용하느냐에 따라 사업의 성패가 결정되는 시대입니다. 게다가 요즘 직장인들의 이직이 잦아진 만큼 중요한 업무를 맡았던 직원들이 회사를 떠나는 일도 흔합니다. 따라서 기업들은 유사시 업무 공백을 막기 위해서라도 평소 직원들의 업무와 관련된 지식과 정보, 자료, 경험을 사내에 체계적으로 축적하고 관리하는 일이 매우 중요해졌습니다.

◆ ◆

업무 기록의 축적은 의무화 · 자동화해야 한다

업무 관련 기록은 개인의 사적인 기록이 아닙니다. 회사 업무를 수행

탄탄한 조직을 만드는 법

하면서 얻은 정보와 경험에 대한 기록이기 때문에 회사의 공적 자산입니다. 따라서 업무 기록은 회사 구성원들이 필요할 때 열람하고 이용할 수 있어야 합니다. 이러한 업무 기록을 회사 전체 구성원들이 공유하면 엄청난 힘을 갖게 됩니다.

여기서 한 가지 강조하고 싶은 것이 있습니다. 직원들의 경험과 지식을 축적하는 시스템 구축은 결코 자발성에만 의지할 수 없다는 점입니다. 아무래도 직원의 입장에서 데이터베이스에 기록을 남기는 일은 가욋일이라는 느낌을 받게 됩니다. 기본적으로 기록을 남겨야 하는 업무는 본인 머리에 다 들어 있습니다. 더구나 자료의 수혜자는 자신보다 뒤에 이 자료를 볼 사람입니다. 따라서 권고가 아닌 회사 차원의 강제가 필요합니다. 기록을 의무화해야 한다는 겁니다.

아울러 업무 시스템과 프로세스도 제대로 갖춰야 합니다. 지식과 정보 축적에 편리하도록 일하는 방식을 개선할 필요가 있다는 겁니다. 업무 성격과 내용, 절차를 고려해 자동으로 기록이 축적되는 시스템을 만들어야 합니다. 그러려면 정보기술(IT)을 적극 활용할 필요가 있습니다.

제가 대표로 있는 회사는 인재를 기업에 추천하는 것이 주업이라 인재와 기업 정보가 가장 중요한 자산입니다. 현재 커리어케어는 국내 동종업계 최고 수준의 데이터베이스를 보유하고 있습니다. 이 데이터베이스에 소속 헤드헌터들이 그동안 활동하면서 얻은 지식과 정보가 방대하게 축적되어 있습니다.

물론 데이터베이스를 구축하던 초창기에는 어려움이 많았습니다. 헤드헌터들이 소극적이거나 시큰둥한 반응을 보였기 때문입니다. 데이터베이스에 기록을 올리는 일 자체를 귀찮게 여겼고, 자신이 취득한 정보를 개인의 자산으로 생각하는 경우가 적지 않았습니다. 데이터베이스 구축은 전사적 차원에서 정보 공유와 활용을 통해 시너지 창출을 도모하는 굉장히 중요한 일이지만, 직원들은 이런 취지를 잘 받아들이지 못했습니다.

그래서 온갖 방법을 다 동원했습니다. 데이터베이스에 정보를 많이 올린 직원들을 인사고과에서 우대하기도 하고 표창하면서 상금을 지급하기도 했습니다. 이렇게 어렵사리 직원들을 움직여서 결국 오늘날의 데이터베이스를 만들었습니다. 이제 커리어케어 헤드헌터들은 데이터베이스 덕분에 상당히 높은 업무 효율을 누리고 있습니다. 데이터베이스를 활용하면 빠르고 정확하게 고객이 원하는 인재를 찾을 수 있으니까요. 물론 회사 차원에서 가지는 이점도 매우 큽니다. 무엇보다도 데이터베이스 덕분에 경쟁사보다 훨씬 뛰어난 성과를 거두고 있습니다. 데이터베이스는 이제 커리어케어의 경쟁력을 뒷받침하는 핵심 자산이 됐습니다.

◆ ◆

지식과 정보의 축적이 기업의 힘이다

맥킨지나 보스턴컨설팅그룹 같은 세계적인 컨설팅 회사들은 컨설턴트들에게 수행한 모든 프로젝트를 보고서로 작성하도록 의무화했습니다. 유사한 내용과 성격의 프로젝트를 수주할 때 담당 컨설턴트들이 관련 보고서를 충분히 활용할 수 있도록 한 겁니다. 컨설팅회사에서 프로젝트 보고서들은 지식과 정보의 데이터베이스 역할을 합니다. 덕분에 젊은 신참 컨설턴트들도 회사의 지식정보 자산을 이용해 기업 고객을 대상으로 주눅 들지 않고 효과적인 프레젠테이션을 할 수 있습니다.

일본의 경영 컨설턴트인 나가오 가즈히로는『경영의 가시화』라는 책에서 지식과 정보의 축적이 기업에 얼마나 중요한지를 강조하고 있습니다. 요약하면 이런 내용입니다.

"지식과 정보는 그 자체로 살아 있는 업무 매뉴얼이 된다. 단지 행동 항목만 늘어놓은 매뉴얼이 결코 아니다. 행동에 이르게 된 사고의 패턴과 경위까지 기록된 사고 매뉴얼이자 지혜와 창의가 담긴 살아 있는 지식 모음집이다. 지식을 축적하는 회사는 언젠가 틀림없이 강한 회사가 된다."

임직원의 경험과 지식을 사내에 축적하는 것은 모든 면에서 이익이 됩니다. 퇴사자로 인한 업무 공백도 최소한으로 줄일 수 있고, 업무의 효율성을 최대화할 수 있습니다. 또 데이터베이스를 축적하는 과정에서 예상치 못한 사업 기회를 포착할 수도 있습니다. 특히 요즘은 데이터가 자원이자 자산이 되는 시대이기 때문에 데이터를 활용할 수 있는 사업이 의외로 많을 수 있습니다.

기업에서 직원들이 가진 정보는 사내에서 공유되지 않으면 의미가 없습니다. 겉보기에는 여러 사람이 모여 일하는 듯하지만 실제로는 각자 뿔뿔이 자기 일을 하는 것과 다를 바가 없습니다. 이렇게 되면 전체 조직이 시너지를 창출하기 어렵습니다. 반대로 정보의 공유와 축적이 이뤄지면 굉장히 큰 힘을 발휘할 수 있습니다.

모든 회사는 업무와 관련된 지식과 정보를 축적하는 데 큰 관심을 기울일 필요가 있습니다. 최고경영자가 전면에 나서서 강력한 드라이브를 거는 것도 생각해보십시오.

탄탄한 조직을 만드는 법

Chapter 8

성과 중심 조직 운영을 위한 실행전략

Q

내부 반발을 감수하면서까지
직무 중심제를 도입해야 할까요?

#연공서열제 #호봉제 #동일연차동일임금 #직무중심제

#직무급제 #직무분석 #직무평가 #자원배분

전자부품 회사에서 인사를 담당하고 있습니다. 우리 회사는 오랫동안 근속연수에 따라 직원을 승진시키고 보상을 지급해왔습니다. 그런데 지난해 창업주가 물러나고 2세가 대표이사를 맡으면서 대대적인 경영혁신을 추진하고 있습니다. 핵심은 성과와 역량에 따라 조직을 재정비하겠다는 것입니다. 이에 따라 연공서열을 폐기하고 직무 중심 체제로 전환하기 위한 실행 계획을 세우고 있습니다. 그렇지만 실무를 담당하게 될 인사 담당자들은 한바탕 홍역을 치를 수밖에 없을 것 같다며 걱정하고 있습니다. 직원들 가운데 일부는 이러한 변화를 반길 테지만, 대다수는 가만히 자리를 지키고 있으면 자기 몫이 되었을 자리와 급여를 빼앗겼다고 생각하고 반발할 것이 뻔하다는 거지요. 뿐만 아니라 직무 중심으로 조직을 재정비하고 승진과 보직, 연봉을 직무에 연동하면 꽤 오랜 시간 혼란이 있을 것으로 예상됩니다. 이를 감수하면서까지 직무 중심 체제를 꼭 도입해야 하는 걸까요?

"직무와 보상 수준이 맞지 않으면
회사 발전은 불가능합니다."

과거에 저는 언론사에서 일했습니다. 그곳은 처음 출범할 때부터 단일 호봉제를 채택했습니다. 연공서열 방식으로 근속연수에 따라 임금이 올라가는 체계였던 것이지요. 그렇다 보니 기자 직군이나 회사 차량을 운행하는 운전기사 직군, 신문 판매 직군, 윤전과 광고 직군이 근속연수가 같으면 모두 월급이 같았습니다. 처음에는 그런 방식이 사람을 평등하게 대한다는 점에서 좋아 보였는데, 시간이 지나면서 상당히 불합리한 제도라는 사실이 드러나기 시작했습니다. 직무별 시장가치가 다르다는 점을 무시한 탓이었습니다. 신문사 경쟁력의 근간인 우수한 기자들은 더 나은 보상을 찾아 하나둘 회사를 떠났습니다. 나중에 회사는 임금체계를 부분적으로 수정·보완했지만, 이해관계가 복잡해서 문제를 근본적으로 해결하기가 어려웠습니다.

직업에 귀천이 없다는 것은 백번 맞는 말입니다. 하지만 직무의 난이도와 중요도가 다르고, 이에 따른 시장가치에는 분명한 차이가 있다는 것 역시 부정할 수 없습니다. 이를 무시하고 관념적으로 '평등한 것이 좋다'라는 식의 보상 체계를 만들면 결국 조직의 주축 역할을 하는 핵심인재들이 불만을 갖고 이탈하게 됩니다.

결론부터 말씀드리자면, 회사 내부의 반발과 혼란이 있더라도 연공서열제를 폐지하고 직무 중심제로 전환하셔야 합니다. 그것이 올바른 방향입니다. 질문하신 분 회사의 대표이사가 직무 중심제 도입에 강한 드라이브를 거는 것은 기존 연공서열 중심의 기업 문화로는 경쟁력 확보가 어렵다고 판단했기 때문일 것입니다.

◆ ◆

직무 중심제의 효용과 가치

직무 중심제로 전환하면 급여 역시 직무급제를 택하게 됩니다. 그런데 이를 도입하는 것은 결코 만만한 일이 아닙니다. 인사 전문가인 질문하신 분이 "꼭 도입해야 할까"라는 질문을 던진 것 역시 필요성과 당위를 이해하면서도 이 일이 쉽지 않다는 것을 알고 있기 때문일 겁니다.

근속연수에 따라 임금이 일정비율로 인상되는 호봉제는 임금체계 설계가 비교적 단순합니다. 이에 반해 직무급제는 꽤 정교하고 복잡한 작업이 선행되어야 합니다. 바로 직무 분석과 직무 평가입니다. '직무 분석'은 회사 내 각각의 직무에 대해 내용과 성격, 중요도 등을 파악하는 것입니다. 분석이 끝나면 분석 결과를 토대로 각각의 직무가 갖는 상대적 가치에 등급을 매기는 '직무 평가'를 하고, 마지막으로 직무 평가 내용을 임금체계에 반영하는 것으로 작업이 완료됩니다.

직무급제의 요지는 직무 내용과 보상 수준을 일치시키는 것입니다. 이는 연공서열 방식의 호봉제가 절대 가질 수 없는 장점을 갖고 있습니다. 바로 자원의 효율적인 배분과 공정하고 적절한 보상을 통해 회사의 생산성과 경쟁력이 높아진다는 겁니다.

요즘 정부는 효율성을 목표로 공공기관의 직무급제 도입 및 확대를 추진하고 있습니다. 2023년 초 기준으로 직무급제를 도입한 공공기관은 공기업 및 준정부기관 130곳 중 35곳이나 됩니다. 정부는 몇 년 안에 공공기관 20곳에 추가로 직무급제를 도입하겠다고 발표했습니다. 궁극적으로 모든 공공기관으로 직무급제를 확대한다는 방침도 세워놓고 있습니다. 직무급제를 도입하면 젊고 유능하고 전문성을 갖춘 인재를 영입하기가 한결 수월합니다. 연공서열제에서 뽑기 부담스러운 나이 많은 경력자를 채용하는 데도 별다른 문제가 없습니다. 직무와 성과에 맞게 임금을 지급하면 되기 때문입니다. 그래서 정부가 우리 사회의 고령화에 대비해 중장년층을 노동시장으로 유입시키는 방안의 하나로 직무급제 도입을 검토하고 있고, 이를 공공기관에서 먼저 시행하고 있는 겁니다. 정부는 민간기업에도 세제 혜택 등 인센티브를 주면서 직무급제 도입을 유도하고 있습니다.

직무급제 도입은 기업의 인재 채용과도 긴밀한 연관성이 있습니다. 기업은 직무마다 필요한 역량과 요구되는 조건이 다르기 때문에 각각의 직무에 적합한 인재를 뽑아야 합니다. 예전에 대기업들은 공채를 통해 직원을 뽑은 뒤 직무에 필요한 교육을 시켜 현업에 배치했습니다. 그런데 직무급제를 도입하면 그 과정이 역순으로 바뀝니다. 각 직무에 필요하고 적합한 역량이 무엇인지 파악한 뒤 그것을 갖춘 인력을 뽑기 때문입니다. 직무가 다르면 사람을 채용하는 기준이 달라지고 성과를 평가하고 보상하는 방식도 바뀝니다. 직무 분석이 직무급제의 출발점이 되는 이유입니다.

◆ ◆

직무 중심제를 가로막는 장벽

연공서열제가 뿌리 깊게 박힌 우리나라에서 직무 중심제를 도입하기란 결코 쉬운 일이 아닙니다. 몇 가지 실제로 겪은 사례를 소개해보겠습니다.

최근 어떤 대기업의 사장으로부터 대규모 인수합병을 추진하기 위해 전문가를 찾아달라는 요청을 받고 몇몇 후보자를 추천했습니다. 후보자 중 한 사람은 제가 익히 알던 인물로 인수합병 분야에서 실력과 실적을 인정받고 있는 베테랑이었습니다. 기업 역시 그를 적임자로 보았던 모양입니다. 사장을 포함해 면접에 들어온 임원들 모두 그를 마음에 들어 했고, 후보자 본인도 진행할 프로젝트의 규모가 워낙 큰 데다 업계의 주목을 받고 있어서 상당한 흥미를 보였습니다.

그러나 순조로울 것 같던 영입 작업은 실패로 끝나고 말았습니다. 해당 기업은 오랫동안 연공서열 문화에 길들어 있었습니다. 후보자는 마흔 살로 그 기업의 차장급 직원들과 나이가 엇비슷했습니다. 내부 반발을 걱정하던 기업은 고심 끝에 부장급 직책과 연봉을 제시했는데, 상무로 일하고 있던 그는 제시된 직급과 연봉을 받아들일 수 없었습니다. 더구나 경직된 기업 문화를 고려할 때 직급이 낮으면 프로젝트를 추진하는 과정에서 내부 조율이 어려울 것으로 우려했습니다. 사장이 직접 만나서 "내부 반발 때문에 당장 임원 직급을 주기는 어려우니 단계적으로 직급과 보상 문제를 해결하겠다"고 약속했지만 그의 마음을 되돌리지는 못했습니다.

또 다른 사례가 있습니다. 몇 년 전 어느 대형 공기업에서 법무 담당 젊은 변호사를 추천해달라는 요청을 받은 적이 있습니다. 내로라하는 공기업이 왜 채용을 못 하는 걸까 궁금했는데, 사정을 들어보니 이해가 됐습니다. 그 공기업은 직무급제를 도입하지 않고 있었습니다. 과장, 차장, 부장 식으로 직급체계가 마련되어 있고, 급여도 호봉제를 채택하고 있는 전형적인 연공서열 중심의 회사였습니다. 그러다 보니 젊고 유능한, 그래서 몸값이 비싼 변호사를 채용하는 것이 불가능했던 겁니다. 직급과 연봉을 맞춰줄 수가 없으니까요. 그래서 궁여지책으로 변호사처럼 전문성을 갖춘 고급인력은 전문위원이라는 타이틀의 계약직으로 채용하기로 했습니다. 직급에 따른 연봉 제한을 조금 완화한 것이죠. 그렇지만 계약직에 대한 거부감이 심해서 지원하는 사람이 없었던 것입니다.

사실 기업이 직무급제의 필요성을 잘 모르지는 않을 겁니다. 대한상공회의소가 매출액 기준 국내 1,000대 기업 가운데 302개 사를 대

성과 중심 조직 운영을 위한 실행전략

상으로 '2022년 기업의 채용 트렌드'를 조사한 결과, 대졸 신입사원 채용 때 가장 중요하게 보는 항목 1위와 2위에 각각 '직무 관련 경험'과 '직무 관련 지식'이 꼽혔습니다. 대기업 상당수가 직무 역량을 매우 중시하고 있는 겁니다. 그렇지만 대기업들도 막상 직무급제를 도입하는 데는 큰 어려움을 겪고 있습니다. 기존 제도에서 혜택을 보던 직원들이 변화에 반대하기 때문입니다.

직무의 중요도와 난이도에 따라 직무의 상대적 가치를 평가해 그 가치에 알맞게 임금을 지급하는 이 제도는 1920~1930년대 미국에서 창안되어 세계 여러 나라에 널리 확산됐습니다. 다시 말해 선발 글로벌 기업이 도입한 지 100년이 지났는데, 한국 기업에 여전히 정착하지 못하고 있는 겁니다.

다시 강조하지만 직무 중심제는 한국 기업이 가야 할 방향입니다. 그 과정에서 당연히 반발과 혼란이 있을 겁니다. 이를 최소화하고 직무급제 도입에 대한 공감대를 이뤄내려면 소통과 토론이 중요합니다. 매우 지난한 과정이 될 것입니다. 질문하신 분도 이 문제를 앞에 놓고 굉장히 고민스럽고 힘들 것입니다. 그러나 가치가 큰 일일수록 어렵고, 어려운 일일수록 많은 시간과 노력이 필요한 법입니다. 힘들더라도 확신을 가지고 한 걸음 한 걸음 내디디며 앞으로 나아가보세요.

Q

교육팀을 계속
유지해야 할까요?

#교육팀 #공개채용 #수시채용 #직원교육 #삼성맨

#인재사관학교 #경력직 #외부교육

중견기업에서 인사 담당 임원을 맡고 있습니다. 회사의 업무를 살피다가 교육 담당자의 역할을 놓고 여러 생각을 하게 됐습니다. 현재 교육 담당자는 본연의 업무에서 손을 놓고 이것저것 잡다한 일을 하고 있습니다. 우리 회사는 몇 년 전 공개채용을 중단했습니다. 이에 따라 신입사원을 한 곳에 모아놓고 진행하던 집단교육도 자연스럽게 중단됐습니다. 경력자를 수시채용하게 되면서 직급교육이나 직무교육의 필요성도 대폭 줄었습니다. 남아 있는 것은 안전이나 정보보안, 성희롱 예방 교육 같은 법정교육과 진급자교육 정도입니다.

제가 과거에 근무했던 대기업에서는 교육부서에 일정한 역할이 존재했습니다. 그런데 지금 몸담고 있는 회사는 현재 상황만 놓고 보면 교육업무 전담 직원을 둘 필요가 없는 게 아닌가 생각합니다. 회사 규모가 작아서일까요? 아니면 직원교육의 필요성이 점점 사라지고 있기 때문일까요?

"육성을 위한 교육보다 채용에
힘써야 할 시대입니다."

저 역시 얼마 전 화학 분야의 대기업에서 인사 담당 임원으로 재직 중인 지인으로부터 과거와 달리 직원교육이 많이 줄었다는 이야기를 들은 적이 있습니다. 법정교육과 진급자교육을 제외하면 교육이 거의 없다시피 해서 사실상 교육은 신경을 쓰지 않는다는 얘기였습니다. 다른 기업인들도 교육 담당 부서의 역할과 위상이 예전 같지 않다는 이야기를 자주 합니다. 질문하신 분의 회사만 교육 수요가 줄어든 것은 아니라는 말이지요. 그만큼 기업을 둘러싼 경영환경이 이전과 많이 달라진 겁니다.

과거에 기업들은 신입사원 교육, 직급교육, 직무교육에 관심을 많이 기울였습니다. 해마다 새로운 신입사원들이 대거 입사하고, 직급이 올라가는 승진자들이 다수 배출되다 보니 그들을 위한 교육이 필요했기 때문입니다. 이 같은 교육훈련 시스템은 기본적으로 '회사가 직원을 채용해 키운다'는 생각에 뿌리를 두고 있습니다.

삼성그룹은 이병철 창업주의 경영철학인 '인재제일주의'를 표방하면서 오랫동안 인재 육성을 위한 직원교육에 엄청난 자원과 노력을 투입했습니다. 삼성그룹에 '인재사관학교'라는 수식어가 따라붙었던 것도 그만큼 삼성이 사내 교육훈련에 많은 투자를 했기 때문입니다. 요즘 잘 쓰지 않는 용어가 됐습니다만, '삼성맨'은 그렇게 만들어졌습니다.

삼성뿐만이 아닙니다. 주요 기업들은 창업주나 오너의 인재관이 반영된 인재상을 갖고 있었습니다. 그래서 삼성형 인재, 현대형 인재, LG형 인재 같은 말이 널리 통용되곤 했습니다.

기업들은 저마다 좋은 자질을 갖춘 직원들을 뽑아 교육훈련을 통해 자신들이 추구하는 인재상으로 키우는 방식을 선호했습니다. 이를 위해 어느 정도 규모를 갖춘 기업이라면 너 나 할 것 없이 연수원을 세웠고, 수시로 이곳에 임직원들을 불러 모아 다양한 교육을 실시했습니다. 웬만한 대기업 직원이라면 1년에 최소 몇 차례씩 이런저런 집체교육 프로그램에 참석했습니다. 그러다 보니 교육 담당 부서의 역할이 굉장히 중요했고 사내 위상도 높았습니다. 그랬던 교육부서의 의미와 중요성이 지금은 왜 달라졌을까요?

◆ ◆

교육부서의 필요성이 줄어들고 있다

우선 채용시장이 경력자 중심으로 재편된 것이 하나의 이유입니다.

요즘 대기업은 과거처럼 대규모 신입사원 공채를 실시하지 않습니다. 신입사원을 뽑더라도 아주 적은 규모로 수시채용하는 경우가 일반적이죠. 회사에 필요한 인력은 그때그때 경력사원으로 충원하는 비중이 매우 커졌습니다. 경력사원들은 이미 업무 경험과 지식을 갖췄기 때문에 곧장 실무 투입이 가능합니다. 기업은 빠르게 변하는 시장 상황을 감안해 곧바로 실무에 투입해 성과를 낼 수 있는 '즉시 전력'을 선호합니다. 이에 따라 직무수행을 위한 별도의 교육이 필요 없는, 한마디로 '준비된 직원'들을 뽑습니다.

또 하나의 이유는 직무가 더욱 세분화되고 전문화되었다는 점입니다. 때문에 교육 부서에서 각각의 직무에 맞는 맞춤형 교육을 실시하기 어려워졌고, 이 때문에 직무교육의 필요성을 느끼는 일부 기업들은 직원들에게 비용을 지급하여 필요한 교육을 외부에서 각자 알아서 받도록 하고 있습니다.

직급교육 역시 수요가 계속 줄고 있습니다. 예전에는 기업 대부분이 사원에서 시작해 대리, 과장, 차장, 부장, 임원으로 승진하는 직급체계를 운영했습니다. 하지만 이제 기업은 직급 단계를 대폭 축소하고 있습니다. 팀원, 팀장, 임원의 3단계로 줄이는 것이 대세입니다. 그래서 승진자들을 대상으로 실시하던 직급교육 수요도 줄어들었습니다.

여기에 코로나19로 인한 비대면 전환은 교육부서의 존재 이유를 다시 묻는 계기가 됐습니다. 재택근무, 원격근무를 도입하는 마당에 여러 직원을 한 자리에 모아놓고 실시하는 대면교육은 설 자리를 잃게 된 것입니다.

◆◆
교육 비용을 줄이고 채용 비용을 늘려라

이렇듯 여러 가지 이유가 있지만, 무엇보다도 가장 큰 이유는 앞서 이야기한 '경력직 채용 문화'의 확산입니다. 이제 기업은 교육훈련 비용을 줄이면서 '적합한 인재$^{Right People}$' 채용에 자원 투입을 계속 늘리고 있습니다. 양성보다 발굴과 채용에 더 많은 비용과 시간을 쓰고 있는 것이죠. 거목으로 자랄지 알 수 없는 씨앗을 심기보다는 튼튼한 묘목 또는 이미 잘 자란 나무를 데려와 심는 것이 확실하다는 것입니다.

최근 기업들이 인재를 발굴하고 영입하기 위해 채용 전담 부서와 인력을 대대적으로 확충하는 이유도 여기에 있습니다. 특히 인재 한 명 한 명을 발굴하고 평가하고 선발하려면 채용 과정이 굉장히 복잡하고 길어질 수밖에 없습니다. 전보다 품이 훨씬 많이 들어가다 보니 채용부서가 계속 커지고 있습니다.

물론 기업에서 사내 교육훈련 필요성이나 가치가 완전히 사라지지는 않을 겁니다. 기업 문화 전파, 인적자원 개발, 리더십 강화, 법정 의무교육 같은 필수적인 교육 수요는 여전히 남아 있을 테니까요. 그러나 시대의 흐름이 교육 비용보다 채용 비용을 늘려야 하는 방향으로 변화하고 있는 것은 분명한 사실입니다. 이 점을 염두에 두시고 교육 부서와 채용 부서, 교육 비용과 채용 비용에 대해 진지하게 숙고해 보셨으면 합니다.

성과 중심 조직 운영을 위한 실행전략

Q

무사안일한 조직 문화를
어떻게 하면 바꿀 수 있을까요?

#피터드러커 #경영자의역할 #비전 #목표 #R&R #성과 #보상

인터넷 쇼핑몰을 운영하고 있습니다. 모처럼 매출이 늘어 회사의 규모를 늘려 가고 있습니다. 인력을 늘리고 홈페이지도 새롭게 개편하고 다루는 품목도 확장했습니다. '물 들어올 때 노 저어야 한다'는 속담처럼 지금 이 기회를 발판으로 삼아 적극적으로 시장 개척에 나서려 합니다. 그런데 기존 직원들의 태도가 이전과 크게 달라지지 않고 있습니다. 영업 목표가 정해지면 그 달성을 위해 조직 역량이 집중돼야 하는데, 여전히 주어지는 일만 따박따박 할 뿐 아이디어를 제시하거나 새로운 시장을 넓혀가려는 시도를 하지 않고 있습니다. 이러다가 좋은 기회를 날려버리지 않을까 몹시 초조합니다. 무사안일한 기업 분위기를 어떻게 하면 쇄신할 수 있을까요?

"기업 문화는 만들기보다 바꾸기가 더 힘듭니다.
사장이 앞장서야 합니다."

시장의 유행과 트렌드는 늘 변하며, 고객들의 취향 역시 언제 어떻게 변할 것인지 가늠하기가 어렵습니다. 기업은 자사의 제품과 서비스를 원하는 시장과 고객이 있어야 존재할 수 있습니다. 그래서 반드시 시장과 고객의 수요를 예측하고 파악하는 데 늘 신경을 곤두세워야 합니다. 뒤처지는 기업이나 업체는 금방 사라지고 마니까요. 물이 들어올 때 노를 젓는 것이 아니라, 떠밀려가지 않으려면 늘 노를 저어야 하는 법입니다.

질문하신 분이 느끼는 위기의식은 타당합니다. 게다가 위기의식이 없는 경영자는 도태되기 마련이라는 점에서 매우 바람직하게 보입니다. 다만 한 가지 명심해야 할 것은 경영자가 감지하는 위기의식은 직원들과 공유하기가 무척 어렵다는 점입니다.

직원이 회사에 대해 느끼는 책임감과 부담감은 경영자의 그것과는 차원이 다릅니다. 경영자는 여러 사람의 생계를 어깨에 지고 회사

성과 중심 조직 운영을 위한 실행전략

의 사활에 모든 것을 걸지만, 직원들은 대체로 '회사가 망하면 이직하면 그만'이라고 생각합니다. 회사가 자기 것이 아니기 때문입니다. 경영자가 직원과 주인의식을 공유할 수도, 그들에게 강요할 수도 없는 이유가 그것입니다.

그렇다면 경영자는 직원들에게 어떠한 헌신과 자발성도 기대할 수 없는 걸까요? 그렇지는 않습니다.

◆ ◆

경영자가 해야 하는 다섯 가지 역할

경영학의 아버지로 불리는 피터 드러커는 이렇게 말했습니다.

"구성원들이 실행에 나설 수 있도록 비전을 제시하고 그들의 잠재된 역량을 이끌어내는 것이 조직에서 경영자의 역할이다."

피터 드러커는 이를 위해 경영자가 수행해야 하는 역할을 다섯 가지로 정리했습니다. 조직의 목표 설정, 자원의 배분과 조직화, 구성원에 대한 동기부여, 성과의 측정과 평가, 인재개발을 통한 성과 향상이 바로 그것입니다.

그는 기업 조직에서 가장 중요한 것은 '성과'라고 역설했습니다. 기업은 항상 뛰어난 성과를 목표로 해야 하고, 평범하거나 보잘것없는 성과를 적당히 용인하면 안 된다고 강조했지요. 아울러 보상 체계

역시 반드시 성과를 기준으로 마련해야 한다고 주장했습니다. 한마디로 기업 경영자라면 모름지기 강력한 성과 중심의 조직 문화를 구축해야 한다는 겁니다.

성과 중심 문화를 만들려면 우선적으로 직원들에게 '역할과 책임 R&R: Role and Responsibility'을 명확하게 인식시켜야 합니다. 그러기 위해 경영자는 다음 질문에 명확하게 답할 수 있어야 합니다.

"우리의 사업은 무엇인가?"
"우리의 사명은 무엇인가?"
"우리의 목표는 무엇인가?"
"우리의 고객은 누구인가?"

경영자는 회사의 목표와 과제, 각자의 역할과 책임을 구성원 각자에게 분명하게 선언해야 합니다. 역할과 책임을 명확하게 하는 것은 성과 중심 조직 문화 구축의 출발점입니다. 물론 성과 중심 조직 문화가 완전히 뿌리내리려면 성과에 따른 확실한 보상 체계도 마련해야 하겠지요. 아울러 직원들이 자신에게 부여된 역할과 책임에 대해 동의와 합의를 해야 합니다. 그런 과정을 거쳐야만 직원들이 자발적으로 업무에 몰입하고 최선을 다할 수 있습니다.

구성원의 자발성을 이끌어내는 방법

질문하신 분은 영업 목표가 정해졌는데도 조직의 역량이 집중되지 않고 있다고 했는데, 이런 질문을 드리고 싶습니다. 혹시 영업 목표를 수립할 때 어떤 과정과 절차를 거쳤습니까? 어떤 경영자들은 영업 목표를 수립할 때 혼자만의 생각으로 결정하는 경우가 있습니다. 외형 성장에 대한 열망이 강해서 강도 높은 목표를 제시하는 것입니다. 그러나 영업 목표의 경우 경영진이 일방적으로 정해서 하달하는 방식은 효과적이지 않습니다. 물론 목표가 높다고 모두 나쁜 것은 아닙니다. 높은 목표를 지향할 때 강한 동력이 생길 수 있기 때문입니다. 하지만 경영자가 독단적으로 영업 목표를 설정해 사업부서에 하달하면 구성원들의 자발적인 노력을 이끌어내기가 어렵습니다.

예를 들어 어느 사업부서가 작년에 50억 원의 매출을 기록했는데, 경영진이 올해 매출 목표를 80억 원으로 제시했다고 가정해보지요. 전년 대비 무려 60% 증가한 매출을 달성하라는 지시에 구성원들의 반응이 어떨지는 충분히 예상할 수 있습니다.

> "말도 안 되는 소리를 하고 있네. 도대체 그걸 어떻게 해낼 수 있다는 말이야. 도대체 우리 사장님은 제정신인 거야?"

이렇게 대놓고 불만을 표출할 수도 있고, 그렇지는 않더라도 마지 못해 노력하는 시늉을 할지도 모르겠습니다. 그러나 목표 달성 가능성은 그리 높지 않을 겁니다. 결국 연말에 이르러서 경영자는 해당 부서를 강하게 질책할 것이고, 구성원들은 속으로 좌절감과 분노를 삭일 것입니다.

몇 년 전 한 IT 기업이 외국계 기업 임원 출신을 최고재무책임자CFO 겸 부사장으로 영입했습니다. 이 사람은 영입된 지 얼마 지나지 않아 다음해 경영계획을 짜기 시작했습니다. 사장과 논의를 거쳐 예년에 비해 한참 높은 매출 목표를 세웠습니다. 부사장이 각 본부장들을 만나 매출 목표를 전달하니 모두가 펄쩍 뛰었습니다. 말도 안 되는 무리한 목표라고 강하게 반발했습니다. 하지만 부사장은 업계 동향이나 경쟁사의 움직임 등 나름대로 명확한 근거를 가지고 제시한 목표가 달성 가능하다며 설득했습니다. 부사장과 협의를 마친 본부장들은 반신반의하며 각자 자기 본부의 부서장들에게 매출 목표를 제시했습니다. 부서장들의 반응도 마찬가지였습니다. 불가능하다는 것이었죠.

결국은 어떻게 되었을까요? 이 부사장은 무려 3개월에 걸친 논의와 설득 작업 끝에 자신이 설정한 매출 목표에 대한 직원들의 동의를 이끌어내는 데 성공했습니다. 그 과정에서 각 사업본부의 구성원들은 해당 목표를 달성하기 위한 여러 가지 방법과 아이디어를 공유했습니다. 논의 과정에서 처음 제시했던 것보다 목표가 조금 줄어들긴 했지만, 매출 목표와 달성 방법에 대한 전사적 공감대가 형성된 겁니다.

기업 문화는 만드는 것도 어렵지만 바꾸는 것은 더 어렵습니다. 하지만 바람직한 기업 문화는 결국 경영자에게서 비롯됩니다. 오랫

성과 중심 조직 운영을 위한 실행전략

동안 무사안일한 태도에 젖어 있던 조직 구성원들의 의식을 다시 깨우려면, 그리고 그들이 성과를 내기 위해 자발적으로 움직이게 만들려면 경영자가 앞장서야 합니다. 구성원들에게 명확한 비전을 제시하고, 역할과 책임을 명확하게 인식시키고, 그들의 합의를 이끌어내야 합니다.

Q

소팀제로 바꾸면
성과가 더 좋아질까요?

#대팀제 #소팀제 #존카젠바흐 #아마존 #생산성 #효율성 #숙련도 #팀워크

20년 넘게 화장품 회사를 경영하고 있습니다. 최근 거래처와 취급 품목이 늘어나면서 업무 효율이 떨어지고 직원 1인당 생산성이 정체 상태를 보이고 있습니다. 그런데 모임에서 다른 회사 사장들과 이야기하다 보니 우리 회사의 성과 단위 조직 규모가 상당히 큰 것을 알게 됐습니다. 우리 회사는 각 부의 부서장이 10~20명의 직원들을 지휘하고 있습니다. 그런데 다른 회사에서는 5~10명 정도로 구성되는 각 팀이 우리 회사의 부서 하나에 못지않은 성과를 내고 있었습니다. 그래서 소팀제로 전환하는 방안을 연구하고 있는데, 이를 두고 간부들이 부정적 입장을 표명하고 있습니다. 규모가 너무 작으면 조직 불안정이 심해지고 내부 경쟁이 격화할 가능성이 크다는 겁니다. 간부들의 의견도 일리가 있는 것 같아 고민이 됩니다. 과연 팀 규모는 어느 정도가 최적일까요?

"분명 장점이 뚜렷한 제도입니다.
점차적으로 전환하십시오."

어느 방식이 정답이라고 말할 수 없습니다. 모든 조직마다 인력 구성이 다르고 사업 성격과 목표에도 차이가 있기 때문이지요. 다시 말해 대팀제, 중팀제, 소팀제 중 어느 것을 택하건 조직의 특성과 목표를 고려해야 한다는 겁니다.

다만 팀제를 운영하는 이유가 역할과 책임의 명확화, 신속한 의사결정, 민첩하고 강력한 업무 추진에 있다면 소팀제가 바람직한 형태일 수 있습니다. 아무래도 팀 구성원이 많아지면 의사소통이나 공감대 형성이 쉽지 않을 수 있기 때문입니다.

팀 조직에 대해 오래 연구한 경영 컨설턴트 존 카젠바흐Jon Katzenbach는 "팀이란 서로 책임을 나누고 보완하면서 공동의 목적과 목표, 업무 방식을 공유하는 소수의 집단"이라고 정의합니다. 이 정의를 기준으로 본다면 소팀제가 적절한 팀에 가장 가깝다고 할 수 있습니다. 존 카젠바흐가 연구한 효과적 팀들의 구성원은 적으면 2명에서 많으면 20여

명에 이르렀습니다. 팀원 숫자가 팀의 효율성을 결정짓는 절대적 기준은 아니라는 점을 알 수 있는 대목입니다. 그렇지만 카젠바흐에 따르면 효과적 팀들의 일반적 규모는 대개 10명 이내였습니다.

어느 집단이나 조직이든 사람 숫자가 많다는 것은 외형상 든든하고 힘이 느껴집니다. 비유하자면 인구대국들이 강국으로 여겨지는 것과 비슷한 이치입니다. 하지만 특정한 목적과 목표를 가지고 성과 창출을 도모하는 기업 조직은 무엇보다 업무 효율성을 우선적으로 고려해야 합니다. 공동의 목표를 향해 일사불란하고 기민하게 움직이려면 소수의 인원으로 팀을 구성하는 게 타당할 수 있다는 뜻입니다.

◆ ◆

베테랑들이 소팀제를 선호하는 이유

첩보 영화나 전쟁 영화를 보면 소수의 인원이 특수임무를 수행하는 모습을 종종 볼 수 있습니다. 실력이 탁월한 몇몇 멤버들이 극도로 위험한 상황을 헤쳐나가면서 결국 무사히 임무를 완수하는 내용이죠. 실제로 군대 조직에서 특수전 부대나 게릴라 부대는 임무 수행 능력이 탁월한 소수의 정예 멤버로 구성됩니다.

'피자 두 판의 법칙Two Pizza Rule'이란 말이 있습니다. 이는 세계 최대 전자상거래기업 아마존이 채택하고 있는 팀 구성 원칙으로, 창업자인 제프 베이조스Jeff Bezos의 주장에 따라 만들어진 것입니다. 그는 피자 두 판을 나눠 먹을 수 있는 6~10명 정도의 인원이 하나의 팀을 구성하

성과 중심 조직 운영을 위한 실행전략

는 적절한 수라고 판단했습니다. 베이조스는 중앙집중식의 수직적 조직 구조로는 경영환경 변화에 제대로 대응하기 어렵다고 생각해 소팀제로 전환을 시도했습니다. 소수정예 멤버로 이뤄진 팀이 독립적이고 민첩하게 움직여야 혁신도 이뤄지고 회사도 성장할 수 있다는 생각에 서였습니다. 아마존은 이 같은 조직 구조로 여전히 승승장구하고 있습니다.

대팀제는 팀 구성원들의 실력이나 경험에 편차가 상당히 클 수 있습니다. 누군가는 업무 능력이 뛰어날 수 있지만, 또 누군가는 부족할 수 있습니다. 보통 구성원들의 업무 역량이 낮거나 주니어 직원들이 많은 조직에서 대팀제를 운영하는 경우가 많습니다. 이러한 경우 팀장과 고참 팀원들이 상대적으로 능력이 모자라는 팀원들을 보완하는 역할을 해야 합니다. 그러다 보니 업무 효율성이 떨어지고 1인당 생산성도 낮아지게 됩니다.

그러나 팀의 구성원이 적은 소팀제에서는 할 일이 명확해지기 때문에 각자의 역할과 책임이 분명해집니다. 다른 구성원들에게 '묻어가는' 사람이 없어지는 만큼 업무 효율성이 높아지게 되는 것이죠. 물론 소팀제에서 구성원들은 강도 높은 업무를 해내야 합니다. 그러나 더 많은 보상을 받을 수 있고 더 많은 권한도 주어진다는 점에서 업무 역량이 뛰어난 베테랑 직원들은 소팀제를 선호하는 경향이 있습니다.

소팀제를 구성할 때 주의해야 할 점

이렇게 얘기하면 소팀제가 대팀제보다 훨씬 나은 조직 구성으로 느껴질 테지만, 소팀제에도 약점은 있습니다.

카젠바흐는 팀을 구성할 때 규모만이 아니라 어떤 사람들을 팀원으로 뽑을 것이냐가 매우 중요하다고 봤습니다. 그는 팀을 구성하는 팀원에게 요구되는 조건으로 '기술이나 기능의 전문성, 문제해결 능력, 효과적 의사소통 능력'을 꼽았습니다. 소팀제 구성원들은 이런 조건들을 충족해야 합니다. 다시 말해 소팀제의 구성원은 상당한 경험과 지식, 그리고 프로다운 태도를 갖춘 베테랑이어야 합니다. 게다가 팀장은 물론이고 팀원 모두가 각자 자기 역할을 척척 해내야 합니다.

여러 기업들이 소팀제를 운영해보려 해도 어려움을 겪는 경우가 많습니다. 작은 팀을 구성할 수 있는 업무 경험과 역량을 갖춘 구성원이 충분하지 않기 때문입니다. 어떻게든 팀을 꾸렸다고 해도, 강도 높은 업무를 감당할 수 없는 구성원이 중도에 이탈해버릴 가능성이 있습니다. 한번 이탈자가 발생하면 다시 그 역할을 대체할 적절한 사람을 찾아 빈자리를 메우는 것이 쉽지 않습니다. 그리고 팀워크가 잘 맞으면 좋은 성과를 낼 수 있지만, 팀원 중에서 누군가가 제 역할을 하지 못하거나 팀원 간에 갈등이 벌어진다면 조직 불안이 가중될 수 있습니다.

이처럼 여러 가지 위험 요소가 있지만 소팀제는 원활하게 운영될 경우 업무 효율성과 생산성이 높아지기 때문에 회사 입장에서 반길 수밖에 없습니다. 팀제를 운영하는 회사라면 가급적 소팀제로 나아가는 게 바람직합니다.

요즘 이직의 일상화로 많은 기업들이 경력사원을 채용하고 있습니다. 경력사원들은 기본적으로 업무 경험과 역량을 갖춘 사람들입니다. 그런 경력사원들을 최대한 효율적으로 활용하려면 소팀제가 적합할 수 있습니다.

다만 모든 기업이 일률적으로 소팀제를 도입할 수는 없겠지요. 기업의 특성, 조직의 특성, 업무의 특성을 전반적으로 감안해서 선택해야 합니다. 또 소팀제를 도입하면 일하는 방식과 프로세스, 업무 분장도 그에 걸맞게 수정해야 합니다.

질문하신 분의 회사가 소팀제 전환을 추진한다면 위와 같은 사항들을 면밀하게 검토한 뒤 최종결정을 내리는 것이 바람직합니다. 간부들이 부정적 입장을 보이는 데는 나름의 이유가 있을 겁니다. 조직이 소팀제를 받아들일 만한 여건이 안 되는데 무리하게 도입한다면 오히려 역효과를 낳을 수 있습니다. 따라서 소팀제 도입에 앞서 먼저 조직의 상황을 꼼꼼하게 진단하고 철저하게 준비할 필요가 있습니다.

한 가지 방안으로 단계적 접근법을 취할 수도 있습니다. 한꺼번에 조직 전체를 소팀제로 전환하지 않고 한두 개의 팀을 시범적으로 운영하면서 장단점을 살펴보는 것입니다. 그러면서 소팀제를 점차적으로 이식하는 것이 전면적 도입에 따른 부작용을 피할 수 있는 방법이 될 수 있습니다.

Q

고성과를 내고, 팀원들이 만족하며
장기근속하는 팀은 무엇이 다를까요?

#조직문화 #구글 #아리스토텔레스프로젝트 #심리적안정감

#에이미에드먼슨 #팀장 #리더십

중견 식품 회사의 대표입니다. 성장 정체를 돌파할 수 있는 해법을 고민하던 중에, 어느 부서의 팀별 성과를 살펴보다가 특이한 점을 발견했습니다. 이 부서에는 꾸준히 성과를 잘 내는 팀이 하나 있는데, 구성원의 학력이나 스펙이 다른 팀과 비교해 큰 차이가 없었습니다. 부서장에게 고성과 팀은 무엇이 다른지 물어보니, 구성원이 모두 장기근속 중이라고 합니다. 또 팀 분위기가 좋아서 다른 팀에서도 해당 팀으로 옮기고 싶어 하는 직원들이 많다고 합니다. 팀장에게 성과의 비결에 대해 다시 물었습니다. 그저 '팀원들이 적극적으로 다양한 시도를 하고 있다'라고만 답하더군요. 과연 이 팀의 성과 비결이 무엇일까요?

"모이면 시작이고, 단결하면 전진하며, 함께 일하면 성공한다

Coming together is a beginning, keeping together is progress, and working together is success."

미국 자동차회사 포드의 창업자인 '자동차왕' 헨리 포드가 남긴 말입니다. 짧지만 강렬한 이 명언은 팀원들이 반드시 공동의 목표를 공유해야 한다는 메시지를 담고 있습니다. 한마디로 팀원이 똘똘 뭉쳐 한 방향으로 나아가면 성공할 수 있다는 뜻입니다.

기업이 팀을 구성하는 것은 하나의 목표를 위해 함께 모여 일하기 위함입니다. 구성원들이 공동의 목표를 달성하려면 서로 협력해야만 합니다. '팀워크'는 바로 이것을 일컫는 말입니다.

회사에서 팀 간에 성과 차이를 만들어내는 요인은 다양합니다. 그런데 조건에 별 차이가 없는데도 어떤 팀이 유독 높은 성과를 내고 장기근속자가 많다면, 바로 팀워크가 다른 팀에 비해 매우 효과적으로

작동하고 있을 가능성이 큽니다.

◆ ◆

실수해도 불이익을 받지 않을 거라는 믿음

세계 최고의 IT 기업 중 하나이자 일하기 좋은 기업의 대명사로 꼽히는 구글은 2012년부터 4년에 걸쳐 이른바 '아리스토텔레스 프로젝트'라는 것을 진행했습니다. 프로젝트 명칭은 "전체는 부분의 합보다 크다"라는 명언을 남긴 고대 그리스 철학자 아리스토텔레스에게서 따온 것이었죠. 구글은 전체 조직에서 생산성이 높은 고성과 팀의 공통점이나 특징을 알아내기 위해 이 프로젝트를 진행했습니다. 180개 이상 팀을 대상으로 심리학자, 사회학자, 통계 전문가 등 여러 분야의 전문가들이 몇 년 동안 분석한 결과 마침내 고성과 팀의 다섯 가지 특징을 찾아냈습니다. '신뢰성Dependability, 심리적 안정감Psychological Safety, 일의 영향력Impact of Work, 일의 의미Meaning of Work, 조직 구조와 투명성Structure & Clarity'이 그것입니다. 그중에서도 가장 기본적이고 핵심적인 특징은 '심리적 안정감'이었습니다.

조직학습과 리더십 분야의 전문가인 에이미 에드먼슨Amy Edmondson 하버드경영대학원 교수는 심리적 안정감을 "구성원이 업무와 관련해 어떤 의견을 제기해도 벌을 받거나 보복을 당하지 않을 것이라고 여기는 조직 환경"이라고 정의합니다. 이런 분위기가 형성된 조직이라면 누구든지 상사나 동료의 눈치를 살피지 않고 두려움 없이 자신의

성과 중심 조직 운영을 위한 실행전략

생각과 아이디어를 꺼내놓을 수 있습니다. 에드먼슨 교수가 주창한 심리적 안정감은 불확실성이 많은 기업 환경에서 조직의 생산성을 크게 높일 수 있는 효과적인 방법으로 평가받고 있습니다.

에드먼슨 교수는 다음과 같이 네 가지 질문을 던져보라고 조언합니다.

첫째, 구성원이 눈치 보지 않고 아이디어를 말할 수 있는가?

둘째, 실수를 솔직하게 털어놓을 수 있는 환경인가?

셋째, 도움을 요청하는 데 거리낌이 없는가?

넷째, 부하직원이 리더의 의견에 반대할 수 있는가?

만약 이 질문들에 대해 '그렇다'고 답할 수 없으면 어떤 조직도 결코 혁신과 성장을 이뤄낼 수 없다는 것이 그의 결론입니다. 에드먼슨 교수는 심리적 안정감은 팀이나 조직이 성공하기 위해 가장 기본적으로 갖춰야 하는 조건이라고 강조합니다.

조직에 심리적 안정감이 존재하지 않는다면 어떤 일들이 생길까요? 구성원들은 자신의 의견을 말하기를 두려워하고 새롭고 참신한 아이디어가 있어도 제안하기를 주저합니다. 책임을 지게 될 것이 두려워 모두가 입을 꾹 다물고 있게 됩니다. 그러면 사업에 중대한 결과를 가져올 수 있는 아이디어도 입 밖으로 나오지 못하고 사장됩니다. 또 구성원들 간에 솔직한 의사소통이 이뤄지기 어려울 뿐 아니라 잘못이나 허물을 감추려고 하다가 문제를 키울 수도 있습니다.

구글 아리스토텔레스 프로젝트의 결과는 통념에 비춰 다소 뜻밖의 메시지를 던지고 있습니다. 일반적으로 어떤 조직이 높은 성과를 내고 있으면 대개 그 팀에 아주 유능한 리더와 인재가 있거나, 뭔가 독특한 구조나 특성을 갖고 있을 것이라고 생각하기 마련입니다. 그런데 이 조사 결과는 그러한 요소보다는 구성원에 대한 상호 배려와 공감 같은 정서적 이슈가 성과를 좌우한다는 것을 보여주고 있습니다.

◆ ◆

도전과 시도를 장려하라

기업이 성장하고 발전하려면 구성원들이 새로운 아이디어를 끊임없이 내놓고 적극적으로 사업을 개척해나가는 시도를 해야 합니다. 도전과 시도가 무엇보다 중요하다는 것입니다. 그러려면 회사 차원에서, 그리고 각 조직과 부서별로 도전과 시도를 장려하는 문화를 만들어야 합니다.

고성과 팀의 비결을 전 회사로 널리 퍼뜨리고자 한다면 다시 한번 팀들을 분석해보십시오. 각 팀별로 어떤 팀 문화를 갖고 있는지, 그것이 성과 창출과 어느 정도 관계가 있는지를 면밀히 살펴보십시오. 성과를 잘 내는 팀과 그렇지 못한 팀에 어떤 차이가 있는지를 조직 문화의 관점에서 들여다보는 겁니다. 특히 팀 문화는 팀장의 리더십과 직결돼 있기 때문에 팀장이 어떤 리더십을 어떻게 발휘하고 있는지, 팀원들은 팀장의 리더십에 어떻게 반응하고 있는지 꼼꼼히 살펴보면 도움이 될 것입니다. 아리스토텔레스 프로젝트가 제시한 고성과 팀의 다섯 가지 특징을 기준으로 조직을 진단해보는 것도 좋은 방법일 겁니다.

전문가들에게 조직 진단을 의뢰하는 것도 한 방법입니다. 직원들이 솔직하게 팀의 상황이나 문화, 팀장의 리더십을 이야기할 수 있도록 조심스럽고 섬세한 방식의 접근법을 함께 고민해보세요.

그리고 조직 진단 결과를 바탕으로 고성과 팀이 가진 특징이나 문화를 회사 전체로 확산시켜보십시오. 그 과정에서 팀별로 구성원의 만족도와 생산성을 개선할 수 있을 뿐 아니라 궁극적으로 성공적인 기업 문화를 정착시켜나갈 수 있을 것입니다.

Q

어수선해진 회사 분위기를
다잡는 방법을 알고 싶습니다.

#몰입 #미하이칙센트미하이 #동기부여 #테레사애머빌

#권한위임 #자발성 #자기주도

창업한 지 15년이 지난 의류 회사의 대표입니다. 창업 이후 고비가 많았지만 어느덧 직원이 100명을 넘어섰고 매출과 이익도 안정세에 들어섰습니다. 내수의 한계를 극복하기 위해 주력한 해외시장 개척 노력도 하나둘씩 결실을 보고 있었습니다. 그런데 코로나19 사태 이후 매출이 부진하면서 회사 분위기가 완전히 바뀌었습니다. 시키지 않아도 야근을 자청하던 직원들이 이제는 업무에 적극적이지도 않고 집중하지 못하는 모습을 보이고 있습니다. 그 와중에 몇몇 직원들이 이직을 하거나 퇴사를 하자 해당 부서는 더욱 싱숭생숭한 분위기가 이어지고 있습니다. 매출 감소는 전에도 경험했던 터라 어떻게든 대처해보겠지만, 이처럼 직원들의 어수선하고 침체된 분위기는 전례가 없어서 어떻게 대처해야 할지 막막합니다. 이 일을 어떻게 해결하면 좋을까요?

"동기부여가 되면 몰입은
자연스럽게 따라옵니다."

경영자들은 직원이 항상 업무에 100% 집중하기를 원합니다. 하지만 사람은 기계가 아니기 때문에 늘 업무에 몰입한다는 것은 희망사항에 불과하죠. 경영자도 물론 이런 사실을 잘 알고 있습니다. 다만 직원들의 업무 몰입도가 가급적 높기를 바라는 것입니다.

직원들의 업무 몰입도가 높으면 당연히 기업의 생산성과 효율성이 높아질 수밖에 없습니다. 직원 몰입도가 높은 기업은 그렇지 못한 기업에 비해 영업이익, 순이익증가율, 주당순이익에서 상대적으로 높은 성과를 기록한다는 연구 결과도 여럿 있습니다.

사실 몰입은 오랫동안 사람들에게 꽤 중요한 화두가 되어온 개념입니다. 전 세계적으로 몰입을 전문적으로 연구하는 학자들이 여럿 있습니다. 이 분야의 대표적인 석학으로 꼽히는 미국의 심리학자 미하이 칙센트미하이_{Mihaly Csikszentmihalyi}는 몰입을 '쉽지는 않지만 그렇다고 아주 버겁지도 않은 과제를 극복하기 위해 한 사람이 자신의 실력을 온통 쏟아부을 때 나타나는 현상'이라고 정의합니다. 그는 몰입에 대해 이렇게 이야기합니다.

> "사람이든 다른 어떤 대상이든 그것에 푹 빠져 있는 상태가 몰입이다. 몰입에는 외부적인 보상도 필요 없다. 어떤 일을 하는 것 자체가 좋기 때문이다. 스스로 의지에 따라 집중하고 있다는 게 중요하다."

몰입의 특성은 자발적이라는 것입니다. 누가 강제하지 않아도 스스로 집중하는 것이지요. 이런 환경이 조성되면 직원들은 상사가 지시하지 않아도 일에 달라붙게 됩니다.

◆ ◆

직장인의 몰입을 이끌어낼 수 있는 방법

테레사 애머빌Teresa M. Amabile 하버드 경영대학원 교수는 전문직 직장인 수백 명을 대상으로 동기부여에 관해 연구한 적이 있습니다. 그 결과 이들이 자기 업무에서 '앞으로 나아가고 있다'는 느낌을 가질 때 가장 크게 동기부여가 된다는 사실을 발견했습니다. 애머빌 교수는 이 사실에 '전진의 원리Progress Principle'라는 이름을 붙였습니다. 그리고 다양한 연구조사를 실시한 끝에 '자신의 진보와 일의 진척에 대한 인식'이 업무 몰입을 이끌어내는 가장 중요한 요소라는 결론에 도달했습니다. 말하자면 이런 인식들입니다.

성과 중심 조직 운영을 위한 실행전략

'내가 회사에서 꾸준히 성장하고 발전하고 있구나.'

'내가 이 일을 하면 전문가가 될 수 있어.'

'내가 이 일을 하면 직급이 높아져서 책임자가 될 수 있을 거야.'

'내가 하는 일 덕분에 우리 팀의 성과가 상당히 좋아지고 있어.'

'내가 개발하는 기술로 우리 회사가 큰돈을 벌게 될 거야.'

그렇다면 이 연구가 실시된 미국에서 직장인들은 실제로 얼마나 일에 몰입하고 있을까요? 갤럽은 업무 몰입도 조사를 연례적으로 실시하고 있는데, 그 결과를 눈여겨볼 만합니다. 갤럽의 조사에 따르면 미국 직장인 가운데 업무에 몰입하고 있는 비율은 30%대 초반에 그치고 있습니다. 나머지는 업무를 하더라도 열정과 에너지를 함께 쏟지 않거나 태만하게 하고 있습니다.

이처럼 일반적으로 직장인들이 업무에 몰입하는 비율이 낮기 때문에 기업은 직원들의 업무 몰입도를 높이는 데 관심을 기울이고 있습니다. HR 전문가들은 업무 몰입도를 높이기 위해 다음과 같은 방안들을 제시하고 있습니다.

첫째, 직원들에게 적합한 직무를 부여하는 것입니다. 각각의 직원이 가장 잘할 수 있고 희망하는 일을 할 수 있도록 직무 기회를 주는 것이지요. 만약 직원이 자신이 원하는 직무가 아닌 일을 하게 된다면 몰입도가 크게 떨어집니다. 또한 그 상태가 지속되면 퇴사로 이어질 확률도 높아집니다.

둘째, 직원들에게 적절하게 권한 위임을 하는 것입니다. 직원이

스스로 결정할 수 있는 권한이 없을 경우 상사의 지시를 수동적으로 따르게 됩니다. 어떤 일이든 지시받은 일만 할 뿐 먼저 나서서 하지 않는다는 겁니다. 따라서 일정하게 권한을 부여해 주체적으로 의사결정을 할 수 있도록 하면 몰입도가 높아질 수 있습니다.

셋째, 성장과 발전의 기회를 제공하는 것입니다. 직원들은 업무수행을 통해 더 나은 지식과 기술을 얻고 숙련도가 높아진다고 느끼면 자연스럽게 업무에 몰입할 수 있습니다. 조직에 대한 소속감과 책임감도 높아져서 회사의 성과에 더 많이 기여하게 됩니다. 반면 직원이 더 이상 조직에서 배울 것이 없다고 생각하면 회사를 떠날 가능성이 커집니다. 따라서 직원들에게 지속적으로 성장과 발전의 동기를 부여할 필요가 있습니다.

넷째, 직원들이 자기주도성을 갖고 일할 수 있도록 하는 것입니다. 회사의 업무 프로세스를 개선하거나 새로운 제품을 개발할 때 직원들에게 적극적으로 아이디어를 낼 수 있는 기회를 주는 것이죠. 가령 사내 공모전을 통해 신제품이나 신사업의 아이디어를 구한다면 직원들이 훨씬 더 관심을 갖고 일할 수 있을 겁니다.

◆ ◆

몰입을 방해하는 요소를 제거하라

어떤 직원이 몰입하지 못한다면 거기에는 반드시 그럴 만한 이유가 있습니다. 개인적 성격이나 특성이 작용하기도 하고, 주변 환경의 여러 요소들이 영향을 미치기도 합니다. 직장인들이 업무에 몰입하지 못하는 이유는 제각각입니다. 하지만 직원들의 업무 몰입도가 전반적으로 낮게 나타난다면 직원 개개인의 문제라기보다 조직의 문제에서 비롯되었을 가능성이 큽니다. 회사에 직원들의 업무 몰입을 방해하는 요소가 존재한다는 뜻이지요.

따라서 경영자와 관리자는 상시적으로 조직 안에 몰입 방해 요소를 찾아 제거하는 노력을 기울여야만 합니다. 컨설팅업체 딜로이트의 조사에 따르면 글로벌 기업 임원의 85%가 직원의 업무 몰입을 최우선적으로 관리해야 하는 문제라고 보고 있었습니다.

질문하시는 분의 회사에서 업무에 집중하지 못하는 직원들이 퇴사하고 있다면 혹시 조직 안에 직원들이 업무에 몰입하지 못하게 하는 요소가 있는지 살펴보십시오. 업무 몰입도가 높은 직원들은 회사를 떠나지 않을 가능성이 큽니다. 현재 자신의 직무 수행에 몰입하고 있는데 굳이 퇴사할 이유가 없는 것이죠.

미하이 칙센트미하이는 『몰입의 경영』이라는 책에서 이런 말을 했습니다. 기업의 경영자와 관리자들이 직원들의 업무 몰입도 향상을 절실하게 원하고 있다면 꼭 마음에 새겨둘 만한 이야기라고 생각됩니다.

"현대의 고용주는 직원에게 최대한 혜택이 돌아가게 하기보다 어떻게 하면 최대한 노동력을 뽑아낼 것인지 궁리한다. 그러나 오래 가는 기업을 만들려고 하는 경영자라면 직원이 업무를 즐겁게 처리하고 그 과정에서 개인적 발전을 이룰 수 있는 환경을 조성해야 한다."

"다시,
'사람이 전부'임을 생각하다."

4년 만에 다시 책을 쓰겠다고 생각한 데에는 두 가지 이유가 있었다. 가장 큰 이유는 코로나19로 촉발된 '대퇴사 현상'이다. 이 시기 젊은 층을 중심으로 직원들이 줄지어 퇴사했고, 심지어 중간 간부들까지 퇴사 대열에 합류하면서 기업들이 조직관리에 큰 어려움을 겪었다. 들불처럼 번져나간 퇴사 붐은 팬데믹이 어느 정도 마무리된 지금도 계속되고 있다.

이 현상은 기업의 규모를 가리지 않았다. 한국의 대표적 대기업인 LG전자를 보자. LG전자의 「지속가능경영보고서」에 따르면 2022년 한 해 동안 29세 이하 정규직 직원 1만 1,700명 중 3,500명이 자발적으로 퇴사했다. 퇴사율이 무려 29.9%다. 젊은 직원 10명 중 3명이 회사를 떠난 것이다. 그러다 보니 LG전자는 직원을 많이 뽑아야 했다. 29세 이하 신규채용 직원 수가 2020년에는 7,869명, 2021년에는 1만 2,093명, 2022년에는 1만 2,563명에 달했다.

흔히 MZ세대로 불리는 젊은 직원들의 퇴사 행렬은 기업들을 대변화의 소용돌이로 몰아넣었다. 그러나 몇몇 기업들은 변화를 애써 외면하고 있고, 어떤 기업들은 일시적 현상으로 보고 바람이 지나가기만을 기다리고 있다. 그리고 대다수 기업들은 변화에 대처하는 방법을 찾지 못해 허둥대고 있다.

나는 헤드헌팅 회사의 대표로서 최근의 변화를 누구보다 가까이서 지켜봐왔고, 나 역시 회사의 경영을 책임지고 있기에 같은 변화를 온몸으로 겪었다. 고백하자면 이 변화의 강도가 너무 세고 폭이 너무 넓어서 처음엔 어떻게 대처해야 할지 갈피를 잡기가 힘들었다. 그러나 차츰 격랑을 헤쳐나가면서, 또 마찬가지로 해법을 고민하는 경영자들과 만나 이야기를 나누는 과정에서 실마리를 잡게 됐다. 지금의 대격변은 일시적인 현상이 아니므로 인재와 조직을 관리하는 방식을 근본적으로 바꿔야 한다는 점, 아울러 이 변화의 시작과 끝에는 모두 '사람'이 있다는 점이다.

'인재의 중요성'은 내가 이 책을 쓰게 된 두 번째 이유다. 직원들이 직장을 떠나게 만드는 가장 큰 요인이 사람이라는 것은 여러 조사를 통해 검증되고 있다. 연봉이나 근무 조건은 물론 퇴사의 주된 요인이지만, 이것만이 퇴사 요인의 전부는 아니었다. 퇴사의 핵심 원인 제공자가 '상사'인 경우는 부지기수였고, 때로는 경영자가 이직을 결심하게 만들었다. 기업 문화나 제도, 비전, 경영철학, 성과와 조직관리 방식 등은 모두 결국 사람과 관련된 것이다.

코로나19로 촉발된 대격변의 시대는 경영자들에게 인재관리에 관한 근본적인 질문을 던지고 있다. 지금 시대의 경영자는 산적한 문제를 해결해낼 인재도 찾아야 하고, 앞으로 기업을 키우고 발전시킬 인재도 찾아야 한다. 그렇다면 그 핵심인재를 어떻게 찾고 어떻게 뽑고 어떻게 검증해야 할까? 나아가 어렵게 뽑은 인재를 어떻게 안착시키고 활용해야 할까? 인재를 대하는 경영자의 리더십은 어떻게 달라져야 할까?

이 질문들은 경영자들의 수많은 고민 가운데 극히 일부에 불과하다. 또 문제의 양태가 너무도 다양해 하나의 해법을 다른 경우에 그대로 적용할 수도 없다. 하지만 눈 밝은 독자들은 이미 기업이 겪는 수많은 문제의 핵심과 해결의 실마리에 모두 '인재'가 놓여 있음을 깨달았을 것이다. 지금처럼 격변하는 경영 환경을 만들어낸 것도 사람이고, 이를 해결할 방법도 사람에게서 찾을 수 있다.

흘러간 강물은 돌아오지 않는다. 기왕에 일어난 변화는 일어난 것으로 받아들이고 새로운 변화의 기회를 포착해야 한다. 그리고 그 기회는 '인재'에게서 찾을 수 있다. 역사적으로 족적을 남긴 경영자들은 한결같이 사람 문제에 민감했고, 조직관리의 달인이었다. 이 책을 읽는 분들이 그처럼 빛나는 별과 같은 이들과 어깨를 나란히 할 수 있기를 희망한다.

신현만

"다시, '사람이 전부'임을 생각하다."

사장의 별의 순간

초판 1쇄 발행 2023년 10월 4일

지은이 신현만
펴낸곳 (주)커리어케어 출판본부 SAYKOREA

출판본부장 이강필
편집 박진희 손성원
마케팅 허성권
디자인 [★]규

등록 2014년 1월 22일 (제2008-000060호)
주소 03385 서울시 강남구 테헤란로 87길 35 금강타워3, 5-8F
전화 02-2286-3813
팩스 02-6008-3980
홈페이지 www.saykorea.co.kr
인스타그램 instagram.com/saykoreabooks
블로그 blog.naver.com/saykoreabooks

ⓒ (주)커리어케어 2023
ISBN 979-11-93239-02-5 03320

SAY KOREA는 (주)커리어케어의 출판브랜드입니다